Zwaar beproefd!

Van dezelfde auteur:

Zwaar verliefd!

Chantal van Gastel

ZWAAR
BEPROEFD!

the house of books

Eerste druk, oktober 2009
Tweede druk, november 2009

Copyright tekst © 2009 Chantal van Gastel
Copyright © 2009 The House of Books, Vianen/Antwerpen

Omslagontwerp en art-direction
Studio Marlies Visser

Fotografie
Anouk de Kleermaeker (kittens)
Met dank aan Nikita, Chris Hoefsmit (model)

Foto auteur
Priscilla van Gastel

Opmaak binnenwerk
ZetSpiegel, Best

www.chantalvangastel.nl
www.thehouseofbooks.com

ISBN 978 90 443 2529 4
D/2009/8899/117
NUR 340

Voor mijn ouders
Frans en Rian van Gastel

en grootouders
Frans en Anneke van Gastel
en
Frans en Annie Remie

1

Hij past niet. Shit, hoe kan dat nou? De inspanning is van Rubens gezicht te lezen. Hij zet wat extra kracht. Hij heeft zoveel moeite gedaan om dit perfect voor me te maken. Het moet passen. Het móét. Ik kijk naar hem. Het gaat nooit lukken. Ik weet het en hij weet het ook.

'Isa,' zegt hij gefrustreerd.

'Sorry!' Ik kan niet geloven dat ik zo stom ben geweest. Moet je nou zien wat voor werk hij afgeleverd heeft. Het is volmaakt. En het enige wat ik moest doen, is precies opmeten hoe lang en hoe hoog de muur was. 'Het spijt me,' fluister ik. 'Ik begrijp niet hoe ik dit verkeerd heb kunnen doen. Ik heb het twee keer nagemeten.'

'Vrouwen…' zucht hij terwijl hij het middenstuk van mijn precies op maat gemaakte inloopkledingkast van de muur trekt. Het staat klem tussen het hoekgedeelte en de rest van de kast en hij moet flink sjorren om het weer los te krijgen, wat me wél een mooi uitzicht op zijn armspieren bezorgt. Het zou deze ellende bijna waard zijn. 'Nou ja… dat wordt weer zagen,' zegt hij berustend.

'Het spijt me zo,' zeg ik weer. Hij heeft er zo hard aan gewerkt. Al sinds ik het idee had om deze kamer om te toveren tot de droom van elke vrouw: een garderoberuimte waar Carrie Bradshaw jaloers op zou zijn. Hij heeft zonder te klagen een hele zaterdag met me op de meubelboulevard doorgebracht, kijkend naar alles wat ik aanwees. 'Kijk, ik wil zo'n kast, maar dan met die schuifdeuren en niet met het hoekgedeelte dat eraan zit, maar met deze… zie je? Ik wil er zo in kunnen lopen en daar een rek voor mijn schoenen, maar ze moeten niet zo uitgestald worden. Dat vind ik niet mooi. Ze moeten met de neuzen naar voren, zodat ik ze allemaal goed kan zien als ik de deur opendoe. En dat is ook leuk, dat er een lichtje aanspringt als de deur opengaat. En ik wil zo'n grote schuifbak met allemaal vakjes voor mijn beha's en riemen en sjaaltjes. En kun je ook zoiets maken? Dan kan ik mijn broeken hieronder hangen en mijn bloesjes erboven.

En een los element voor jurkjes, want die hangen nu allemaal half verkreukeld tegen de bodem van mijn kast.'

Hij was zo lief. Hij luisterde naar al mijn wensen, maakte snel wat schetsjes en aantekeningen in zijn tekenboekje en besteedde vervolgens elke vrije minuut aan de verwezenlijking van mijn ideale kledingkast. Ik hoefde alleen even de maten door te geven. Hij heeft vast nu al spijt dat we gaan samenwonen. Hij wil vast van me af. Ik kan het hem niet kwalijk nemen.

'Ben je boos?' vraag ik voorzichtig.

'Ze voert keizersneden uit,' mompelt hij.

Dat klopt, want ik ben dierenarts.

'Ze bepaalt doseringen voor narcose en medicatie. Ze verwijdert gezwellen, schrijft wetenschappelijke artikelen over nieuwe behandelingen en weet precies wat ze moet doen in noodsituaties. Als je hond bijna doodgaat aan chocoladevergiftiging moet je haar bellen en ze lost het op. Maar laat haar vooral geen muurtje opmeten.' Hij kijkt me aan en er breekt een grijns op zijn gezicht door.

Ik moet nu ook lachen. 'Ik heb echt geen idee wat er mis is gegaan.'

'Wacht maar tot ik dit aan Robin vertel,' zegt hij terwijl hij het losse kastelement naar de deur sleept.

'Je gaat het hem toch niet vertellen?' vraag ik terwijl ik achter hem aan hobbel.

'Ik zal dit moeten demonteren, opnieuw op maat maken en weer in elkaar zetten. Dat zal hem niet ontgaan, Isa.'

'Nee, dat weet ik wel. Maar je hoeft toch niet te zeggen dat het een meetfout van mij is?'

Ruben heeft een eigen bedrijf. Het is een familiebedrijf dat hij samen met zijn broertje Robin runt. Hij maakt meubels. En dat niet alleen: hij ontwerpt ze ook. Hij maakt echt prachtige dingen en heeft meestal zelf niet door hoe goed hij is. Hij denkt dat het simpel werk is, dat iedereen het kan leren. En ik geloof best dat iedereen de techniek zal kunnen leren, maar ik weet zeker dat niemand het zo goed zal kunnen als Ruben. Hij heeft echt talent. Hij kan alles maken. Ik vind hem een kunstenaar. Dat heb ik wel eens tegen hem gezegd, toen we elkaar pas kenden. Ik had toen natuurlijk al een enorme crush op hem en dacht dat hij nooit iets in mij zou zien.

Dat snap ik eigenlijk nog steeds niet helemaal. Ruben is namelijk de knapste vent die ik ooit gezien heb. *Tall, dark and handsome*, dat is hij ten voeten uit. Hij heeft de mooiste donkerbruine ogen, die me kunnen laten smelten. Zijn lijf is helemaal afgetraind, maar niet op zo'n opgepompte manier. Zijn spieren zijn precies zoals het hoort. Hij heeft zelfs een wasbordje! En dan moet je mij zien. Ik ben... nou ja... ik ben gewoon ik.

Ruben zegt dat hij verliefd op me werd toen ik die kunstenaars-opmerking maakte. Iets wat ik me niet voor kan stellen, want we waren op dat moment in de sportschool. Ik was paars aangelopen omdat ik in geen jaren gesport had en ik was vijftien kilo zwaarder dan nu. Dat wil wat zeggen, als je weet dat ik nu nog steeds geen mager poppetje ben.

Ik heb Ruben ontmoet via mijn werk. Zijn hond Bo had per ongeluk een chocoladereep te pakken gekregen en raakte daardoor in shock. Gelukkig kon ik hem redden, en dat maakte indruk op Ruben. Niet dat we meteen een setje waren. Ik ben eerst heel erg mijn best gaan doen om af te vallen, want ik was zo onzeker over mijn uiterlijk dat ik niet eens naar Ruben durfde te kijken. En hij had een gemene ex aan wie ik geen seconde meer wil denken. Dat is nu alle-maal achter de rug. Ik heb nog steeds mijn onzekere momenten (dat kan niet anders als je vriend zo fantastisch is, toch?), maar ik pas tenminste weer in gewone confectiematen en ik ben van plan dat zo te houden. Vandaar ook mijn garderobekamer. Als ik elke ochtend voor mijn geweldige inloopkast kan staan en kan kijken naar al mijn mooie nieuwe kleren, dan weet ik zeker dat ik nooit meer dik word.

'Ik ben weer in de werkplaats als je me nodig hebt,' zegt Ruben. Hij heeft zojuist in zijn eentje het kolossale kastgedeelte de trap af ge-sleept en in het busje geladen. Hij heeft superkracht, die man van mij.

'Natuurlijk heb ik je nodig,' antwoord ik. Ik sla mijn armen om zijn nek en staar hem verliefd in zijn ogen.

'Dat weet ik,' zegt hij. 'Voor al je onmogelijke bouwprojecten. Je hebt geluk dat ik geen automonteur ben geworden, zoals ik eigenlijk wilde.'

'Ook voor andere dingen.' Ik ga op mijn tenen staan en kus zijn mond. Ik voel zijn lippen onder de mijne tot een glimlachje opkrullen.

Hij slaat zijn armen steviger om mijn middel en tilt me een stukje van de grond terwijl we zoenen. Ik vind het leuk als hij dat doet. Ik voel me er meisjesachtig door. Alsof ik zo licht als een veertje ben. Hij kijkt me aan terwijl hij me weer neerzet. 'Ik ben blij dat je mijn andere kwaliteiten ook weet te waarderen.'

Ik knik. 'Ik waardeer ze allemaal.'

'Wat denk je?' vraagt hij. 'Red je het even zonder mij? Dan maak ik het vandaag nog in orde.'

'Je bent geweldig! En ik ga straks met Floor en Daph alvast wat spullen inpakken. En ik wilde de vloerkleden gaan halen vandaag.'

'Mooi,' antwoordt hij. 'Ik probeer nog wel iets te regelen met Kai en Robin. Voor je het weet, is het hier bewoonbaar en slapen we samen in ons nieuwe huis.'

'Ik kan niet wachten. O! Voor je gaat... moet ik niet de nieuwe maten voor de kast doorgeven?'

Hij lacht. 'Als je het niet erg vindt, meet ik het zelf wel even op.' Hij loopt op een drafje naar boven. Zijn spijkerbroek zit perfect om zijn gespierde kont. Ongelooflijk. Dat denk ik steeds weer. Ongelooflijk dat hij bij mij hoort.

Floor en Daphne zijn al zo lang ik me kan herinneren mijn beste vriendinnen. We hebben samen op de lagere school gezeten en sindsdien zijn we onafscheidelijk. We hebben heel wat meegemaakt met elkaar. Ze zijn er altijd voor me geweest, door dik en dun, zou ik haast zeggen. En ze durven het ook te zeggen als hen iets dwarszit, zoals vorig jaar, toen ik me een beetje dreigde te verliezen in het afvalregime waaraan ik mezelf onderworpen had. Ik vind het fijn dat onze vriendschap zo sterk is. Ook al was – en ben – ik het niet helemaal met hen eens. Voor hen is het onbelangrijk hoe ik eruitzie. Zij houden ook van me als ik honderd kilo weeg en alleen nog meegroeiende joggingbroeken draag en ze willen dat ik dat zelf ook kan. Dat kan ik dus niet. Misschien zou dat wel moeten, maar ik vind mezelf helemaal niet leuk als ik zo zwaar ben. En hoe kan ik dan verwachten dat iemand als Ruben dat wel vindt? Ik wil nooit meer worden zoals toen. Er is al genoeg om onzeker over te zijn zonder die vijftien kilo extra.

'Dit is een geweldig huis,' zegt Daphne.

We zitten op het nieuwe dikke vloerkleed midden in mijn kleedkamer. Het tapijt is voor in de huiskamer, maar omdat daar de vloer nog gelegd moet worden, hebben we het met z'n drieën naar boven gesleept. We kregen er de slappe lach van. Het was amper te tillen. Niet normaal wat zo'n kleed weegt en het zat opgerold in plasticfolie waardoor het amper door het trapgat te manoeuvreren was. Maar uiteindelijk is het gelukt. Toen we de vloerkleden ophaalden, heb ik meteen wat andere leuke spulletjes voor in huis gekocht om het gezellig te maken. Daarna zijn we twee keer met het autootje van Floor op en neer naar mijn huisje gereden om dozen hierheen te brengen met spullen die ik daar niet meer gebruik. Voor de grote spullen hebben we het busje van Ruben nodig, maar dat komt wel als de muren en de vloer beneden klaar zijn.

Toch zijn we al een heel eind opgeschoten sinds we vier weken geleden de sleutel kregen. Er is een gloednieuwe keuken geplaatst. De badkamer is klaar. Boven is vloerbedekking gelegd en behangen. We hebben heel mooi behang in de slaapkamer. Dat hippe van VT Wonen. Het bed moet nog geleverd worden. Een grote tweepersoons boxspring met een dikke zachte matras. Verder hebben we weinig met levertijden te maken, want ik kan het natuurlijk niet aan Ruben verantwoorden om meubels bij winkels te kopen. Bovendien vind ik zijn spullen veel mooier. Het enige wat niet door Zuidhof en Zonen gemaakt is, is het grote bankstel van Ruben omdat dat nog zo goed als nieuw is en heerlijk zit, en mijn grote eettafel omdat ik die van mijn ouders en mijn zusje Tamara heb gekregen toen ik op mezelf ging wonen.

Straks komt Kai, de beste vriend van Ruben, langs om hem te helpen de wasmachine en droger aan te sluiten. Als het een beetje meezit, hangen ze ook de lampen op en wordt de bedrading voor de televisie en de telefoon op de juiste manier gelegd.

'Hoe moet dat nu straks met onze wekelijkse filmmiddagjes?' vraagt Floor.

'Ik ga alleen maar samenwonen. We kunnen nog steeds filmmiddag houden.'

'Dat zal Ruben leuk vinden. Op zijn vrije zondagmiddag drie luie, snoepende meiden op de bank die romantische flutfilms kijken.'

'Dat vindt hij heus niet erg,' zeg ik. 'Hij heeft ook zijn vrienden. Jullie zijn hier altijd welkom!'

'Ik vind het wel raar hoor, Ies,' zegt Daphne.

'Ik ook,' geef ik toe. 'En een beetje eng.'

'Ja, nu wordt het serieus, meisje,' antwoordt Daphne.

'Daar ben ik niet bang voor. Het is meer dat ik me afvraag hoe het moet als we de hele tijd bij elkaar zijn. Straks heb ik geen tijd meer om me mooi te maken voor hem. Waarschijnlijk is hij 's avonds eerder thuis dan ik en dan kom ik binnen, in mijn werkkloffie, stinkend naar uitwerpselen en braaksel. Mijn haren in een lelijke knot...'

Floor lacht. 'Zo erg zie je er nu ook weer niet uit als je aan het werk bent. En hij heeft je wel vaker op je werk gezien, hoor. Als ik me niet vergis waren daar die gewichtscontroles voor Bo voor in het leven geroepen. Zodat jullie een smoesje hadden om elkaar te zien.'

'Helemaal niet. Het was noodzakelijk voor Bo's gezondheid. Ik houd het nog steeds goed in de gaten. En bovendien zorgde ik ervoor dat mijn make-up goed zat en plande ik het zo in dat ik niet net bebloed de operatiekamer uit kwam. Het wordt natuurlijk moeilijk plannen als ik 's ochtends het eerste ben wat hij ziet en 's avonds het laatste. Ik kan toch niet vierentwintig uur per dag aantrekkelijk zijn?'

'Wie zegt dat hij dat is?' vraagt Daphne. 'Weet jij wat hij allemaal doet om eruit te zien zoals wij gewend zijn?'

'Ruben?' Ik ben met stomheid geslagen. Het is toch overduidelijk dat Ruben er altijd lekker uitziet? Waar heeft ze het over?

Floor moet lachen. 'Je hebt gelijk, Ies. Voor mannen is het makkelijker. Je moest eens weten hoe knap Mas is als hij net wakker wordt. Echt. Hij hoeft niets te doen.'

'Hoe doe jij dat?' vraag ik gretig. 'Want Ruben weet niet beter dan dat ik 's ochtends nog steeds naar de tandpasta van de vorige avond ruik. Wat als hij straks eerder wakker wordt dan ik? En ik heb ook de gewoonte om mijn buik in te houden als ik naast hem lig. Lepeltje-lepeltje klinkt leuk, maar heb je wel eens gezien wat er met je buik gebeurt als je zo ligt?'

Floor moet zo erg lachen dat ze achterover op het tapijt rolt. Fijn. Haar buik is natuurlijk zo plat als een dubbeltje. Ze heeft geen idee waar ik het over heb.

'Ik ben blij dat ik jullie problemen niet heb,' zegt Daphne. Ze is al een tijdje de enige zonder vriendje. Tenzij je Archie meerekent. Archie is zo langzamerhand de verpersoonlijking van de ideale man voor Daph geworden. Het is alleen jammer dat ze hem verzonnen heeft. Archie bestaat niet echt. Een uit de hand gelopen grapje, omdat ze – toen zij en Floor Ruben ontmoetten – niet tegen hem mocht zeggen dat ze vrijgezel was. Ik denk dat Daph best een vriend zou willen. Ik weet ook iemand die perfect voor haar is. Robin. Als ze elkaar zien, is er altijd een bepaalde spanning tussen hen. We gaan regelmatig met de hele groep naar SKAI. Dat is een superhippe nachtclub. Kai is er de eigenaar van. Kai vind ik trouwens perfect voor Tamara, maar ik had het over Robin en Daph.

Het valt mij op dat ze altijd bij elkaar in de buurt rondhangen. Zij ligt in een deùk om zijn grapjes en hij volgt elke beweging die ze maakt en houdt alle andere mannen op afstand. Ik weet zeker dat ze iets voor elkaar voelen, maar ze zijn allebei te verlegen om er iets mee te doen. Ik moet het er eens met Ruben over hebben. Hij kan bij Robin polsen hoe die over Daph denkt, al weet ik dat natuurlijk allang. We moeten ze gewoon koppelen. Ik moet nog even een plannetje bedenken, want ik weet zeker dat ze het allebei willen.

'Nou ja,' zeg ik, 'uiteindelijk is het al die moeite wel waard. Vind je ook niet Floor?'

Floor ligt nog steeds uitgestrekt op het vloerkleed. 'Absoluut!'

'Zou jij niet stiekem voor iemand je buik in willen houden, Daph?' vraag ik.

'Ik zou niet weten voor wie...'

'Kom op! Is er helemaal niemand die je in theorie wel ziet zitten?'

Floor komt overeind. 'Ja, daar ben ik ook wel eens benieuwd naar. Isa was altijd ons hopeloze geval. Nu moeten we ons maar eens op jou gaan richten.'

'Je hebt me zojuist toch niet hopeloos genoemd omdat ik toevallig niet aan de man ben, hè?' vraagt Daphne verontwaardigd.

'Nou ja, hopeloos,' herhaalt Floor, 'misschien is "triest geval" een betere omschrijving.'

Daphne grijpt mijn net aangeschafte schapenwollen woonkussen en raakt Floor met een welgemikte slag boven op haar hoofd. Ze vallen stoeiend op de grond en Floor probeert zich los te worstelen. Als ze weer rechtop zit, kijkt ze Daph onderzoekend aan. 'Zeg eens eerlijk... val je al jarenlang stiekem op mij?'

Het is twee seconden stil en daarna gieren we het alledrie uit. 'Dat is echt belachelijk,' zegt Daphne terwijl ze de tranen uit haar ogen veegt. 'Isa is veel meer mijn type... maar ik denk dat ik het toch maar even bij Archie houd.'

Halverwege de middag komt Ruben terug met mijn opnieuw gemaakte stuk kledingkast. Samen met Kai zet hij de kast in elkaar en daarna stort hij zich op de rest van het kluswerk. Daphne, Floor en ik verlenen zoveel assistentie als we kunnen, maar toch voel ik me een beetje overbodig als ik zie hoe handig die mannen samen bezig zijn. Ik heb het gevoel meer in de weg te lopen dan nuttig bezig te zijn, dus rijden we met z'n drieën naar mijn huis om nog wat dozen in te pakken en naar het nieuwe huis te brengen. Als we terug zijn, ruimen we de troep op die Ruben en Kai ondertussen gemaakt hebben, terwijl zij hun best doen om de antennekabel naar boven door te trekken.

De bel gaat. Ik loop naar de voordeur en kijk op mijn horloge. Het is al halfzeven. De dag is omgevlogen. Ik doe de deur open en zie eerst een stapel pizzadozen en daarachter Robin. Ik had wel eerder kunnen bedenken dat iedereen al uren bij ons aan het werk is zonder een hapje eten te krijgen. Had ik dat nu maar gedaan, dan had ik iets gezonders kunnen bereiden dan dit.

'Ik dacht dat jullie wel een pauze konden gebruiken,' zegt Robin, die gelijk doorloopt, de huiskamer door, richting de achtertuin. 'Mensen! Er is eten!' roept hij zo hard hij kan. Er klinkt meteen een geroffel op de trap en iedereen verzamelt zich in de tuin. Borden en bestek zijn nog ingepakt en ik heb geen zin in afwas, dus zet ik alleen een keukenrol op tafel en voorzie ik iedereen van blikjes fris.

'Dankjewel Robin, ik ben helemaal vergeten iets te regelen.'

'Geen probleem,' antwoordt hij. Hij stalt de dozen uit en opent de deksels. Het lijkt alsof ik elk ingrediënt kan ruiken. Het knapperige pizzadeeg, de gesmolten kaas, de stukjes paprika en olijf, het vet van het shoarmavlees en de salami. Het is eeuwen geleden dat ik pizza gegeten heb. Vroeger was dit het lekkerste wat ik kon bedenken. Nu is Ruben dat en heb ik een lichte weerzin tegen dit soort eten. Al weet ik dat ik om ben zodra ik één hapje neem.

'We hebben Italiaanse en Amerikaanse bodem, met vlees en zonder, met alles erop en zo saai als maar kan. Maar het belangrijkste: we hebben genoeg voor allemaal!' roept Robin.

Iedereen valt aan en ploft met een groot stuk pizza in de hand in een tuinstoel. Iedereen behalve ik. Ik sta me af te vragen of het iemand zal opvallen als ik niets neem.

Ruben komt achter me staan en buigt zich over me heen terwijl hij een stuk pizza afscheurt. 'Ik weet dat het niet jouw lievelingseten is, maar je hebt amper wat gegeten vandaag. Straks val je nog van je graat.'

Dat vind ik zo schattig aan Ruben. Hij denkt dat ik een kieskeurige eter ben. Hij heeft me nog nooit zien schransen. Hij weet niet dat ik een hele reep chocolade ineens naar binnen kan werken. Dat ik een hele zak chips op kan en daarna gewoon avondeten. Dat ik zes boterhammen als lunch lust en dat ik na twee worstenbroodjes nog steeds honger heb. Het is eeuwen geleden dat ik het ook daadwerkelijk gedaan heb, maar de aandrang is er altijd. Daarom vind ik het moeilijk te eten waar Ruben bij is. Zeker als het ook nog junkfood is. Ik voel me er onaantrekkelijk door. Hij zou niet eens geloven dat ik zo'n hele pizza in mijn eentje op kan. Of nou ja, toch zeker driekwart. Moeiteloos.

'De bel gaat,' zegt hij. Ik ben zo gefixeerd op de pizza dat ik het niet eens hoor. 'Neem nou een stuk. Als je het vaak genoeg eet, ga je het vanzelf lekker vinden.'

Ruben loopt naar de deur terwijl ik doorga met mijn innerlijke gevecht tussen het duiveltje op mijn ene en het engeltje op mijn andere schouder. Dan reik ik voor het eerst sinds mensenheugenis weer eens naar een stuk pizza. Die met de paprika en stukjes olijf. Ik zoek een stuk uit dat iets smaller is dan de rest en breng het langzaam naar mijn mond. Ik neem een hapje en even lijkt het alsof alle stemmen wegvallen. Alsof het gelach verstomt. Ik ben alleen op de wereld met een stuk hemelse vette pizza.

'Wat ben jij nu aan het doen?' krijst opeens iemand. Ik kijk verschrikt op en zie Tamara naast me staan. Ze ziet er zoals altijd geweldig uit. Superslank op haar hoge hakken. Ze draagt een net, kort broekje met een heel fijn krijtstreepje dat haar strakke dijen prachtig uit doet komen. De bijpassende bretels over het strakke mouwloze topje maken het geheel af. Ik ken niemand die zich zo durft te kleden, maar Tamara draagt het alsof ze het toevallig zo uit een hoop wasgoed naast haar bed heeft gegraaid.

Ik krijg bijna de neiging de pizzapunt achter mijn rug te verstoppen. 'Ik eh... ik had nog niets gegeten en Robin was zo lief om dit voor ons te halen.'

'Nou, erg lief om ons allemaal dichtgeslibde aderen en in het vet drijvende organen te bezorgen.'

Kai komt erbij staan om nog een punt te halen en zijn blik glijdt keurend over Tamara's lijf. 'Nou Tamara, maak jij je maar geen zorgen. Volgens mij kan jij best een stukje pizza hebben, hoor.' Hij knipoogt en er breekt een stralende glimlach op haar gezicht door. Zo een die elke man meteen begrijpt: ga zo door en dan scoor je vanavond.

'Nou dankjewel, Kai,' zegt ze. Ze zou bijna vergeten dat ze mij met een stuk pizza in mijn hand gezien heeft. 'Dat geldt ook voor jou, trouwens. Kom je even mee naar binnen, Isa? Ik heb iets voor je meegebracht uit de winkel.' Ze loopt heupwiegend voor me uit naar binnen. Heel gehaaid. Nooit te veel ineens geven. Tamara is mijn jongere zusje, maar ik heb geen idee van wie ze geleerd heeft mannen zo om haar vinger te winden. Niet van mij, dat is zeker. Ik leer nog elke dag van haar.

Ze bungelt een tasje voor mijn neus heen en weer zodra we binnen zijn. 'Slimfit jeans... even passen?'

Ik heb lange tijd geen normale spijkerbroeken kunnen kopen. Alleen van die stretchmodellen in warenhuizen waar ze tot en met maat tweeënvijftig gaan. Te lelijk voor woorden. Toen ik eenmaal begon af te vallen, heb ik nog maandenlang geweigerd spijkerbroeken te passen. Daar heb ik een traumatische ervaring mee. Maar op een goede dag lukte het me toch er één te vinden. Geen slimfit, natuurlijk. Dat is vragen om ellende. Het probleem zit bij mijn bovenbenen. Bij mijn kuiten staat het prachtig, zeker met hoge hakken. Veel mooier dan een wijde pijp. Maar ik heb nog geen broek kunnen vinden die ik fatsoenlijk over mijn dijen en heupen krijg. 'Dat past nooit, Tamaar.'

'Niet als je door blijft gaan die pizza naar binnen te proppen,' antwoordt ze verwijtend. Dat bedoel ik dus. Ik heb heel bewust van die eerste hap genoten, maar de rest van de pizzapunt gaat nu al mijmerend haast ongemerkt naar binnen. Het lijkt misschien alsof Tamara heel gemeen voor me is, maar ze heeft gelijk. Ze is de enige die me op deze manier confronteert met mezelf. Toegegeven: ze is enorm streng, een slavendrijver in de sportschool en ze tolereert geen enkele misstap. Maar dat is alleen omdat ze weet hoe belangrijk dit voor me is. En ze helpt me. Ze gaat met me mee naar de sportschool en je zult haar nooit zien snacken waar ik bij ben. In tegenstelling tot Floor en Daph, die de M&M's soms met grof geweld tussen mijn lippen door dwingen. En ze beloont me met prachtige kleren als ik goed mijn best doe! Ik pak het tasje van haar aan en loop voor haar uit naar boven.

'Kijk eens wat Ruben voor me gemaakt heeft,' zeg ik terwijl ik mijn handen afveeg aan de broek die ik aanheb. We staan voor de inloopkast en Tamara kijkt er met open mond naar. Ik begin mijn broek uit te trekken terwijl zij alle deuren en laatjes open en dicht doet.

'Dit wil ik ook!' gilt ze. 'Dat moet hij ook voor mij maken! Precies zo! Wil je dat voor me vragen, Ies?'

'Dat kun je toch zelf aan hem vragen? Jij kunt toch alles van een man gedaan krijgen?'

'Ja, maar ik weet niet hoe ver ik mag gaan bij jouw vriend.'

'Laat maar. Ik vraag het hem wel.' Ik stap in de nieuwe broek. Op hoop van zegen. Ik trek hem voorzichtig op, over mijn knieën. Dan het kritieke punt, mijn bovenbenen, mijn heupen. Het lukt nog steeds. Hij gaat over mijn kont. De knoop gaat dicht... en de rits ook! Ik beweeg een beetje met mijn heupen en doe een paar kniebuigingen. Hij zit redelijk strak, maar ik kan me bewegen. 'En?' vraag ik. Ik heb nog niet in de spiegel durven kijken.

Tamara neemt me kritisch op. 'Je kan het hebben...' Ze loopt een rondje om me heen en bekijkt mijn achterwerk. 'Niet slecht, Isa.' Ze schopt haar hakken uit. We hebben dezelfde schoenmaat. 'Ik moet alleen die schoenen er even bij zien. Op blote voeten is het een heel ander gezicht.'

Ik stap in haar schoenen en paradeer rond alsof ik op de catwalk sta. Dan werp ik een blik in de spiegel. 'Hmm... weet je zeker dat het kan? Ben ik nu niet zo'n type dat we altijd uitlachen omdat het mee wil doen aan een totaal ongeschikte modetrend?'

'Isa, ik zou je nooit voor schut laten lopen. Ik zal niet tegen je liegen: je hebt nog steeds stevige benen en een flinke kont. Maar dat heeft Beyoncé ook. Het staat je goed.'

'Ik ben geen Beyoncé,' mompel ik. Ik kan er slecht tegen als mensen roepen dat Beyoncé en Jennifer Lopez een dikke kont hebben. Wat moeten mensen die echt een dikke kont hebben dan van zichzelf denken?

'De broek past. Hij zit zoals hij hoort te zitten. Je moet ook een keertje tevreden zijn, Ies. Dit ben jij. Je moet niet weer dikker worden, maar er hoeft ook niets meer af.'

'Vind je dat echt?' Ik wil niets liever dan stabiliseren. Gezond blijven eten, blijven sporten, maar ook af en toe in het weekend iets lekkers eten. Chocolade! Een frietje. Een stuk pizza. Of uit eten gaan en stokbrood met kruidenboter vooraf bestellen en een lekker toetje na. Aan Ruben bekennen dat ik dol op eten ben...

'Je ziet er hartstikke goed uit. Draag er een mooie top over die wat langer valt. Tot hier.' Ze tekent een lijn over mijn heupen. 'Dan weet Ruben niet wat hij ziet. En dan mag je van mij zelfs nog een stukje pizza eten.'

'Echt?'

Ze lacht. 'Je had toch bijna niks gegeten vandaag?'

Ik schud mijn hoofd.

'Nou dan! Twee stukken pizza is niks! Dat wekt de honger alleen maar op! Kom op, eens kijken of er ook een punt voor mij over is.'

2

'Nog één ding,' zegt Smulders terwijl hij het dossier dat we net besproken hebben dichtslaat. Het is maandagochtend en zoals altijd hebben we dan intern overleg met alle dierenartsen en assistenten bij elkaar. Mijn hoofd is zwaar van slaapgebrek en het kost me moeite om niet te geeuwen. Ik heb het ook zo druk de laatste tijd. Ik ben de hele tijd met mijn gedachten bij andere dingen. Ik weet dat ik dat niet kan maken en probeer me te concentreren op wat dokter Smulders zegt. 'Even terugkomend op het onderwerp van mijn opvolging...' Hij laat een beladen stilte vallen en ik wissel een blik met Stijn die tegenover me zit en ongeduldig met zijn ogen rolt. De opvolging van dokter Smulders is al weken onderwerp van gesprek tijdens de vergaderingen. Hij doet er nogal geheimzinnig over en wil niet vertellen wie hij daarvoor in gedachten heeft. Ik heb er met Stijn al flink op los gespeculeerd.

Stijn heeft bij ons zijn coschappen doorlopen en is inmiddels als arts werkzaam, maar hij gaat binnenkort een jaar naar het buitenland om zich in te zetten voor de WSPA. Wat op zich geweldig is, behalve dan dat hij echt mijn maatje is hier. Ik ga hem ontzettend missen en omdat Smulders nu ook met vervroegd pensioen gaat, blijven alleen Petra en ik over. Dat redden we niet. Daarvoor is het te druk. Het is dus duidelijk dat er iemand bij moet komen. Maar wie?

'Zoals jullie misschien weten is mijn zoon al jarenlang in Duitsland werkzaam bij een vooraanstaand diergeneeskundig centrum. Hij heeft nooit bij mij in de zaak gewild, maar nu ik zelf wegga, heeft hij het nog eens overwogen. Het heeft even geduurd, maar nu kan ik met zekerheid zeggen dat hij naar Nederland terugkomt om mijn plek hier op te vullen.' Hij kijkt trots de kamer rond, maar er komt amper respons.

Ik besluit om iets te zeggen, om de stilte te vullen. 'Goh. Dat is... een hele stap. Weet u al per wanneer hij hier begint?'

'Op korte termijn, Isa. Hij komt eerst even langs om kennis te maken, maar ik denk dat hij hier binnen een paar weken aan de slag gaat. Ik zal zelf nog aanwezig zijn om hem wegwijs te maken met onze werkwijze, maar ik denk dat er ook ruimte is voor hem om dingen op zijn eigen manier in te vullen. Ik verwacht natuurlijk dat jullie hem zullen helpen en dat jullie samen een jong, dynamisch team zullen vormen nu de oude bok op stal gaat.'

Ik denk dat hij verwacht dat we nu allemaal ontkennen dat hij een oude bok is, maar niemand zegt iets. 'Dat gaat vast goed komen,' antwoord ik dan maar weer. Ik kijk op mijn horloge, mijn spreekuur is al begonnen. Ik ben vijf minuten te laat voor mijn eerste afspraak.

Petra lijkt ineens wakker te schrikken. 'Het is misschien handig als we een keertje overleg hebben met hem erbij. Gewoon om te kijken waar iedereen staat in deze nieuwe setting.'

'Vanzelfsprekend,' antwoordt Smulders.

Ik schuif mijn stoel alvast wat naar achteren als signaal dat ik verder wil.

'En misschien kunnen we dan de werktijden even naast elkaar leggen. Ik neem aan dat hij fulltime gaat werken en dat we dus ruimer in de bezetting komen.'

Ik schud mijn hoofd. 'Stijn gaat ook weg.'

'O ja,' mompelt ze. 'Dan wordt het dus nog drukker...'

'Misschien kunnen we hier de volgende keer op terugkomen,' stel ik voorzichtig voor. Ik heb mensen in de wachtruimte.

'Het is wel belangrijk dat we dat doen,' zegt Petra, 'zodat we allemaal weten waar we aan toe zijn.'

'Je moet niet vergeten dat ik hier de laatste jaren vooral een adviserende functie had. Feitelijk hebben jullie de zaak draaiende gehouden. Ik was er alleen om het jullie te leren. Nu krijgen jullie er een jonge arts bij op de werkvloer, trappelend van enthousiasme, vol ervaring en boordevol nieuwe kennis. Jullie redden het wel.'

'We redden het wel,' beaam ik terwijl ik opsta. Een voor een volgt de rest mijn voorbeeld. Ik loop langs de achterkant van de wachtruimte naar mijn onderzoekskamer. Stijn volgt me.

'Wat denk je?' vraagt hij. 'Zou dat wat zijn, die zoon van Smulders? Straks heb ik nog spijt dat ik wegga!'

Ik zoek in de computer naar de gegevens van de patiënt die in mijn agenda staat. 'Geen idee, Stijn, ik heb hem nog nooit gezien. Maar denk jij nu maar aan die lieve zielige aapjes die je gaat redden.'

'Ik wil jullie natuurlijk niet aan jullie lot overlaten als hier een wildvreemde, onbetrouwbare, bazige, superintelligente, knappe, jonge arts komt binnenwandelen. Aapjes of niet...'

'Dat zou je verdiende loon zijn, omdat je mij in de steek laat.' Ik kijk op het scherm. Mimi, kat, zes jaar oud, drinkt veel, plast veel...

Hij glimlacht. 'Iemand moet de wereld redden van de ondergang, Isa. Waarom zou ik het niet doen?'

'Je hebt helemaal gelijk. Denk maar niet aan mij, de vrouw aan wie je je goede stagebeoordeling en deze baan te danken hebt. Degene die dag en nacht voor je klaarstaat met raad en daad.'

Hij steekt zijn tong naar me uit en ik open de deur naar de wachtkamer. 'Mimi?' Stijn glipt door de andere deur naar de dieren in de opname.

Ik had om halfzes al klaar moeten zijn, maar zoals altijd loopt het uit en stap ik pas na zessen in mijn auto. Ik zet de radio hard en zing mee in de tien minuten die het me kost om thuis te komen. Even het werk en de vermoeidheid van me af schreeuwen, want ik heb nog een hele avond hard werk voor de boeg. Alles moet nog geschuurd worden zodat we kunnen verven. Pas daarna kan de vloer in de huiskamer gelegd worden en hoe eerder dat voor elkaar is, hoe eerder ik met Ruben samen in ons nieuwe huisje woon.

Ik parkeer de auto voor de deur en ren naar binnen. Onderweg naar boven trek ik mijn haar los en mijn kleren uit. Truitje in de gewone wasmand en mijn spijkerbroek met braakvlekken in de mand voor extra besmet materiaal. Ik stap onder de douche en schrob me razendsnel met mijn favoriete doucheschuim. Leve de waterproof make-up! Haren borstelen, nette staart, parfum, push-up behaatje en bijbehorende string, schone, soepele spijkerbroek maar wel één met een goed model, deo! Jeetje, was ik dat bijna vergeten... En waar is dat shirtje nou? Met die V-hals en dat vlindertje onderaan... Die had ik toch gestreken laatst? Ik haal mijn halve kledingkast overhoop voor ik eindelijk het goede truitje gevonden heb. Wat zal ik blij zijn als ik mijn mooie nieuwe kast in gebruik heb. Parfum, een beetje maar... shit! Ik had al parfum op gedaan. Te veel parfum! Te veel parfum!

Ik ren naar beneden en haal mijn lippenstift uit mijn tas. Even een nieuw laagje. Schoenen! Welke zal ik aandoen? Ik kijk naar mijn sneakers, die natuurlijk het makkelijkst zitten, maar kies toch voor mijn enkellaarsjes met een klein hakje. Zoveel loop ik nu ook weer niet vanavond. Tas, jas, sleutels en wegwezen weer! Onderweg naar buiten gris ik een appel mee, die ik in de auto opeet terwijl ik naar ons nieuwe huis rijd. Ik stap uit en terwijl ik het portier dichtsla, opent Ruben de voordeur al voor me.

Hij heeft een schuurmachine in zijn hand die hij even neerzet terwijl ik naar hem toe loop. Ruben en gereedschap... hmmm. Hij pakt me vast en sleurt me naar binnen. We zoenen, leunend tegen de deurpost. Ik sla mijn armen stevig om zijn nek terwijl zijn lippen kusjes op mijn wang, mijn nek en mijn schouder drukken. 'Wat ruik je lekker,' zegt hij, 'en wat ben je mooi... en schoon. Moet je mij zien, ik maak je helemaal vies.' Zijn vingers glijden langs mijn hals omlaag. Er zit een witte poederlaag op de zwarte stof van mijn shirtje waar zijn lichaam tegen het mijne drukt. 'Ik kan maar beter van je afblijven.'

Ik trek hem naar me toe. 'Ik vind het niet erg om vies te worden.'

Het duurt even voor we echt werk verzetten, maar als het eenmaal zover is, werken we ook hard door. Ruben misschien nog iets harder dan ik, want ik word toch een beetje afgeleid door hoe hij eruitziet met die schuurmachine in zijn handen. Hij heeft niet in de gaten dat ik hem zo bekijk. Hij is geconcentreerd bezig met de grote oppervlakten terwijl ik me met de details bezighoud. Ruben gaat over grof geweld en brute spierkracht en ik over nette randjes en hoekjes. Ik bedenk dat ik hem zou moeten filmen met mijn mobieltje, zodat ik op mijn werk af en toe even naar hem kan kijken terwijl hij helemaal in zijn element is. Hij heeft afgetrapte sneakers aan, een vale spijkerbroek met verfvlekken, een wit, versleten T-shirt, zijn haar zit verschrikkelijk in de war en hij is van top tot teen bedekt met stof, maar allemachtig... wat is hij lekker, zo.

'Ben je moe?' vraagt hij na een tijdje terwijl ik op de vensterbank zit en met mijn hoofd tegen de ruit leunend zijn werkwijze bestudeer. Ik heb de kozijnen net klaar en kan mijn armen bijna niet meer bewegen. Dit is net zo erg als de workouts die Bram, mijn fitness-in-structeur, op de sportschool voor me verzint. Ik ben al twee weken niet geweest, dus hij zal wel boos zijn, maar naast het werken en klussen heb ik echt geen tijd meer om ook nog te gaan sporten.

Ik knik. 'Ja. Een beetje. Maar het gaat wel. Ik kan nog wel wat doen. Zo meteen.'

'Het enige wat jij zo meteen moet doen is slapen. Het is wel mooi geweest. Morgen is er weer een dag.'

'Denk je dat we nog een keer moeten schuren?'

Hij laat zijn hand over mijn kozijn gaan. 'Ik denk dat het wel goed is, zo. Ik moet alleen die muur nog afmaken. Dat kan morgen en dan neem jij lekker een vrije avond. Je kunt toch niets doen zolang ik nog hiermee aan de gang ben.'

'Moet ik vrij nemen en jou hier al het werk laten opknappen?'

'Kom op, Isa, met die uren die jij draait heb je dat wel verdiend, hoor.'

'Jij werkt net zo hard. We doen het gewoon samen.'

Hij glimlacht en pakt mijn hand vast. 'Kom. We gaan.'

Ik sleep mezelf naar boven en poets mijn tanden terwijl ik onder de douche sta. Ik had mijn brood nog willen smeren voor morgen, maar daar heb ik geen energie meer voor. Ik wil alleen maar slapen. Make-up eraf, haren wassen... Ik kan mijn ogen niet meer openhouden. Ik wikkel mezelf in een handdoek en strompel naar mijn slaapkamer. Ondergoed, slaapshirt... Ik laat de handdoek op de vloer vallen en rol mijn bed in. Mijn hoofd op het kussen, het dekbed over me heen. Ik slaap voor ik besef dat ik lig.

Vervolgens gaat de wekker voordat ik besef dat ik geslapen heb. Welke dag is het eigenlijk, vraag ik me af. Verward tast ik naar het snooze-knopje. Weekend? Laat het alsjeblieft weekend zijn, denk ik tegen beter weten in. Vrijdag anders? Donderdag? Mijn vingers vinden het juiste knopje op mijn wekker en terwijl ik mijn hoofd weer neerleg, besef ik dat het dinsdag is. Dinsdag! O god...

Ik ben normaal geen snoozer, maar de laatste tijd kan ik het ge-woon niet opbrengen om meteen op te staan. Het resultaat is dat ik mijn dag al met rennen en vliegen begin. Precies wat ik nodig heb. Ik heb net genoeg tijd om een mok thee en een schaaltje yoghurt met muesli naar binnen te werken. Ik doe een paar waldkornboterhammen in een zakje en gris een pakje 20+ smeerkaas uit de koelkast voor ik naar buiten ren. Ik moet namelijk eerst nog naar mijn moeder.

'Hoi mam!' Ik geef haar in het voorbijgaan een kus, maar die komt ergens in de lucht naast haar wang terecht omdat ik alweer doorgelopen ben. 'Dit is het allemaal...' Ik laat de plastic tas op de eettafel zakken en mijn moeder komt naast me staan.

Ze haalt een truitje uit de zak. 'Jeetje Isa, wat een spullen. Heb je in al deze kleren geklust?'

Ik haal schuldbewust mijn schouders op. Ik ben zelf niet zo heel handig in het huishouden. Of liever gezegd: ik heb er de tijd niet voor. Maar mijn moeder is de vlekkenkoningin. Daarom heb ik haar gevraagd of zij eens naar deze kleren kan kijken, aangezien ze nog vrij nieuw zijn, maar helaas het klussen niet ongeschonden doorstaan hebben.

'Meisje toch! Wat heb je hiermee uitgespookt?' Ze houdt een van mijn lievelingstruitjes omhoog die op een of andere manier met kleine verkleurde spatjes bezaaid is.

'Ik denk dat het bleek is, mam.'

'Isa! Dit is kasjmier! Mijn hemel...'

'Ja, ik hoop ook echt dat je het eruit krijgt. Dat ding was hartstikke duur.'

'Het zal wel weer aan mij liggen, maar mag ik vragen hoe je het in je hoofd haalt om in dit soort truitjes te gaan klussen in huis?'

'Nou kijk... het zit heel lekker en het staat ook mooi.'

'Dat snap ik, ja.' Ze haalt de kledingstukken een voor een uit de zak en houdt ze omhoog. Het shirtje van gisteren dat helemaal onder het witte stof zit, mijn favoriete spijkerbroek met verfspatten, mijn zwarte jeans met de scheur in de pijp – geen idee of dat nog te maken is, maar als iemand het kan is het mijn moeder – en nog een paar truitjes met vlekken en haken in de stof. Ze kijkt naar me alsof ik niet helemaal in orde ben. 'Dit zijn allemaal gloednieuwe spullen. Waarom trek je niet gewoon een oude spijkerbroek aan met een simpel T-shirt, zoals *normale* mensen zouden doen?'

'Ja, mam,' antwoord ik nogal geïrriteerd, 'ik wil er ook wel een beetje leuk uitzien.'

'Ach kind, doe niet zo gek. Jij ziet er altijd leuk uit.'

Ik rol met mijn ogen. 'Tuurlijk, mam. Ik zie er schitterend uit in vormeloze hobbezakken. Maar wat denk je? Kun je er iets aan doen?'

'Ik zal het proberen, Ies, maar ik vind het echt te gek voor woorden dat je hier geen werkkleren voor gebruikt. Hoe decadent kun je zijn? Toen ik zo oud was als jij had ik een gezin om voor te zorgen en moest ik elk dubbeltje omdraaien. Ik kon niet eens zulke kleren kopen voor chique gelegenheden en jij vernielt ze opzettelijk.'

'Ik doe het niet opzettelijk! Ik wil gewoon niet dat Ruben me als een sloddervos ziet.'

'O, en wat heeft hij dan aan? Een driedelig pak?'

Ik moet een beetje lachen. 'Nee! Je snapt er ook niks van...'

'Nee, inderdaad. Je bent een rare meid. Geen idee hoe die gedachtekronkels van jou werken.'

'Ik wil dat hij me van mijn beste kant ziet. Is dat zo erg?'

'Daar is niks mis mee, maar ik vind het een beetje oppervlakkig van je om daar zó mee bezig te zijn. In een relatie zijn een heleboel andere dingen veel belangrijker.'

'Dat weet ik. Het is heus niet het belangrijkste, mam. We hebben het er nog wel eens over, maar ik moet nu echt gaan, want ik ben al laat. Help je me met die kleren?'

'Ik doe mijn best, maar ik durf niks te beloven.'

Ik geef haar een kus, ditmaal raak ik wel haar wang. 'Je bent geweldig! Als het je lukt, koop ik voor jou de duurste kasjmieren trui die ik kan vinden.'

'Als je dat maar laat!'

3

'Isa, kan ik nog iets voor jou doen voor ik naar huis ga?' vraagt Stijn. Hij wandelt mijn kantoortje binnen waar ik nog wat plannen van aanpak zit uit te werken voor de volgende dag en nog een paar telefoontjes pleeg naar mensen die hebben aangegeven pas na kantoortijd bereikbaar te zijn.

'Nee, hoor. Bedankt, maar ik ben ook zo klaar.'

'Weet je het zeker? Profiteer er nu maar van dat ik er nog ben om je rotklusjes op te knappen. Ik denk niet dat Smulders junior daarvan gediend zal zijn.'

'Nu je het zegt... Ik heb morgen nog wel wat ontstoken anaalklieren voor je. Prima klusje voor een groentje.'

'Ik doe het graag voor je! Straks ben jij het groentje weer, dus baas me maar rond nu het nog kan.'

Ik steek mijn tong naar hem uit. 'Ga nu maar! Fijne avond... Je hebt vast weer van alles te doen.'

'Nou, nu je het toch vraagt,' zegt hij terwijl hij zich op de stoel tegenover me laat zakken. 'Ik heb een date!'

'Echt?' Ik leg mijn pen neer en ga er even goed voor zitten. 'Daar heb je helemaal niks over gezegd. Waar heb je deze weer vandaan getoverd?'

'Niks getoverd... gewoon via via deze keer. Ik heb vorige week even met hem gepraat op een feestje van een wederzijdse kennis. Dat was heel erg gezellig en hij was *absolutely gorgeous,* dus heb ik, voor ik wegging, heel snel mijn telefoonnummer in zijn hand geduwd. En drie dagen later belde hij.'

'Wat spannend! Wat gaan jullie doen?'

'Ik dacht maar te beginnen met een drankje bij *SKAI Lite.*'

'Leuk.' Dit jaar heeft Kai ook een Grand Café bij *SKAI* geopend. De sfeer daar is precies goed voor zo'n eerste date. 'Het wordt vast een succes vanavond.'

'Tja, dat zul je net zien. Nu ik bijna wegga...'

'O ja, dat is wel een beetje lastig. Maar als hij de ware is, blijft hij op je wachten.'

'Nou, ik hoop het,' zucht Stijn. 'Hij is echt zó leuk. Ik durf te wedden dat jij dat ook vindt. Hij is precies ons type.'

Ik moet lachen. Stijn grapt altijd over hoe leuk hij Ruben vindt. Ik denk dat we inderdaad op hetzelfde soort mannen vallen. Op één klein detail na, natuurlijk. Die van mij vallen niet op het eigen geslacht.

'Je hoort morgen wel hoe het gegaan is,' zegt Stijn terwijl hij aanstalten maakt om op te staan.

'Stijn?'

'Hmm?'

'Even een vraagje: vind jij mij oppervlakkig?'

Hij trekt zijn wenkbrauwen zo hoog op dat ze bijna in zijn haargrens verdwijnen. 'Jij? Ha! Jij bent de meest niet-oppervlakkige persoon die ik ken. Waarom vraag je dat in godsnaam?'

'Ik weet niet. Mijn moeder zei iets waardoor ik moest denken aan die ex van Ruben, je weet wel, Marleen. Toen Ruben en ik alleen nog maar vrienden waren...'

'Ja, ja, "vrienden",' onderbreekt Stijn me. Hij maakt nadrukkelijk aanhalingstekens in de lucht bij dat laatste woord.

'Ik weet nog goed dat hij er de hele tijd zo op hamerde dat hij nooit meer zo'n oppervlakkige relatie wilde.'

'Dan heeft hij nu precies wat hij hebben wil, toch?'

'Nou, ja, in principe wel.'

'Hoezo *in principe wel*?'

'Als ik erover nadenk... Ik ben best veel bezig met hoe ik eruitzie, toch?'

'Ja. En? Je bent met zoveel dingen bezig. Oké, je let op de lijn en je tut je op als je naar hem toe gaat, maar wat denk je dat ik zo meteen ga doen? Ik ga toch ook niet in mijn operatiekloffie naar die date, denk je wel? En Ruben hangt ook niet voor de lol drie keer per week aan die gewichten in de sportschool. Tamara koopt zich arm aan elke nieuwe collectie die ze onder ogen krijgt en ik heb jouw vriendinnen nog nooit zonder make-up gezien. Iedereen wil er goed uitzien.'

'Mam vindt dat ik doordraaf omdat ik steeds in mijn mooie kleren ga klussen.'

Hij moet lachen. 'Echt iets voor jou. Je maakt je veel te druk. Je bent een van de interessantste vrouwen die ik ken. Ik kan met je lachen, kletsen over niks en over de meest serieuze onderwerpen die ik kan bedenken. Ruben mag blij zijn met je. Er is niks oppervlakkig aan jou. Je bent gewoon heel, heel, héél erg verliefd.' Hij staat op en kust me op mijn haar. 'Een oppervlakkig iemand zou zich toch nooit afvragen of ze oppervlakkig is, dommie?'

Ik kijk naar hem op en glimlach. 'Dank je, Stijn. Sorry dat ik je opgehouden heb, ga maar gauw naar huis. Succes met je date.'

'En jij veel succes met je mooi maken voor het sloopwerk.' Hij knipoogt en loopt het kantoortje uit. Ik werp een blik op de klok. Shit! Al zo laat? Ik mag wel opschieten.

Ditmaal doseer ik precies de juiste hoeveelheid parfum voor ik 'opgetut' en wel klaar ben om naar het nieuwe huis te gaan. Ik wil nog even naar de keuken om een boterham te smeren voor ik wegga, maar dan gaat de bel. Als ik naar de voordeur loop, zie ik het gezicht van Floor al voor het raam verschijnen. Ze zwaait vrolijk.

Verbaasd open ik de deur. Daphne en Floor stappen langs me heen naar binnen. 'Hoi...' zeg ik. 'Ben ik een afspraak vergeten of zo? Ik sta op het punt om Ruben te gaan helpen.'

'Nee hoor,' antwoordt Floor. 'Je gaat met ons mee.'

Daphne valt haar bij. 'We hebben orders van bovenaf. Je mag niet weigeren.'

'Maar... Hoe bedoel je? Er is nog zoveel werk. Ik moet echt gaan helpen. Ruben was daar vanmiddag ook al bezig en ik kan hem echt niet laten barsten.'

'Van wie denk je dat we deze opdracht gekregen hebben?' vraagt Daphne. 'Hij wil juist dat je een avondje ontspant. Je bent al wekenlang aan het klussen en dan je werk nog...'

'Je moet er even tussenuit,' beaamt Floor. 'En Ruben heeft hulp genoeg. Kai en Robin zijn er, dus dat komt helemaal goed. Ben je klaar?'

'Klaar waarvoor?'

'Dat merk je vanzelf! Je hebt toch nog niet gegeten, hè?'

Ik word zo ongeveer in het autootje van Floor geduwd en we rijden naar het centrum. Zo zie je maar dat het goed is dat ik niet in een overall ga klussen, anders had ik me eerst moeten omkleden.

Arm in arm lopen we over de markt naar een van de restaurant-jes. We krijgen een goed tafeltje, bij het raam, en in plaats van ons de menukaart te geven, vertelt de ober dat er voor ons een speciaal menu besteld is. Ik probeer bij hem los te krijgen wat dat menu precies inhoudt, maar hij weigert verder informatie te geven. Daph en Floor zitten er samenzweerderig bij te lachen. Dit hebben ze natuurlijk allemaal zo geregeld. Op deze manier kan ik niet weigeren wat er wordt geserveerd. Ik hoop maar dat ik het kan compenseren met de dagen dat eten er een beetje bij in schiet. Maar ik heb vorig weekend ook al van die pizza gegeten.

'Geniet er nu maar van!' zegt Daphne.

'Ja, ja. Dat doe ik ook wel, echt waar.' Ik neem het me echt voor. Als ik met Ruben ga eten, probeer ik me toch altijd een beetje in te houden. Soms eet ik zelfs van tevoren iets kleins, bijvoorbeeld fruit of een paar crackers, zodat ik me niet te buiten ga als ik bij hem ben. Het is wel gek. Ik kan de hele middag tot mijn ellebogen in de buik-holte van een Duitse herder gezeten hebben en dan denken: nu lek-ker met een zak chips op de bank. Maar ik hoef maar naar Ruben te kijken en ik krijg geen hap meer door mijn keel. Beetje veront-rustende constatering.

Het duurt niet lang voor we een mandje met stokbrood geserveerd krijgen. Daph en Floor besmeren hun broodjes rijkelijk met de roomboter. Daar wacht ik even mee, maar als we even later carpac-cio als voorgerecht krijgen, neem ik daar wel een stukje brood bij, zonder boter. We bestellen ook een fles rosé en kletsen en lachen. Op een of andere manier hebben we het toch algauw weer over allerlei potentieel relatiemateriaal voor Daph.

Als hoofdgerecht krijgen we een heerlijke pastaschotel met spina-zie en stukjes kip. We schenken onze wijnglazen bij met het laatste restje rosé uit de fles en ik leun moe maar voldaan achterover.

'Dat was echt overheerlijk,' zeg ik.

'Ik zit vol.' Floor legt haar bestek over de paar hapjes pasta die op haar bord zijn blijven liggen. Dat overkomt mij dan weer niet snel. Als ik zoiets eet, dan eet ik ook echt.

'Nog een cappuccino en ik ben helemaal tevreden,' zegt Daphne.

'Ik vind het wel zielig voor Ruben. Wij zitten hier uitgebreid te dineren en hij werkt zich een ongeluk om ons huis klaar te krijgen.'

'Jij hebt net zo hard gewerkt, Ies,' antwoordt Floor.

'Ja, maar hij is echt zo geweldig. Hij kan zoveel. Hij is nooit over-vermoeid of chagrijnig. Ik kan soms geen woord meer uitbrengen van vermoeidheid, maar hij blijft even opgewekt en lief. Hij is altijd zo lief.'

Daph rolt met haar ogen. 'Oké, ik wil nu, onmiddellijk, drie slech-te eigenschappen van Ruben horen, anders ga ik braken.'

'Drie?' vraag ik. 'Waarom zou ik bij iemand zijn die drie slechte eigenschappen heeft?'

Floor lacht. 'Vraag het haar over een paar maanden nog maar eens. Als ze eenmaal samenwonen.'

De ober komt onze borden ophalen. 'Klaar voor het grand dessert, dames?'

'Dessert?' vraagt Floor. 'Dat hebben we niet besteld, hoor.'

'We zijn al blij dat we Isa zover hebben gekregen om de eerste twee gangen naar binnen te werken,' zegt Daphne.

'Nou, er is in ieder geval wel voor betaald, dus het komt er zo aan.' Met een zwierig gebaar haalt hij het bord voor mijn neus weg en begeeft hij zich naar de keuken.

'Weten jullie zeker dat jullie niet per ongeluk een grand dessert be-steld hebben?' vraag ik.

Daphne neemt nog een slok wijn. 'Ik denk dat we dat aan Ruben te danken hebben. Hij heeft dit hele etentje op zijn rekening laten zetten, dus hij zal het wel geregeld hebben.'

'Misschien kent hij me toch beter dan ik zou willen... Is dat een slechte eigenschap?'

Daphne schudt haar hoofd. 'Dat hij lekkere dingen voor je bestelt? No way!'

'Ik ben wel benieuwd naar dat dessert,' zegt Floor.

Ik lach. 'Ik dacht dat jij vol zat.'

'Ja, maar ik kan misschien nog wel een klein plekje vrijmaken. Af-hankelijk van wat we dadelijk geserveerd krijgen.'

Het duurt eventjes, maar dan verschijnt de ober met een enorme schaal aan onze tafel. En dan bedoel ik echt enorm. Dit is geen grand dessert met een bolletje ijs, een koekje en een lepeltje cock-tailfruit ernaast. Ik heb het over een schaal met een doorsnee van

zeker een halve meter. In het midden staat een grote bak versge-
klopte slagroom. Daaromheen kleinere schaaltjes met de lekkerste
zoetigheden die ik kan bedenken. Dit is de desserthemel. Ik kan geen
woord uitbrengen, maar Floor en Daph wippen op hun stoel van
enthousiasme.

'Verse slagroom,' begint de ober uit te leggen. Hij wijst een voor
een de bakjes aan. 'Frambozensorbetijs, stukjes verse mango, bolle-
tjes vanilleijs, brownies, versgebakken appeltaart, hazelnootcakejes
en huisgemaakte chocolademousse van echte Callebaut-chocolade.
Eet smakelijk, dames.'

Hij loopt weg en we kijken elkaar sprakeloos aan. 'Nou ladies...
aanvallen maar!' besluit ik dan. En dat doen we. Met de opschep-
lepels werken we een voor een alle schaaltjes af en scheppen we een
evenredige hoeveelheid op onze eigen borden. Nou ja, evenredig, het
is natuurlijk exorbitant veel. Maar het is ook zo exorbitant lekker
dat het niet in ons opkomt ook maar iets over te laten. We storten
ons erop.

'Acht minuten...' stamelt Daphne, ongelovig starend naar de lege
schalen. 'Ik heb op mijn horloge gekeken toen het gebracht werd en
nu is het acht minuten later.'

'Dat is niet normaal...' antwoordt Floor al even ontdaan.

Ik voel een schaterlach opkomen. Misschien komt het doordat ik
in geen tijden zoveel suiker tegelijk binnengekregen heb. Er ontsnapt
een hoge giechel als ik naar de geplunderde bakjes kijk. Er zit hier
en daar nog een likje, een restje of een kruimel, maar we hebben het
dessert verslonden. 'Binnen acht minuten,' hik ik. Ik heb nu echt de
slappe lach.

Floor en Daph beginnen ook te lachen. 'Wat een vreetzakken zijn
wij!' roept Floor.

'Wat moet die ober niet van ons denken?' giert Daph.

Floor knikt en grijpt naar haar buik. 'Drie van die uitgehongerde
meiden!'

Ik kan niks meer zeggen. Op één ding na. 'Acht minuten!'

Op weg naar de auto kunnen we er nog steeds niet over uit dat we
zoveel gegeten hebben. We zwalken over straat en liggen om de paar
seconden opnieuw in een deuk. Alsof we heel erg dronken zijn.

'Hé, kijk!' zeg ik als we voorbij *SKAI Lite* lopen. 'Daar heeft Stijn vanavond een date. Zouden we die jongen kunnen zien?' Ik blijf even staan. 'Ik ben zo benieuwd.'

'Daar! Aan de bar! Maar zijn date zit met zijn rug naar het raam,' constateert Floor.

'Zullen we even gedag zeggen? Of is dat opdringerig?'

Daphne haalt haar schouders op. 'Dat ligt eraan. Als het voor geen meter loopt, zijn ze blij met de afleiding. Hebben ze een megaklik, dan zijn we absoluut te veel.'

'Dat merken we dan snel genoeg,' zeg ik terwijl ik naar binnen loop. De date van Stijn kiest uitgerekend dit moment om naar de toiletten te lopen. Zijn achterkant is inderdaad goedgevormd. Voor hij uit het zicht verdwijnt, zie ik dat hij een vest draagt met het logo van de sportschool waar ik ook naartoe ga. Misschien ken ik hem.

Stijn ziet ons nu bij de ingang staan. 'O! O! O! Wat werken we toch hard!' roept hij me toe. 'Wat hebben we het toch zwaar!'

Ik loop naar hem toe en hij geeft me een kus op beide wangen. 'Ze hebben me ontvoerd vanavond. We zijn uit eten geweest en ik zag je hier zitten in het voorbijgaan. We zijn zo weer weg, hoor.'

'Ik had kunnen weten dat je me zou komen bespioneren,' grapt hij. 'Maar nu jullie er toch zijn, kunnen jullie net zo goed even wat met ons drinken.'

'O, nee! Wij gaan weer, hoor. We willen jullie niet storen.'

'Dat doen jullie helemaal niet. Maar we moeten wel even een signaal afspreken dat ik kan gebruiken als jullie moeten ophoepelen,' zegt hij met een knipoog. 'Geintje, hoor. Hij is een beetje gespannen, dus ik denk niet dat we morgen al samen aan het ontbijt zitten.'

'Gaat het niet goed dan?' vraag ik.

'Jawel. Het klikt echt super. We raken niet uitgepraat. Ik denk gewoon dat hij nog een beetje onervaren is.'

Ik knik. Dat kan natuurlijk, misschien is hij zenuwachtig. Stijn bestelt drie rosétjes voor ons en wij trekken er wat barkrukken bij. 'Hé Bram!' roep ik als ik me op de kruk installeer. Ik had hem helemaal niet opgemerkt toen ik binnenkwam, zo druk was ik met Stijn aan het kletsen. 'Ik heb jou nog nooit in *SKAI Lite* gezien, kom je hier vaker?'

Hij staat een beetje ongemakkelijk voor me. 'Niet echt.'

Opeens dringt het tot me door dat hij uit de richting van de wc gelopen kwam en ik zie dat hij een vest van onze sportschool draagt. Maar dat kan toch niet? Dit is vast toeval. Zoveel mensen hebben hier zo'n vest. Ruben heeft er ook één! Ik kijk naar de deur van het herentoilet tot daar nog iemand in zo'n vest verschijnt.

'Kennen jullie elkaar?' vraagt Stijn verrast terwijl hij me een glas aangeeft.

'Ja!' Natuurlijk ken ík hem. Dat is hier niet de grote verrassing. 'Dit is Bram, mijn sportinstructeur. Maar waar ken jij hem van?'

Stijn kijkt me aan alsof ik iets overduidelijks totaal over het hoofd zie. 'Ik heb je kruk nog vrijgehouden, hoor,' zegt hij tegen Bram, die met een rood hoofd tegenover me komt zitten.

'O,' stamel ik helemaal van mijn stuk gebracht. 'Ik had niet door dat... niet dat het gek is, hoor. Helemaal niet. Ik had gewoon niet verwacht dat jij...'

Stijn geeft me een por en ik houd mijn mond. Er kwam toch al niets zinnigs uit. 'Ik dacht dat jij in de bouw zat, Bram,' zegt hij.

Ik kan zien dat Bram zich nu heel erg opgelaten voelt. 'Spieropbouw.'

'Isa is ook dierenarts. We werken samen,' legt Stijn uit. 'Ze is heel gezellig. En dit zijn haar vriendinnen.'

Floor en Daph stellen zich voor. Ondertussen probeer ik de gedachtestroom in mijn hoofd tot stilstand te brengen. Bram, met iedere dag al die vrouwen om zich heen. Hij werkt de ene na de andere af. *Ik* ben zelfs met hem naar bed geweest. O, mijn god. Zou ik hem homo gemaakt hebben? Ik gooi mijn glas rosé achterover.

Stijn, Floor en Daph kletsen honderduit. Ze hebben helemaal niet in de gaten hoe vreemd deze situatie is. Ik heb maar weinig mensen verteld over mijn one night stand met Bram. Het is niet bepaald iets waar ik trots op ben, aangezien ik het deed in een aangeschoten toestand en er alleen op uit was om Ruben een hak te zetten. Tamara en Ruben zijn de enigen die het weten.

Bram en ik zitten een beetje dom voor ons uit te staren, terwijl de rest gezellig over koetjes en kalfjes praat. We kunnen maar beter gaan, denk ik. Straks verpest ik het nog voor Stijn. Bram ziet eruit alsof hij elk moment gillend weg kan rennen.

'Isa,' zegt Bram opeens terwijl hij opstaat. 'Nu ik je toch zie, er is iets wat ik met je moet bespreken over je laatste fittest. Heb je even?'

Ik heb al in geen maanden een fittest gedaan, maar toch volg ik hem naar een ander hoekje van de kroeg.

'Dit is niet wat je denkt,' begint hij als we buiten gehoorsafstand zijn.

'Je bent niet de date van Stijn?'

'Nee. Ja. Maar…' Hij zucht diep. Straks valt hij nog flauw. 'Je mag dit echt tegen niemand zeggen.'

'Dat je op mannen valt?'

'Dat doe ik helemaal niet! Ik heb nog nooit… Ik kwam hem toevallig tegen op een feestje en het is gewoon vriendschappelijk, oké?'

'Oké… Weet Stijn dat ook?'

Hij is stil en staart naar zijn afgetrapte gymschoenen.

'Luister Bram, je bent aan mij geen verantwoording schuldig, hoor. Het maakt mij niet uit met wie je het doet, maar Stijn is toevallig een heel dierbare vriend van mij en hij verdient wel een beetje respect.'

'Isa, je zegt dit toch tegen niemand, hè? Als ze hier achter komen op de sportschool, ben ik echt zuur.'

'O, hou toch op. Ik zeg heus niks.'

'Ook niet tegen Ruben.'

'Ja, zeg! Ruben is mijn vriend. Ik kan geen dingen voor hem achterhouden.'

'Ik weet nog steeds je vetpercentage, Isa. Dwing me niet het tegen je te gebruiken.'

Dat is zo typisch Bram. Soms vergeet je bijna dat je hem niet mag, maar dan doet hij net op tijd iets om je daar weer aan te herinneren. 'Je bent dan misschien geen homo,' zeg ik, 'maar het valse-nicht-gedeelte heb je al onder de knie.'

Vanuit mijn ooghoek zie ik Kai binnenkomen. Mooi. Een goed moment om ertussenuit te knijpen.

'Dus hier hangen jullie uit!' zegt hij.

Ik knik schuldbewust. 'Sorry. En jullie maar werken.'

'We hebben alles gewit beneden. Dus nog even het schilderwerk en dan kunnen we dit weekend de vloer leggen.'

'Geweldig! Echt heel erg bedankt voor je hulp. Ik bedenk nog wel iets om het met jullie allemaal goed te maken.'

'Geen punt, Isa.'

'Is Ruben ook al klaar voor vandaag?'

'Yep. We zijn een uurtje geleden opgehouden.' Kai loopt naar de bar en ik volg hem naar mijn vriendinnen.

'Ik denk dat het tijd is om naar huis te gaan. Kunnen jullie mij zo bij Ruben thuis afzetten?'

'Volgens mij slaapt hij al.' We staan bij Ruben in de straat, maar alles is donker. Hij is natuurlijk doodmoe zijn bed ingerold.

'Wat nu? Naar jouw huis?' vraagt Floor.

'Nee, ik wil naar hem toe,' zeg ik als een mokkend kind. Ik haal mijn gsm uit mijn tas. 'Zal ik hem bellen?'

'Dat moet je zelf weten,' zegt Floor en ze lacht veelbetekenend naar Daphne. 'Typisch geval van "booty call", lijkt me. Nooit gedacht dat jou nog eens te zien doen, Isa.'

'Het is geen booty call,' lieg ik. Ik ben al bezig zijn nummer in te toetsen. Na twee keer overgaan neemt hij op.

'Hé Iesje...' Hij klinkt wel een beetje slaperig. 'Heb je het leuk gehad?'

'Heel leuk! Sliep je al?'

'Net.'

'O, sorry. Ik sta bij je voor de deur en ik wilde...'

'Zeg dat dan meteen. Ik kom eraan, hoor. Wacht even.'

'Nee, het geeft niet. Ik kan ook naar huis gaan. Floor en Daph staan hier nog. Slaap maar rustig verder.' Ik zie lichten aangaan. Eerst op de bovenverdieping en daarna beneden. Ik stap uit de auto. 'Het lijkt erop dat ik binnen mag komen, meiden. Bedankt, hoor!' Ik geef ze allebei een dikke kus en loop dan naar de voordeur. Ik stop mijn gsm terug in mijn tas als ik het silhouet van Rubens lichaam achter het glas van de deur zie verschijnen. Floor claxonneert en rijdt weg zodra de deur opengaat.

'Hoi schatje,' zegt hij en hij steekt zijn hand nog even op naar Daph en Floor. Hij ziet er onweerstaanbaar uit. Nog lekkerder dan dat toetje van daarnet. Veel lekkerder. Ik stort me nu op hem. Hij duwt de deur achter me dicht en ik kus hem. Ik sla mijn armen om zijn nek en klem me helemaal aan hem vast. Hij is lekker warm en hij ruikt naar de douchegel die ik voor hem gekocht heb. 'Dankjewel,' fluister ik met mijn mond op die van hem. 'Dat was heel lief wat je vanavond allemaal geregeld hebt.'

Ik voel dat zijn lippen onder de mijne een glimlach vormen. 'Graag gedaan.'

We lopen innig verstrengeld naar binnen, waar ik enthousiast door Bo besprongen word. Ik heb het eigenlijk te druk met het bespringen van zijn baasje, maar ik neem toch een paar seconden de tijd om hem een aai te geven. 'Hoi Bo, brave jongen... ga maar in je mand.'

Ik laat mijn handen over het bovenlijf van Ruben glijden. Hij heeft geen shirt aan. Hij trekt me dicht tegen zich aan en zijn handen stropen mijn truitje van mijn lichaam. Onderweg naar boven struikelen we half over elkaar heen en uiteindelijk val ik boven op hem op zijn bed neer. Mijn mond zoekt de zijne en ik voel zijn tong tegen die van mij. Veel en veel lekkerder dan welk toetje ter wereld. Ik streel langs zijn gespierde buik naar beneden en laat mijn hand in zijn broek glijden. Opeens moet ik denken aan het voorval met Bram. Het is een eeuwigheid geleden dat we die one night stand hadden, maar heel even komt het toch in me op dat het misschien aan mij gelegen heeft dat hij nu op mannen valt. Misschien kan ik er niks van en vindt Ruben dat eigenlijk ook, maar heeft hij dat nooit tegen me durven zeggen.

Maar dan ontsnapt er een grommend geluidje aan zijn keel en zegt hij: 'Isa, zo mag je me elke nacht wel wakker maken.' Zijn stem klinkt laag en heel opwindend en de blik in zijn ogen verdrijft mijn onzekerheid.

'Misschien doe ik dat voortaan wel.'

Hij rolt me op mijn rug en worstelt met mijn spijkerbroek. De enige gedachte die ik nu heb, ligt bij mijn record van acht minuten dat ik zojuist gevestigd heb. Ik denk dat ik dat nu al ga breken.

4

Ik word wakker van de wekker op mijn gsm die op de trilstand staat. Het is een geluid waarvan ik wel en Ruben niet meteen wakker word. Ideaal dus. Als ik mijn gsm een kwartiertje voor de wekker laat afgaan, heb ik net genoeg tijd om er charmant uit te zien voor Ruben zijn ogen opent. Al vind ik het soms heel moeilijk om eerder op te staan. Zoals vandaag, na vannacht, nu ik zo lekker dicht tegen hem aan lig, met zijn arm om me heen, luisterend naar zijn diepe, langzame ademhaling. Het liefst zou ik nog uren zo naast hem willen blijven liggen.

Met tegenzin schuif ik dus bij hem vandaan. Ik hoor hem zachtjes kreunen als ik mijn voeten op de vloerbedekking zet. 'Is het al tijd, Iesje?'

'Nee, bijna. Blijf nog maar even liggen. Ik laat Bo eventjes in de tuin.'

Hij draait zich om en ik loop naar de badkamer. Ik poets mijn tanden en laat de kraan lopen zodat hij me niet hoort plassen. Zo gênant vind ik dat... Als het zo stil is, kan ik het niet eens. Ik haal snel een borstel door mijn haren en was mijn gezicht. Dan ga ik naar beneden om de waterkoker aan te zetten en een slaperige Bo in de achtertuin te laten. Hij tilt zijn poot op tegen een struik en sukkelt daarna terug naar binnen om weer in zijn mand neer te ploffen. Ik maak twee mokken thee en neem ze mee naar boven, waar ik ze op het nachtkastje neerzet. Ik kruip weer onder het dekbed, tegen het warme lijf van Ruben. Ik leg mijn wang tegen zijn sterke rug en doe mijn ogen nog even dicht. Na een paar minuten gaat de echte wekker, die Ruben met één welgemikte klap het zwijgen oplegt. Hij draait zich langzaam naar me toe en slaat zijn armen om me heen. Ik verdwijn bijna in zijn omhelzing, kus zijn stoppelige wang en zijn mond. 'Je voelt warm,' zegt hij met krakerige stem, terwijl hij me terugkust. 'Ik denk dat je ziek bent. Je kunt beter in bed blijven vandaag.'

'Dat dacht ik ook net over jou...'

'Ik voel me ook helemaal niet goed. We moeten ons ziek melden.' Hij kijkt me aan met een ondeugende glimlach rond zijn lippen. Hij ziet er altijd zo lief uit als hij net wakker is. Ik smelt gewoon als ik hem zie.

'Ik denk sowieso dat – als we toch besluiten te gaan werken – we wat aan de late kant zullen zijn...' Ik voel zijn handen onder het dekbed mijn hele lichaam aftasten. 'Vanwege de drukte op de weg...'

'Ja, en de brug staat open.'

'En er is file...'

'En we moesten de autoruiten krabben... ook al is het mei.' Hij rolt boven op me en kust me traag en heel, heel sexy. 'Nog even en je komt nooit meer op tijd op je werk...'

Shit, shit, shit, ik ben echt gruwelijk laat! Waarom kan me dat nou nooit iets schelen als ik bij Ruben in bed lig en raak ik vervolgens volslagen in paniek zodra ik in de auto stap? Ik hijs me in mijn witte jas en zie dat de wachtkamer al vol met mensen zit. En ze zien er allemaal even ongeduldig uit. Zij moeten natuurlijk ook naar hun werk. En wat is er in godsnaam met die jas gebeurd? Ik krijg dat ding niet aan. Ik zie dat een van de mouwen binnenstebuiten zit en wring me in allerlei bochten om mijn arm er op de juiste manier in te krijgen.

'Isa!' hoor ik achter me. Het klinkt niet al te vrolijk.

'Dokter Smulders?' Shit! Woensdag is zijn vrije dag. Een van de redenen waarom het me niet zo heel erg leek om eens een heel klein beetje te laat te zijn. Wat doet hij hier? 'Ik ben een beetje laat... sorry... ik eh...'

'Inderdaad ja, en waar is Stijn verdorie? Moeten al die mensen wachten tot jullie een keertje tijd hebben om op te komen dagen?'

'Eh... nee. Natuurlijk niet. Ik vind het heel vervelend. Het zal niet meer gebeuren. Ik ga meteen aan de slag.' Jeetje, wat is er nou met die jas?

'Niet zo snel, mevrouwtje. Ik ben hier niet voor niks. Denk je dat ik voor mijn lol op mijn vrije dag hierheen kom? Al zou ik dat misschien vaker moeten doen als ik dit zootje ongeregeld zie.'

Ik blijf onbeweeglijk staan met mijn ene arm nog maar half in mijn doktersjas. Normaal is hij niet zo'n bullebak. Hij kan weleens nors doen, maar nu ben ik er echt even stil van.

'Als dit de eerste indruk is die je op mijn zoon wil maken...' bijt hij me op gedempte toon toe.

'Uw zoon? Komt hij vandaag langs?'

'Hij is er al. Hugo?' Hij draait zich om en aan het einde van de hal zie ik een man in de deuropening van het kantoor van Smulders staan. Hij kijkt me ernstig aan door zijn duur uitziende bril met zwart montuur en loopt met uitgestoken hand op me af. Ik zit nog steeds verstrikt in mijn jas en probeer me los te wrikken.

'Ik zal u eerst even hiermee bijstaan,' zegt hij terwijl hij me in de jas helpt. Eindelijk schiet mijn arm erdoor. Dit komt vast heel competent over.

Ik schud zijn hand. 'Dank u. Isa Verstraten.'

'Hugo Smulders. Beginnen jullie altijd zo laat, hier?'

'Ehm... nee. Dit is een toevallige samenloop van...' Ik onderbreek mezelf. Ik voel me helemaal niet op mijn gemak. 'Weet u, ik heb een heleboel mensen in de wachtkamer zitten. Misschien kunnen we later even wat uitgebreider kennismaken. Ik moet echt aan de slag.'

'Prima. Ik ben hier de hele dag. Ik zal proberen om een beeld te krijgen van hoe het er hier dan wél aan toe hoort te gaan. Laten we na de lunch mijn bevindingen bespreken.'

Ik knik en loop de gang door op weg naar de spreekkamers.

Halverwege de ochtend breekt Stijn in tijdens mijn spreekuur. Hij glipt naar binnen terwijl ik een klant uitlaat. 'Dokter Verstraten, mag ik even tussendoor uw expertise inroepen?' Hij duwt me terug naar binnen en sluit de deur. 'We hebben hier een fatale combinatie. Hij is gemeen én aantrekkelijk...'

'Wie? Bram?' Ik ken Stijn goed genoeg om te weten dat dit niets met mijn medische expertise te maken heeft. Dat van Bram heeft hij trouwens al snel in de gaten.

'Nee! Bram is voor zover ik weet alleen dat laatste. Heb je hem nog niet gezien? Smulders junior is hier.'

'O ja. Ik heb hem al gezien, ja. Mij is alleen het gemene gedeelte opgevallen.'

'Hmm, dan zou ik nog maar eens kijken. Tenzij lang, goedgebouwd, afstandelijk en driedelig Armani niet jouw ding is, is hij echt heel aantrekkelijk.'

'Sorry, ik had het te druk met in de verdediging schieten om daarop te letten.'

'Viel hij tegen jou ook zo uit? Ik geef toe dat ik een beetje te laat was, maar er werd een heel drama van gemaakt. Hoe vaak gebeurt dat nou? Als hij punctueel wil zijn, trek ik voortaan ook stipt om halfzes mijn jas weer uit!'

'Dat had ik moet zeggen!'

'Ik durfde het ook niet.' Hij zucht. 'En hij heeft de hele tijd over mijn schouder mee staan kijken met een afkeurende blik. Ik werd net al onzeker toen ik een pup moest chippen! Ik hoop niet dat hij er ook zo bij staat als ik moet opereren.'

'Is hij zo erg?'

Hij knikt. 'Ik ben blij dat ik degene ben die weggaat.'

'Wrijf het me maar in. Maar ik moet nu verder, Stijn. We praten straks bij, goed?'

Hij loopt naar de deur. 'Het is vanochtend wel heel erg duidelijk wie wél en wie níet aan zijn trekken is gekomen, vind je niet?'

Ik kan van verbazing niets uitbrengen. Zou Stijn… met Bram… Er verschijnt een beeld op mijn netvlies waar ik zenuwachtig van in de lach schiet. Dan gaat de deur open. Hugo Smulders kijkt van mij naar Stijn en we springen spontaan in de houding.

'Tussentijds werkoverleg? Valt dat wel onder de gebruikelijke werkwijze?'

'Absoluut,' antwoordt Stijn. 'Ik zou niet weten wat ik zonder de adviezen van dokter Verstraten moest. Zodra ik ook maar ergens over twijfel, sta ik voor haar neus.' Stijn loopt naar buiten en Smulders junior gaat de kamer in.

'Dokter Verstraten… Is het de bedoeling dat ik u de hele tijd zo blijf aanspreken?'

'Dat weet ik niet. Moet ik u "dokter Smulders" noemen?'

'Hugo mag ook.'

'Goed dan. Isa mag ook.' Ik kijk naar mijn computerscherm op zoek naar de gegevens van mijn volgende patiënt. Een poesje van vier maanden oud dat heel veel plast en blijft drinken.

'Ik kijk graag even met je mee tijdens de volgende onderzoeken. Daar heb je vast geen bezwaar tegen?'

Natuurlijk heb ik dat wel na wat Stijn heeft gezegd, maar ik kan toch moeilijk weigeren. Ik wil niet overkomen als iemand die onzeker is of wat te verbergen heeft. Volgens mij ruikt die Hugo zwakte al op een kilometer afstand. 'Nee, hoor.' Ik loop een stukje de wacht-kamer in. 'Pias?' Een vrouw van ongeveer mijn leeftijd staat op en loopt met een reismandje de spreekkamer binnen. Ik geef haar een hand. 'Goedemorgen, ik ben Isa Verstraten. Dit is dokter Smulders. Hij observeert onze kliniek vandaag. Hoe gaat het met Pias?'

De vrouw glimlacht naar Hugo en geeft hem ook een hand. 'Nou, op zich gaat het goed, maar hij drinkt liters water op een dag. Ik heb een grote waterbak voor al mijn katten en die is soms halverwege de dag al leeg.'

'En dat doet hij in z'n eentje?'

'Ja.' Ze haalt het katje uit de mand. 'Die andere komen er amper aan.'

'En verder?' Ik bekijk het katje terwijl zij het vasthoudt. 'Functioneert hij verder normaal? Speelt hij? Is hij actief of juist sloom?' Ik bekijk de tandjes en bevoel het lijfje.

'Hij doet het heel goed. Hij is best wel onderzoekend en zo.'

'En hij drinkt echt liters? Dat is heel veel voor zo'n klein katje…'

'Soms wel drie liter op een dag, schat ik.'

'Dat is in ieder geval niet normaal. Ik denk dat we het beste even bloed kunnen afnemen om na te gaan hoe de nieren functioneren.'

'Oké.'

'Kunt u hem goed vasthouden? Want hij heeft natuurlijk nog erg kleine aders, dus dat is lastig om te prikken. Ik moet het uit een ader in de hals halen.' Ik loop om Hugo Smulders heen, die in de weg staat en nauwelijks opzij gaat als ik mijn spullen pak. Als ik het plekje op de huid van Pias waar ik wil gaan prikken schoonmaak, staat hij vlak achter me.

'Probeert u hem goed stil te houden?' vraag ik. Ze knikt en ik pro-beer de naald in te brengen. Ik weet niet precies waar het aan ligt, aan het feit dat Pias tegenstribbelt, aan die vervelende Hugo die zo op me staat te letten, aan dat het nog zo'n klein beestje is of aan al die dingen tegelijk, maar het lukt me niet. 'De ader rolt steeds weg tegen de naald...' leg ik uit, terwijl ik de naald terughaal en het nog eens probeer. Pias is nu een beetje van streek en wordt alleen maar minder meegaand.

'Wil je dat ik het doe?' vraagt Smulders.

'Nee.' Ik probeer het nog een keer, maar weer rolt de ader weg als ik de naald inbreng. Pias laat een klaaglijk geluid horen en probeert zich los te wurmen.

'Laat mij dan even...' zegt hij weer.

'Het ligt niet aan mij, de ader rolt weg en hij is te onrustig,' snauw ik. Ik probeer het nog eens, maar Pias geeft nu duidelijk aan niet meer mee te willen werken. Ik stop ermee.

Zijn baasje kijkt me boos aan. 'Wat een gepruts, zeg! Ik laat mijn huisdier hier niet lekprikken. Waarom doet u het niet zelf, dokter?' Ze kijkt Hugo aan.

'Ik bén dokter,' zeg ik. 'En het is bij Pias gewoon niet mogelijk om op deze manier bloed uit die ader te halen. Ik stel voor dat we het onder sedatie proberen en dan bel ik u zodra u hem op kunt halen.'

'Moet ik mijn kat onder narcose brengen voor een simpel bloedtestje? Kom nou, zeg! Dokter! Zegt u dan iets...'

'Laat mij eerst eens even, Isa. Misschien lukt het mij wel en dat scheelt weer een hoop gedoe.' Hij glimlacht bemoedigend naar de vrouw en zij lacht vol vertrouwen naar hem terug. Zo werkt dat dus. Hij is een man en daarmee meteen de meest vertrouwenwekkende.

'Hugo!' zeg ik duidelijk. Ik wil dat zij weet dat hij niet boven me staat en dat ik even kundig ben. 'Pias is te paniekerig en die ader rolt steeds weg. Het lukt niet.'

'Het lukt ú niet,' benadrukt de vrouw. 'Ik wil dat u het probeert, dokter.'

Hij neemt met een zelfgenoegzaam trekje om zijn mond de naald uit mijn hand en verdringt me bij míjn patiënt. En ik laat het nog toe ook.

'En?' vraagt Daphne. Het is weekend en we zijn in het nieuwe huis, waar Ruben samen met Robin de vloer aan het leggen is. Ik heb Daph uitgenodigd zodat ik haar kan vertellen over irritante Hugo, maar natuurlijk vooral om haar en Robin te koppelen. 'Lukte het hem om die ader te vinden?'

'Ik kon de ader wél vinden, Daph…'

'Ja, ik weet het. Hij rolde weg. Maar lukte het Hugo wel?'

'Nee!' Ik word alweer vrolijk als ik eraan denk. Al was het wel een beetje zielig voor Pias. 'Het werd een bloedbad. De kat haalde uit en worstelde zich los. Hugo had een kras van zijn pols tot zijn elleboog en door de plotselinge beweging haalde Pias zich aan de naald in zijn hals open.'

Daphne trekt een vies gezicht. 'Dat je daar tegen kan.'

'Het viel wel mee. Het was maar een oppervlakkig wondje. Bij Pias dan. Die kras op de arm van Hugo, dat was pas pijnlijk. Net goed.'

'Nou, wat een eikel. Heb je er niks van gezegd?'

Ik haal mijn schouders op. 'Ach, hij heeft gekregen wat hij verdiende, toch? En ik heb Pias onder sedatie gebracht en verder onderzocht.'

'Ja, maar als je er niets van zegt, doet hij het de volgende keer weer. Dat moet je niet accepteren, hoor!'

'Precies wat ik ook zei,' roept Ruben vanaf de andere kant van de kamer.

'Het was vast een incident,' zeg ik.

'Maar als dat niet zo is?' vraagt Daphne. 'Je moet echt beter je grenzen aangeven. Mijn baas probeert ook altijd over iedereen heen te walsen, maar ik ben tegenwoordig heel duidelijk in wat ik wel en niet kan doen. Dat werkt echt.'

'Nou ja, we zullen zien.'

'Ik meen het, Isa. Anders wordt het alleen maar erger.'

Ik knik, ook al denk ik niet dat het zo'n vaart zal lopen. Bovendien is hij formeel gezien niet mijn baas. Hij mag dan de kliniek van Smulders overnemen, maar we zijn allebei arts. Hij staat niet boven me. 'Als hij het nog eens doet, zeg ik er wat van.'

'Goed zo. En nu? Kan ik nog iets doen? Ik heb het idee dat ik hier altijd alleen kom om naar werkende mannen te kijken.'

'En daar heb jij problemen mee?'

'Nou, dat niet…'

Daphne bloost en werpt een stiekeme blik over mijn schouder naar Robin. Ik weet het zeker: ze ziet hem zitten.

'Tijd voor pauze, jongens,' zeg ik. 'Iemand nog koffie?'

'Graag,' antwoordt Robin.

Ik loop naar de keuken en probeer Ruben in het voorbijgaan met mijn blik duidelijk te maken dat hij me moet volgen. Eerst denk ik dat hij het niet doorheeft, maar na ongeveer een minuutje komt hij ook naar de keuken. 'Goed van je,' zeg ik. 'Heel nonchalant.'

Hij slaat zijn armen om mijn middel. 'Wat is er? Gaan we stiekem zoenen?'

'Niet stiekem...'

Zijn knappe, lachende gezicht komt dichterbij en even denk ik nergens meer aan.

'Komt die koffie vandaag nog?' wordt er na een tijdje vanuit de huiskamer geroepen. Ik wist niet dat Robin zo ongeduldig is. 'Zijn jullie die bonen nog aan het malen, of zo?'

'Rustig, Robin!' roept Ruben terug. 'Ik heb het even heel erg druk. Vermaak je nog maar even.'

Ik hoor Robin en Daphne samen lachen en ze praten op een voor ons niet verstaanbaar volume. 'Denk je ook niet dat ze een leuk stel zouden zijn?'

'Wie? Die twee daar?'

Ik knik. 'Het ligt er toch harstikke dik bovenop? Of niet? Wat denk jij?'

'Ik eh... bemoei me meestal niet met die dingen.'

'Maar jij kent Robin als geen ander. Wat denk je? Kun je niet inschatten of hij haar leuk vindt? Want ik weet echt zeker dat Daphne...' Ik onderbreek mezelf. 'Kom op! Je hebt heus wel een mening.'

'Ik weet het echt niet. Ik heb er nooit op gelet.'

'Nou, doe dat dan vanaf nu. Je kunt het hem toch vragen als jullie met z'n tweeën aan het werk zijn?'

'Schatje... We zijn geen dertien en we zijn geen meisjes... Dat weet je toch wel, hè?'

'Maar Ruben, kijk dan eens naar ze!'

Hij leunt een beetje achterover en gluurt om het hoekje. 'Het zal wel aan mij liggen, maar ik zie niks bijzonders.'

Ik kom bij hem staan. Daph zit op de vensterbank en staart verveeld naar haar haarpunten en Robin probeert zonder succes de zender op de oude draagbare radio zuiver te krijgen. 'Oké, misschien spat het er op dit moment even wat minder vanaf, maar het was er wel. Let dan ook wat beter op!'

'Dat zal ik voortaan doen.' Hij neemt dit totaal niet serieus.

'Vraag het hem nou maar,' zeg ik terwijl ik het koffieapparaat aanzet.

Ineens is het zover, de laatste nacht in mijn oude huisje. Morgenmiddag wordt ons nieuwe bed geleverd en hoeven we niet meer elk naar ons eigen huis om te slapen. Ruben en ik zijn het hele weekend in ons nieuwe huis bezig geweest en vanochtend vroeg zijn we begonnen om al onze spullen te verhuizen. Mijn eigen huis is nu zo goed als leeg.

Vanaf morgen wonen we dus officieel samen. Gek idee dat Ruben me net voor het laatst thuis afgezet heeft. Voortaan hoeven we nooit meer apart naar huis en we zullen dus ook niet meer minutenlang zoenend in de auto blijven zitten tot iemand bereid is om uit te stappen. Dat is eigenlijk wel jammer. Misschien kunnen we die gewoonte er toch inhouden. Gewoon voor de lol. Wat maakt het uit dat we daarna samen naar binnen gaan? Misschien zullen de buren ons een beetje vreemd vinden, maar je kunt niet met iedereen rekening houden.

Het is een beetje onwerkelijk dat het gaat gebeuren. Maar mijn bijna lege woonkamer bewijst dat het allemaal echt waar is. Ik kijk naar mijn oude bank die eenzaam in de kale ruimte staat en denk aan alle filmmiddagjes met Floor en Daph, aan de eerste keer dat ik met Ruben zoende. Ik voel me een beetje weemoedig als ik de trap oploop en elk geluid dat ik maak hol hoor weerkaatsen. Lege kamers, lege kasten, lege muren. Het is een opvallend contrast met hoe ik me voel. Als ik in bed lig, kan ik er niet van slapen. Een hoofd vol gedachten, een hart vol verwachting. Ik staar in het donker en kan alleen maar aan Ruben denken en aan hoe het straks zal zijn.

5

Tijdens het overleg op maandag leg ik het geval van Pias aan het team voor. Uit de bloed- en urinetest zijn geen abnormaliteiten gebleken en ik ben een beetje door mijn ideeën heen nu de nierfunctie van het beestje in orde blijkt te zijn. We besluiten met z'n allen even na te denken over wat we verder kunnen doen. Hugo probeert de show te stelen met een theorie die verder niemand kan volgen. Hij zit er eigenlijk alleen nog bij om de gang van zaken te leren kennen, maar hij bemoeit zich werkelijk overal mee. Als je nieuw bent in een organisatie, kun je je toch wel een beetje inhouden? Zo heeft straks niemand nog zin om met hem samen te werken.

'Dan nog het punt van de aanstelling van Hugo.'

'Eindelijk,' fluister ik tegen Stijn. 'Nog iemand die vindt dat Hugo zich aanstelt.'

Smulders kijkt geërgerd onze kant op. 'Binnen twee weken zal hij het stokje van mij overnemen,' gaat hij verder. 'Omdat wij dit niet ongemerkt voorbij willen laten gaan, zal er vrijdag over een week een afscheidsborrel plaatsvinden waarbij ook de regionale pers aanwezig zal zijn. Verder is dit een mooi moment om onze relaties en cliënten kennis te laten maken met hun nieuwe aanspreekpunt. Dit alles valt natuurlijk samen met het vertrek van Stijn bij onze kliniek, dus daar zullen we ook even bij stilstaan. Ook jullie partners zijn hierbij van harte uitgenodigd. Noteer het alvast in jullie agenda's. Dan nu de rondvraag... Heeft iemand nog iets op te merken?'

Iedereen is al bezig papieren en dossiers op te ruimen.

'Ik ben vanmiddag een paar uurtjes vrij,' zeg ik. 'Er worden thuis wat meubels afgeleverd.'

De opmerking blijft een beetje in het luchtledige hangen en ik begeef me naar de operatieruimte, waar Vivian een hondje dat ik vóór het overleg onder sedatie gebracht heb, inmiddels heeft geschoren. Samen gespen we het beestje op zijn rug vast op de operatietafel. Een sterilisatie. Zo gebeurd.

Als ik mijn handen ga schrobben, verschijnt Hugo bij de wasbakken. 'Jammer dat je weg moet, vanmiddag. Ik wilde samen met je aan een behandeling voor Pias werken.'

'Dat zal dan tot morgen moeten wachten,' antwoord ik.

Hij komt naast me aan de wastafel staan en zeept zijn handen in. 'Ik begreep van mijn vader dat jij hier degene met de meeste betrokkenheid bent. In dat geval wil ik niet weten hoe de rest daarmee omgaat.'

'Ik ben betrokken. Ik heb vanochtend mijn handen vol in de operatiekamer en vanmiddag moet ik weg.'

'Voor een paar meubels? Kun je dat niet aan iemand anders overlaten? Jij hebt toch wel wat belangrijkers aan je hoofd.' Hij scheurt een stuk papier af om zijn handen mee af te drogen.

'Ik ga samenwonen. Dat vind ik belangrijk. En ik heb vrije uren genoeg, als je soms denkt dat ik er de kantjes vanaf loop. Ik neem bijna nooit een vrije dag.'

Vivian komt met een paar handschoenen bij me staan. Hugo neemt ze van haar over. 'Als jij even verdergaat met de archieftaak die ik je gegeven heb, doe ik dit hier wel.'

Vivian knikt en werpt een blik op mij voor ze weggaat. Ik droog mijn handen. 'Is dat archief zo belangrijk dat mijn assistente plotseling geen tijd heeft om mij te assisteren?'

Hij houdt een handschoen voor me open, zodat ik mijn hand er makkelijk in kan laten glijden. 'Vandaag ben ik je assistent.'

Ik aarzel even en blijf staan met mijn handen in de lucht.

'Ik wil wel eens zien hoe jij te werk gaat in de operatiekamer, dokter Verstraten,' zegt hij terwijl zijn ogen me dwingen de handschoenen aan te trekken. Of eigenlijk om ze door hem aan te laten trekken. Ik snap zelf niet goed waarom ik daar problemen mee heb. Het is iets wat Vivian soms wel zes keer per dag bij me doet, maar zij kijkt me dan niet aan met die vreemde, dwingende blik.

Ik probeer mijn hand snel in het latex te schuiven, maar zijn lange, chirurgische vingers bewegen juist heel langzaam langs mijn hand naar boven. En hij blijft me maar aankijken. Wat is dit? Bij de tweede handschoen is het bijna teder te noemen hoe hij het randje bij mijn pols afrolt. Snel maak ik me uit de voeten.

'Help je mij ook even?' vraagt hij terwijl hij een nieuw paar hand-schoenen pakt.

Ik loop naar de deuropening. 'Vivian!' schreeuw ik alsof het om een kwestie van leven of dood gaat. 'Dokter Smulders heeft hulp nodig met zijn handschoenen! Heb je even?' Ik zie haar al onze kant op komen en loop naar de operatietafel. Ik trek het mondkapje voor mijn gezicht. Hoe minder hij van me ziet, hoe beter.

Onder lunchtijd maken Stijn en ik een wandeling. We hebben drie honden uit de kliniek bij ons die pas tegen het einde van de dag op-gehaald zullen worden. Ik heb hem in gedachten al drie keer uitge-hoord over Bram, maar elke keer als ik hem een vraag wil stellen, bedenk ik me. Ik weet niet of ik het allemaal wel wíl weten. Bram de womanizer die van team gewisseld is.

'Hé Isa, wat was er nu gaande tussen jou en Hugo vanochtend?' vraagt Stijn op hetzelfde sensatiezoekende toontje dat ik probeer in te tomen.

'O niks, hij heeft de hele ochtend geassisteerd bij mijn ingrepen. Hij had natuurlijk overal commentaar op. Bij alles wat ik deed, kreeg ik een hele uitleg waarom dat zo goed of juist fout was.'

'Ik bedoel eigenlijk iets anders.'

Ik kijk hem aan. 'Zoals?'

'Ik zeg niet dat ik haar geloof, maar tijdens de koffiepauze ving ik iets op van Vivian. Ze zat een heel verhaal op te dissen over dat ze had gezien dat jullie hand in hand stonden.'

'Wat? Zei ze dat? Dat slaat echt nergens op!'

'En toen ze binnenkwam, hing er een vreemde spanning tussen jullie, volgens haar. Tegen mij kun je best eerlijk zijn, Isa. Ik vertel het echt niet verder, vind je hem leuk?'

'Nee!' roep ik. 'Ik vind hem helemaal niet leuk. Hij ergert me ma-teloos. En er hing inderdaad een spanning, omdat ik hem heel erg vervelend vond.'

'Maar waarom zegt zij dan zoiets? Ik weet wel dat Vivian van een lekkere roddel houdt, maar waarom zou ze dingen over jou gaan verzinnen? Jullie werken al zo lang samen en ze is altijd vol lof over je.'

'Hij deed mijn handschoen aan,' leg ik uit. 'Maar ik had daar een akelig gevoel bij. Hij keek me heel doordringend aan, kijk zo…' Ik sta stil en pak de hand van Stijn. 'Dit was de handschoen…' Ik laat mijn hand heel langzaam over de zijne glijden en staar hem hypnotiserend in zijn ogen. 'En hij stond heel dichtbij, net als ik nu.' Ik laat zijn hand weer los en hij laat hem met een dramatisch gebaar naar beneden vallen.

'Zo, Isa, daar werd ik bijna hetero van.'

Ik moet lachen. 'Eng hè?'

'Dat is eigenlijk wel een soort seksuele intimidatie of zo.'

'Nou ja, zo erg was het ook weer niet.'

'Heb je gezegd dat je daar niet van gediend bent?'

'Ik wilde er niet te veel aandacht aan geven. Hij wil gewoon laten zien dat hij het hier voor het zeggen krijgt.'

'Ik vind het wel rot dat ik je straks met zo'n gluiperd achterlaat. Iemand moet toch je eer verdedigen?'

'Stijn, ik ga je echt missen, maar je hoeft niet over mij in te zitten.'

'Weet je dat zeker?'

Ik knik en kan opeens mijn nieuwsgierigheid niet meer bedwingen. 'Hoe is het eigenlijk met jou en Bram?'

'Goed.'

'Ik was eerlijk gezegd nogal verbaasd toen ik zag dat hij het was.'

'Dat is me niet ontgaan, inderdaad. Het duurde best lang voor hij weer loskwam. Hij heeft iets ingetogens, wat ik echt enorm schattig vind, maar als hij daar eenmaal overheen is, nou…'

'Ja, ja,' onderbreek ik hem. 'Daar weet ik alles van. Luister Stijn, Bram is niet bepaald een muurbloempje, als je dat soms denkt.'

'Nee, dat zeg ik toch juist?'

'Op de sportschool staat hij bekend als ladykiller. Hij heeft echt iedereen daar afgewerkt. Dat wil zeggen: alle vrouwen.'

'Niet álle vrouwen toch, Isa?' zegt hij met een knipoog.

'Dat bedoel ik nou net, Stijn. Letterlijk álle vrouwen,' antwoord ik, iedere lettergreep van die laatste woorden benadrukkend.

Hij lacht. 'Je vergeet dat je zelf ook op die sportschool zit.'

'Alle vrouwen,' herhaal ik nogmaals. Sommige dingen zijn nu eenmaal moeilijk te verwerken. Daar weet ik alles van.

Zijn ogen vallen nu bijna uit zijn hoofd. 'Isa! Dat kan toch niet? Jij en Bram?'

'Eén keertje maar.'

'Dat is...' Hij laat zich ontmoedigd op een bankje zakken. '... niet zo leuk.'

'Je moet er niet over inzitten. Er was niks tussen ons...'

'Wacht eens even!' roept hij. 'Toen was Ruben al in het spel. Heb jij Ruben bedrogen?'

'Niet bedrogen. Het gebeurde voor we een stel waren. Toen ik erachter kwam dat hij nog een keer met Marleen naar bed was geweest, wilde ik hem jaloers maken.'

'Wat ben je toch een sloerie. En ik maar denken dat ik alles van je wist. Weet Ruben dit eigenlijk?'

Ik knik. 'Maar waar het om gaat, Stijn, is dat ik niet wil dat Bram je kwetst. Ben je een beetje voorzichtig?'

Hij haalt zijn schouders op. 'Altijd toch?'

'Heb je het er al met Robin over gehad?' Ik zit met Ruben op ons gloednieuwe, dikke schapenwollen tapijt, voor onze boekenkast dozen vol boeken uit te pakken. We zijn al een hele tijd bezig om alle romans te alfabetiseren en de rest op onderwerp in te delen. Ik ben benieuwd of hij al terloops over Daphne begonnen is.

'Waarover?' vraagt hij terwijl hij een hele rij studieboeken van mij uitpakt.

'Over Daphne natuurlijk.'

'Het lijkt me toch beter als mijn broertje zijn eigen vriendinnen uitzoekt.'

'Natuurlijk! Maar je kunt toch wel onopvallend informeren? Misschien hebben ze een beetje hulp nodig. Bij ons ging het ook niet vanzelf, weet je nog?'

Hij lacht. 'Als je denkt dat ik me met Robin ga bemoeien zoals jouw vriendinnen dat met jou doen, heb je het mis.'

'Onopvallend, zei ik toch? Praten jullie dan nooit over dat soort dingen?'

'Alleen over jou. Wat doen we eigenlijk met de boeken die we dubbel hebben?'

'Over mij? Hoe bedoel je? Wat zeg je dan over mij?'

'Grapje, Isa. Je geheimen zijn veilig bij mij, maak je geen zorgen.'

Ik kijk hem aan. Zal ik het zeggen? Zal ik nu gewoon zeggen dat hij gaat samenwonen met een veelvraat die zich al die tijd heeft ingehouden?

'We praten natuurlijk wel,' gaat hij verder. 'Af en toe. Soms. Maar niet op de manier waarop jij met je vriendinnen praat. Als jij het graag wilt, zal ik wel proberen iets bij hem los te krijgen, maar ik beloof niks. Oké?'

Ik glimlach. 'Oké. Dankjewel.'

'Soms denk ik dat jij me nu al onder de duim hebt.'

'Dat hoop ik wel een beetje,' antwoord ik.

'En? Wat doen we nu met de dubbele?' vraagt hij.

'We zetten de mijne in de kast. Die zien er nog het netste uit.'

'Maar de mijne hebben karakter. Ik vind het wel een beetje jammer dat je ze daarom meteen maar afschrijft.'

'We hoeven ze niet weg te gooien. We kunnen ze voor de zekerheid bewaren...'

'Voor de zekerheid?' herhaalt hij verbaasd. 'Voor welke zekerheid?'

'Nou...' Waarom kan ik niet eerst nadenken voor ik wat zeg? We wonen nog niet eens samen en ik denk al dat het misschien misgaat. 'Ik bedoel niet voor de zekerheid. Ik bedoel voor het geval iemand anders ze wil hebben. Kai of Robin.' Ik stort me als een bezetene op mijn boeken van Sophie Kinsella, die we níét dubbel hebben.

'Isa...' Hij legt zijn hand op de mijne. 'Zeg eens eerlijk, ben je zenuwachtig?'

'Nee!' Hoe komt hij erbij?

'Het is niet erg als je dat bent. Het is best een grote verandering.'

'Ja...' Ik zet de boeken in de kast en ga weer tegenover hem zitten. Mijn knie raakt die van hem. 'Goed, misschien ben ik wel een beetje zenuwachtig, maar dat is alleen omdat ik dit nog nooit gedaan heb.' Ik ontwijk zijn blik. 'En omdat ik nooit eerder zo verliefd geweest ben.'

Hij neemt mijn handen in de zijne. 'Ik ook niet.'

Ik durf hem nog steeds niet aan te kijken en staar daarom naar onze handen, die verstrengeld op mijn schoot liggen. 'Ik wil dat dit goed gaat, Ruben.'

'Het gaat goed,' zegt hij en iets in zijn stem zorgt ervoor dat ik hem geloof. Natuurlijk gaat het goed. Opeens snap ik niet meer waar ik me zo druk over maak.

Ik kijk naar hem op en lach naar hem. 'Sorry. Ik weet niet waarom ik...'

'Je moet het gewoon zeggen als je ergens mee zit. Dan lossen we het samen op, oké?'

Ik knik. Dat klinkt heel goed. Ik buig me naar hem toe, sla mijn armen om zijn nek en kus hem. Zijn warme mond zoent me langzaam en sensueel terug. Ik heb helemaal geen zin meer om boeken uit te zoeken.

'Moeten we dit niet even afmaken?' vraagt hij terwijl ik hem achterover probeer te duwen. 'We moeten jouw onbegrijpelijke studieboeken en mijn kunstboeken nog doen.'

'Je hebt gelijk.' Ik ga weer rechtop zitten en zet de boeken kriskras door elkaar op de plank. *Anatomie van zoogdieren* naast *Gotische kunst*, *Dementie bij gezelschapsdieren* naast een pil over Rietveld. Binnen anderhalve minuut heb ik alles over de nog vrije planken in de kast verdeeld. 'Klaar!'

'Leuk systeem,' zegt Ruben terwijl hij me bij zich op de grond trekt. 'We laten het zo. Zie je nu hoe goed we bij elkaar passen? We zijn de beste combinatie die je kunt verzinnen.'

'Wat vind jij eigenlijk van Stijn?' vraag ik later op de avond. We hebben besloten de eerste avond in ons nieuwe huis lekker vroeg naar bed te gaan. Alleen is er van slapen nog weinig gekomen. Ik lig in Rubens armen terwijl er een cd van Michael Bublé op de achtergrond klinkt. Wennen aan het samenwonen gaat wel lukken, denk ik.

'Stijn? Dat is wel een aardige vent, toch?'

Ik knik. 'Een schat. Ik zal hem missen straks.' Ruben geeft me een kusje in mijn haar en ik nestel me nog wat dichter tegen hem aan. 'Vind je hem aantrekkelijk?' vraag ik na een paar seconden.

'Wat?' Hij schiet een beetje overeind en doet moeite om me aan te kijken, wat niet goed werkt aangezien ik geen zin heb om mijn hoofd van zijn borstkas te tillen. 'Vind ik hem aantrekkelijk, wat is dat voor vraag?'

'Gewoon een vraag. Je kunt toch ja of nee zeggen?'

'Weet ik het, Isa. Er zitten geen lekkere borsten of heupen op. Er ontbreken nogal wat essentiële onderdelen als je het mij vraagt en er zitten er ook een paar op die ik wel kan missen.'

Ik moet lachen. 'Ik wilde je mening even horen.'

'Wil ik wel weten waarom?'

'Misschien.'

'Isa, voor we verder praten: een triootje is wat mij betreft alleen bespreekbaar met een andere vrouw erbij. Hoe aantrekkelijk de man in kwestie ook is: sorry.'

'Het spijt mij ook voor jou Ruben, want dat gaat dus niet gebeuren.' Ik kijk naar hem op. 'Wil je weten waarom ik het vroeg?'

'Zeg het maar gewoon, dan zien we daarna wel.'

'Stijn is aan het daten met iemand die wij allebei kennen en je raadt nooit wie het is. Ik mag het eigenlijk niet eens zeggen. Hij vermoordt me als hij daarachter komt. Je moet beloven dat je doet alsof je nergens van weet.'

'Ik weet van niks,' antwoordt hij.

'Hij werkt op de sportschool, hij is blond, gespierd en erg aanwezig. Hij zit achter alle vrouwen aan en jij moet niks van hem hebben.'

'Bram?' vraagt hij. Hij was net niet echt geïnteresseerd, maar hier kijkt hij zelfs van op.

'Ik mag niks zeggen.' Ik knik heftig met mijn hoofd.

'Verbaast me niets. Bram doet het toch met alles?'

'Nou, bedankt.'

'Sorry, Isa, maar dat hij nu toevallig één keer, per ongeluk, dankzij mij, een fatsoenlijk meisje zoals jij zijn bed in heeft weten te kletsen, verandert niets aan het feit dat het een wandelende soa is.'

'Misschien is hij echt verliefd op Stijn. Stijn is niet bepaald wereldvreemd. Hij weet wel wat hij doet.'

'Laten we het hopen.'

'Ik was alleen even benieuwd of er ook een kansje was dat jij op Stijn zou vallen.'

Hij kijkt me zo verontwaardigd aan dat ik ervan in de lach schiet.

'Dat is toch niet zo raar? Als ik het bij Bram niet doorhad, wie zegt dan dat ik bij jou niets over het hoofd zie?'

'Jij gaat spijt krijgen dat je dat gezegd hebt.' Hij duikt boven op me en trekt de dekens over ons heen. Hij kriebelt in mijn zij en doet dingen met zijn lippen in mijn nek waardoor ik gillend en naar adem happend onder hem lig.

Dan worden zijn aanrakingen langzaamaan veel en veel prettiger.

'Als ik met je klaar ben, zal die vraag niet meer bij je opkomen,' fluistert hij. Vanaf het nachtkastje klinkt het geluid dat zijn telefoontje maakt als hij een sms krijgt.

'Moet je niet kijken wie dat is?'

'Straks, ik heb even iets te bewijzen.'

En dat doet hij vervolgens. Twee keer.

6

Het is echt verbazingwekkend hoe snel je aan zo'n nieuwe situatie went. Ik weet werkelijk niet waar ik me al die tijd zo druk om heb gemaakt. Het gaat zo goed tussen Ruben en mij. En hij heeft me nog nooit iets gênants zien doen, zoals mijn oksels ontharen of zo. Dat komt ook doordat ik mijn ochtendritueel nu echt geperfectioneerd heb. Het enige wat ik daarvoor moet doen, is wat vroeger opstaan, maar dat heb ik er graag voor over als ik daarmee wat mysterie kan bewaren. Het lijkt me echt verschrikkelijk om zo'n stel te worden dat rustig hun teennagels knipt in bijzijn van de ander. Dat gaat dus nooit gebeuren met Ruben en mij.

Sommige dingen komen de seksuele aantrekkingskracht in je relatie alleen maar ten goede. De waan dat je partner nooit naar de wc gaat, scheten laat, een pukkel uitknijpt, ochtendadem heeft, naar zweet stinkt, haren in het doucheputje achterlaat, gedragen ondergoed laat slingeren, ongewenste lichaamsbeharing heeft of zich volpropt met chocolade tot ze misselijk op de bank hangt, is er daar een van. Het maakt mij niet uit of we nu een week of tien jaar samenwonen, Ruben hoeft die dingen gewoon niet van mij te zien. Ik ben zo al imperfect genoeg.

Met een laagje make-up en handdoekdroog haar kom ik de badkamer uit. Ik heb mijn spijkerbroek en mijn beha al aangetrokken. Ik heb er op zich geen problemen mee om naakt bij Ruben te zijn, maar dan moet het wel functioneel zijn. Ik moet geen tijd hebben om na te denken over wat hij ziet. Dat gaat dus prima als hij in the heat of the moment de kleren van mijn lijf scheurt, maar ik zal niet snel op mijn gemakje bloot de douche uitlopen om voor de kledingkast te bedenken wat ik aan zal trekken. Aan- en uitkleden doe ik het liefst snel en bij voorkeur niet bij daglicht.

Ik loop naar mijn kleedkamer, wat ik elke dag weer een geweldige luxe vind, en staar bewonderend naar mijn garderobe. Ik heb zin om dat zwarte jurkje weer eens aan te trekken en die poederroze pumps met het strikje aan de zijkant, die ik zo geweldig vind. Waarom heb ik niet gewoon een kantoorbaantje? Dan kon ik elke dag de mooiste combinaties maken. Mijn mooie kleren komen nu eenmaal niet tot hun recht met kotsvlekken erop.

Ik zoek een truitje met driekwart mouwen, maar bedenk dan dat dat nog bij mijn moeder ligt. Jammer, want om in te werken is dat echt mijn favoriet. Ik zal toch eens informeren of ze nog wat heeft weten te redden. Anders moet ik binnenkort weer op fijnetruitjesjacht.

Ik kies een simpel T-shirt met lange mouwen, waar verder niet veel aan is, maar dat wel gemakkelijk zit. 'Hé, ben je al wakker?' zeg ik als ik weer de overloop op loop en Ruben met zijn haren in de war en zijn goedgevormde rug naar me toe gedraaid op de rand van het bed zie zitten. Ik wilde hem eigenlijk met een ontbijtje verrassen, maar ik heb hem zeker wakker gemaakt met de douche.

Hij legt zijn gsm neer en draait zich naar me toe. 'Net pas,' zegt hij.

'Sorry dat ik je wakker gemaakt heb. De wekker is nog niet eens gegaan. Zal ik voortaan later gaan douchen?'

'Nee hoor, daar heb ik helemaal geen last van.' Hij wrijft de slaap uit zijn gezicht en staat op. 'Ik ga ook even douchen, oké?' Hij drukt een kusje op mijn slaap terwijl hij langs me heen loopt. 'Vroeg vogeltje van me.'

Ik loop naar het bed en sla het dekbed even terug. Daarna schud ik de kussens op en zet ik het raam op de kierstand. Wie weet ben ik voortaan juist wel erg vroeg klaar om naar mijn werk te gaan. Scoor ik meteen punten bij Hugo.

Op het nachtkastje begint de telefoon van Ruben te trillen. Ik overweeg even om op te pakken, maar dat we nu samenwonen, betekent natuurlijk niet dat we geen privacy meer hebben. 'Schat! Je telefoon gaat!' roep ik. Hij verstaat me niet door het kletterende water en ik loop naar de badkamer. Ik duw de deur een stukje open. 'Ruben, je gsm ging over,' herhaal ik terwijl ik het uitzicht even in me opneem. Er zit matglas in de douchecabine, maar toch kan ik nog best wat onderscheiden.

'Alweer?' vraagt hij. 'Laat maar gaan, hoor. Het is steeds hetzelfde gezeur.'

'Wat voor gezeur?'

'Gewoon werk. Ik heb een lastige klant.'

'Nou, die is er ook vroeg bij.'

'En hij laat zich niet makkelijk afpoeieren.' Hij draait de kraan dicht. 'Heb je een handdoek, Iesje? Ik ben vergeten er een te pakken.' Ruben heeft totaal geen problemen met naaktheid, functioneel of niet. Hij duwt de cabine open en steekt een gespierde arm, bedekt met waterdruppeltjes tussen de donkere haartjes, naar me uit.

'Je wilt zeker dat ik weer te laat kom?' Ik geef hem een handdoek aan en hij stapt met een grijns op zijn gezicht de douche uit. Hij staat ineens heel dicht bij me en ik kan er nog steeds zenuwachtig van worden als hij zo naar me kijkt.

'Alsof dat altijd mijn schuld is,' antwoordt hij, terwijl hij zich afdroogt.

Ik volg ondertussen zijn bewegingen nauwkeurig. Dit is duizend keer beter dan wakker worden met het ontbijtnieuws. Dan besef ik dat ik zelf duizend doden zou sterven als hij zou doen wat ik nu doe en maak ik me uit de voeten.

Lekker dan. Net waarmee je je dag wilt beginnen. Meneer Hufter zit in de wachtkamer met een soort van afwasteiltje op schoot dat is afgedekt met een geruite theedoek. Ik vraag me af wat er nu weer tevoorschijn komt. Het is namelijk elke keer een andere diersoort die hij meesleept. We hebben al een papegaai gezien en een schildpad, een fret en natuurlijk zijn hond Buster, die hier vaste gast is.

Ik zet mijn spullen in mijn kantoor, start het computersysteem op en haal een witte jas uit de kast. Als ik ben ingelogd, controleer ik de agenda in de hoop dat meneer Hufter bij iemand anders ingepland staat. We plannen hem ook altijd in onder de naam 'Hufter', voor de duidelijkheid. Het zou vervelend zijn als we een normale cliënt verwachten en dan onvoorbereid met hem geconfronteerd worden. Dat is wel eens gebeurd en dat was niet erg prettig. Hij vergt een bepaalde aanpak.

Ik zie dat Petra de hele ochtend op de operatiekamer staat en ook Stijn gaat weer eens vrijuit. Hij is mijn eerste afspraak. Wat een feest...

Ik ga eerst thee halen. Misschien zou sterke koffie beter zijn, of een borrel misschien. Maar dat valt allebei nogal slecht bij mij zo vroeg op de ochtend.

'Goedemorgen!' Vivian verschijnt achter me in het keukentje en pakt een mok uit de kast.

'Morgen,' antwoord ik. Het zit me nog steeds een beetje dwars dat ze achter mijn rug om over mij en Hugo heeft gekletst. En ik heb toch nog niet veel zin in meneer Hufter. 'Alles goed?'

Ze kijkt me schuin aan terwijl ze haar mok onder het apparaat schuift. 'Ja, met jou?'

'Nou er is eigenlijk wel een klein dingetje dat ik met je wil bespreken, nu je het toch vraagt.'

'Wat dan?' Het apparaat komt luid brommend tot leven en ze draait zich om.

'Ik hoorde via via dat je bepaalde ideeën hebt over mij en Hugo.'

Ze rolt met haar ogen. 'Stijn weer, zeker? Die jongen moet eens leren zich niet overal mee te bemoeien.'

'Luister Vivian, ik heb liever dat je met dat soort dingen eerst naar mij komt, in plaats van dat je de hele praktijk erbij betrekt. Ik vind het niet zo fijn dat er over mij gekletst wordt, zeker niet als het ook nog onzinnigheden zijn.'

'Ik heb niet gesuggereerd dat jullie iets hebben. Ik vond gewoon dat er een rare vibe hing en dat zei ik tegen Petra. Het was niet de bedoeling dat Stijn het zou horen, maar hij heeft zijn oor ook echt tegen elke deur!'

'Laat het even duidelijk zijn dat er niets aan de hand is tussen mij en Hugo in welke zin dan ook. Hij is een arts van wie we allemaal veel zullen kunnen leren en we moeten er met z'n allen voor zorgen dat de tent hier blijft draaien als Smulders weg is. Een beetje professionaliteit kan geen kwaad en ik vind het ook niet erg collegiaal om dit soort geruchten de wereld in te helpen.'

'Nou zeg, sorry hoor. Het was gewoon een simpel praatje bij de koffie. Als ik had geweten dat je er zo zwaar aan tilde, had ik het echt niet ter sprake gebracht.'

'Goedemorgen dames,' klinkt het plotseling achter ons. Ik schrik een beetje als ik Hugo zie. Hij loopt door het keukentje naar de kantoren achter in het gebouw en ik vraag me af hoeveel hij van ons gesprek gehoord heeft. Niet dat ik iets verkeerds gezegd heb, maar toch.

'Laten we afspreken dat het niet meer gebeurt, goed?' zeg ik tegen Vivian. Ik haal mijn theezakje uit mijn theeglas en gooi het in de afvalbak. Ik heb sterk het gevoel dat ze een gezicht trekt als ik weg-loop. Ze vindt me nu misschien een enorme zeur, maar ik heb geen zin om hier het onderwerp van roddels te worden. Nu maar eens kij-ken wat meneer Hufter weer te zeiken heeft.

'Dus dit is Spike?' Ik staar naar de leguaan die onder de theedoek schuilgaat. 'Heeft u hem al lang?'

'Een jaartje. Nooit problemen mee gehad, maar nu zie ik dat er aan de achterpoten iets niet goed zit. Ik las op internet dat die beest-jes een pofbroek kunnen ontwikkelen en dat lijkt hier verrekte veel op als ik die plaatjes bekijk. Ik weet niet wat jij ervan denkt.'

'Er kan inderdaad een soort verslapping van de spieren in het ach-terlijf optreden, die een "pofbroek" genoemd wordt, wat een tref-fende vergelijking is gezien het uiterlijk van die aandoening.' Ik vind het eigenlijk moeilijk te beoordelen of daar sprake van is bij Spike. Ik krijg niet elke dag een leguaan op bezoek en in dit geval vind ik het lastig om een diagnose te stellen. 'Ik moet eerlijk bekennen dat ik niet heel veel diersoorten behandel. De meeste eigenaren zijn echte liefhebbers en zij hebben meer ervaring dan een kliniek die misschien twee gevallen per jaar onder ogen krijgt. Ze kennen spe-cialisten en...'

'Wacht eens even, juffie, bedoel je nou dat jullie hier een business runnen zonder te weten waar jullie precies mee bezig zijn?'

Daar gaan we dus al. Dit wordt weer gezellig. 'De meeste gezel-schapsdieren die we hier krijgen hebben nu eenmaal een vachtje, me-neer...' Ik wil 'Hufter' zeggen, maar weet me in te houden. 'Dat be-tekent niet dat we niets kunnen doen voor Spike, maar ik zal me er even in moeten verdiepen. En mocht het nodig zijn, dan schakelen we natuurlijk expertise van buiten de kliniek in.'

'Ja, ja en wat gaat dat grapje mij dan weer kosten?'

'Dat hangt natuurlijk af van hoeveel tijd het kost en wat de be-handeling precies inhoudt. Maar ik wilde het ook even met u heb-ben over de vorige factuur, die nog niet voldaan is.'

'Ik heb heel duidelijk met de boekhoudster besproken dat ik die rekening niet betaal, zolang ik niet gespecificeerd krijg waar die to-renhoge kosten voor gemaakt zijn. Ik ben hier drie minuten binnen geweest met die vogel. Dat is gewoon je reinste afzetterij.'

'U weet inmiddels heel goed dat er een honorarium gerekend moet worden voor de manuren die wij besteden aan uw huisdier. Verder moeten kosten die wij maken ook doorberekend worden. Daarmee bedoel ik medicijnen, het gebruik van bepaalde technieken of apparatuur, voorzieningen die getroffen moeten worden...'

'Ja, dat is allemaal lekker vaag. Jij kan mij doorberekenen waar je zin in hebt, want ik kan nooit controleren of jij die materialen allemaal ingezet hebt. En ik zie ook niet hoeveel uur jij besteedt aan die beestjes van mij. Volgens mij zitten jullie hier ondertussen op rozen van al die arme mensen die jullie een poot uitdraaien.'

Nu word ik echt boos. 'U hebt helemaal de vrije keus om hier te komen of niet. Wij zijn een instelling die gericht is op het beter maken van dieren en we willen de beste zorg bieden die er is. Daar zijn kosten mee gemoeid, maar u bent natuurlijk altijd vrij om een andere kliniek te kiezen als u er niet op vertrouwt dat wij het beste met u en uw huisdieren voorhebben.' Ik loop naar de deur. 'Tot u de voorgaande factuur voldoet, kan ik u niet van dienst zijn met Spike. Het spijt me zeer.'

Langs de andere ingang, die de doorloop naar de opvang mogelijk maakt, verschijnt het hoofd van Hugo om de hoek. 'Alles goed, hier?'

'Prima,' antwoord ik. 'Wilt u pinnen of contant betalen?'

Om kwart over twaalf staat mijn lievelingscliënt op de agenda. Ik zie er inmiddels al een beetje afgetobd uit na twee opengebarsten abcessen op één ochtend en ren tussentijds even naar mijn kantoor om een schone jas aan te trekken, mijn haar te fatsoeneren en wat lipgloss op te smeren.

'Bo!' roep ik als ik de deur opendoe, maar dat hoef ik niet eens te doen, want hij komt meteen naar me toe gerend. Vroeger was hij niet zo blij als hij hierheen moest, maar inmiddels is hij genoeg aan mij gewend om deze plek voor lief te nemen. Zijn gewichtscontroles zijn nu natuurlijk een eitje, maar toch blijf ik het belangrijk vinden ruim de tijd te nemen voor mijn cliënten. O, en voor de patiënten ook, natuurlijk.

'Dokter Verstraten,' zegt Ruben beleefd als hij de spreekkamer binnenloopt.

'Meneer Zuidhof,' antwoord ik al even formeel. 'Zo te zien gaat het goed met Bo. U houdt zich toch wel aan alle voorschriften, mag ik hopen?' Ik sluit de deur achter hem.

'Ik wel, maar ik zag dat mijn vriendin hem vanochtend bij het ontbijt een plak ham toestopte en ik kan natuurlijk niet alles in de gaten houden wat zij doet. Het lijkt me wel belangrijk dat u de boel onder controle blijft houden.'

'Dump haar!'

'Wat?' Hij valt een beetje uit zijn rol en kijkt me verbaasd aan.

'Dump haar en neem mij...' Ik loop naar hem toe. Mij is deze rol op het lijf geschreven. 'Kom op, meneer Zuidhof... Zeg niet dat u er nog nooit aan gedacht heeft. Denkt u soms dat ik het niet in de gaten heb?' Ik laat mijn hand over zijn borst glijden en Ruben sluit me lachend in zijn armen.

'Jij bent iets te goed in dit spelletje, Isa.'

Ik knik. 'Je bent ook al de derde bij wie ik het probeer vandaag.'

'En nu heb je eindelijk beet.' Hij veegt met zijn duim de net zo zorgvuldig aangebrachte lipgloss van mijn mond. 'Dat vieze spul hoef ik niet,' zegt hij, 'maar dit wel.'

Hij drukt zijn lippen op de mijne en terwijl ik mijn vingers door zijn haar laat gaan, voel ik zijn handen op verkenning gaan onder mijn doktersjas. Ik denk even terug aan onze eerste ontmoeting in deze zelfde ruimte en hoe ondenkbaar dit toen nog leek. Gelukkig gaat het met Bo nu een stuk beter dan toen. Hij duwt met zijn neus tegen mijn been en doet zijn best tussen ons in te komen. In een reflex laten we allebei een hand zakken om hem tevreden te houden met een halfslachtige aai zonder onze kus te onderbreken.

Ik moet lachen. 'Zullen we eerst die weging maar even doen?' Met z'n tweeën dirigeren we Bo richting de weegschaal en na wat gedoe hebben we hem zover dat hij er met vier poten op blijft staan. Het is elke keer weer een toer om hem lang genoeg erop te houden. Het helpt ook niet dat ik elke keer dat Bo wel stilzit, afgeleid word door mijn knappe vriendje.

'Hij is goed op gewicht gebleven,' constateer ik uiteindelijk.

'Mooi,' zegt Ruben terwijl hij een plukje haar uit mijn gezicht streelt. Ik leun naar hem toe voor nog een kusje en op datzelfde moment komt Hugo mijn spreekkamer binnenvallen. Misschien is het een idee om die man een bel om zijn nek te hangen.

Hij kijkt me een beetje vreemd aan, wat ik wel grappig vind. 'Ehm, dokter Verstraten, heeft u zo eventjes voor intern overleg?' Hij kijkt er heel moeilijk bij.

'Tijdens de pauze?' Ik heb er geen problemen mee om tijdens lunchtijd door te werken, maar heb wel graag dat dit op tijd meegedeeld wordt. Niet als ik op het punt sta om met Ruben buiten de deur te lunchen. We zouden even snel langs de meubelboulevard gaan. 'Ik kan niet. Ik heb een afspraak gemaakt.'

'Kun je dat niet verzetten?'

'Nee, want daarna heb ik al mijn tijd nodig voor de geplande behandelingen. Dit is trouwens Ruben, mijn vriend, degene met wie ik afgesproken heb. Ruben, dit is Hugo Smulders, hij is nieuw in de kliniek.'

Ruben geeft hem een hand en neemt hem ondertussen goed op. 'Isa, als je geen tijd hebt, dan gaan we wel een andere keer, hoor. Je moet niet in de problemen komen, hier.'

'Ik kom niet in de problemen,' verzeker ik hem. Ik heb helemaal geen zin in stom overleg als ik ook een uurtje met Ruben door kan brengen. 'Het is mijn eigen tijd, toch, Hugo?'

'Dat is zo, als je dat zo strikt wilt nemen.'

Ruben kijkt me een beetje zorgelijk aan, maar ik ben niet van plan om me de les te laten lezen. 'Dat neem ik helemaal niet strikt. Wij hebben hier nu eenmaal de gewoonte om dit soort dingen in te roosteren, zodat we weten waar we aan toe zijn. Ik ga morgen zonder morren met je in overleg tijdens lunchtijd, maar vandaag niet.'

'Goed, dat is dan duidelijk.'

'Isa...' probeert Ruben weer.

'Ik pak even mijn tas en dan kunnen we gaan,' zeg ik. 'En maak je niet druk, Hugo, ik ben binnen het uur weer terug. Je mag me timen.'

'Daar houd ik je aan. Aangenaam kennis te hebben gemaakt, Ruben. Misschien dat we vrijdag op de borrel wat langer de tijd hebben om te praten.'

'Borrel?' vraagt Ruben.

Shit, dat ben ik helemaal vergeten te vertellen.

'De borrel voor mijn aanstelling,' antwoordt Hugo. 'Heb je daar niets van gezegd, Isa? Ik heb je nog zo op het hart gedrukt dat partners ook welkom zijn. Nu, dan weet je het bij deze. Tot ziens.' Hij knikt gedag en loopt de spreekkamer uit. Druk in overleg met zichzelf, waarschijnlijk.

We hebben nog een nieuwe hondenmand voor Bo nodig, maar ik zie zoveel mooie dingen, dat ik al voor tweehonderd euro heb ingekocht vóór we zelfs maar een hondenmand zijn tegengekomen. Ik moet nu wel een beetje haast gaan maken, want Ruben verveelt zich dood. Hij staat met zijn handen in zijn zakken en een lege blik in zijn ogen naast me.

'Gaat het nog?' vraag ik.

'Ja. Kunnen we niet gewoon weer dezelfde nemen? Daar is hij tenminste aan gewend. Straks nemen we zo'n duur ding waar hij niet naar omkijkt.'

'Ik heb liever iets dat een beetje bij de rest van het huis past. Sorry, maar die mand ziet er niet uit.'

'Omdat hij versleten is. Als we gewoon een nieuwe kopen...'

'Ruben, dan nog is het een lelijk ding. Waarom kopen we niet zo'n zitzak voor honden? Die heb je in allerlei leuke kleuren en dessins.'

'Lijkt me lachen. Als Bo daarop springt, rolt hij er aan de andere kant weer af.'

'Of hij kan er niet meer uit.' Ik kijk naar het prijskaartje en schrik me rot. En dan heb ik nog niet eens de grootste maat, die Bo toch wel nodig zal hebben.

'Zijn die dingen wel ergonomisch verantwoord eigenlijk?'

Ik denk dat Ruben me ziet kijken naar het fuchsia model met paarse bloemen. 'Dat is onze bank waarschijnlijk ook niet en daar houdt hij het ook prima op vol,' antwoord ik. 'Ik vind deze echt leuk.'

'Tuurlijk. Voor een poedel met zo'n strikje op z'n kop. Bo is een jongen, Isa.'

'Bo is ook kleurenblind.'

'Maar ik niet! En die kleur zie je nog met je ogen dicht. Hij mag dan gecastreerd zijn, maar dit kun je hem niet aandoen.'

'We hoeven niet meteen te beslissen.'

'Je bedoelt dat je vanaf nu elke dag aan mijn hoofd gaat zeuren, tot ik zwicht en we dat onooglijke ding in huis hebben.'

65

'Nee,' antwoord ik bedachtzaam. Al is dat natuurlijk wel zo. 'Ik wil je gewoon even de tijd geven om in te zien dat Bo dit helemaal geweldig zal vinden. Bovendien moet ik nu ongeveer terug naar mijn werk voor het geval Hugo de minuten echt af zit te tellen.'

'Je had wel lef om zo tegen hem in te gaan.'

'Vind je?' We lopen naar buiten, terug naar de auto.

'Ik had waarschijnlijk toegegeven in jouw plaats. Hij kwam nogal dwingend over. Ik denk niet dat ik goed met hem op zou kunnen schieten.'

'Nee, nou ja, hij is ook een rare.'

'Hoe zit dat eigenlijk met die borrel vrijdag?' Ruben opent de kofferbak en zet mijn, of eigenlijk onze, aankopen erin.

'Sorry, dat was ik je helemaal vergeten te vertellen.'

Hij sluit de achterklep en kijkt me aan. 'Was je het echt vergeten?'

'Natuurlijk... Waarom vraag je dat?'

Hij aarzelt even. 'Ik dacht dat je misschien liever alleen zou gaan. Dat je het daarom expres niet gezegd hebt.'

Ik moet lachen. 'Waarom zou ik dat doen?' Dan zie ik eigenlijk pas de onzekere blik in zijn ogen. Hij meent dit serieus.

'Kom op, Isa. Die mensen van je werk zijn natuurlijk allemaal hartstikke slim met hun universitaire titels en doctoraalgedoe. Daar pas ik helemaal niet bij, dat snap ik heus wel. Ik word echt niet boos als je liever alleen gaat.'

'Ik wil niet alleen gaan. Denk je dat nu echt? Dat ik jou er niet bij wil hebben?'

'Ik zeg niet dat je dat niet wílt, maar misschien voel je je er ongemakkelijk bij.'

Ik staar hem aan. Ik wil antwoorden, maar kan heel even niets verzinnen. Hoe kan Ruben nu denken dat ik me voor hem zou schamen? Het idee alleen al.

Hij vat mijn zwijgen anders op. 'Ik blijf wel thuis.'

'Ruben! Je moet mee, want ik schep de hele dag tegen al mijn collega's op over mijn perfecte vriendje. Het is dat Stijn mijn verhaal steeds beaamt, want anders zouden ze niet eens geloven dat je bestaat.'

Hij glimlacht, maar het is meer een lachje dat betekent: lief dat je dat zegt, maar ik geloof je toch niet.

'Geloof je me soms niet?'

'Tuurlijk geloof ik je.'

'Oké, nu moet je voor straf mee naar die stomme borrel en dan zul je vanzelf wel zien dat je voor niemand onderdoet.' Ik sla mijn armen om zijn middel. 'En als je nu extra slim wilt lijken, ga je gewoon de hele avond naast Hugo staan.'

Die avond ben ik nog aan het werk als Hugo al lang naar huis is. Ik heb hem de rest van de dag ontweken, maar het liefst had ik hem nog even de wind van voren gegeven. Het is dat ik hem de eer niet gun, maar hij had een flink probleem voor mij en Ruben kunnen creëren.

Ruben was echt niet blij dat ik vergeten was hem voor die borrel uit te nodigen. En eigenlijk weet ik niet of het nu uit de wereld is. Ruben deed uiteindelijk wel alsof het goed was, maar het zit me nog steeds dwars. Ik had van alles willen zeggen. Dat ik hem de leukste, liefste, knapste, lekkerste en wat al niet meer vind, maar het zou allemaal klinken als een slap excuus. Dus heb ik eigenlijk niet hard genoeg ontkend of in ieder geval niet duidelijk genoeg gemaakt hoe trots ik ben dat hij bij mij hoort. Ik ga ervan uit dat hij het toch weet. Dat moet toch wel?

Na mijn werk rijd ik eerst even langs mijn ouders. Mam heeft al wat van mijn kleding kunnen redden. Ze opent de deur zodra ik mijn auto voor het huis parkeer. 'Hoi mam, sorry, maar ik moet eerst even naar de wc.' Ik duw mijn jas en mijn tas in haar handen en als ik terugkom, hangen ze beide netjes over een stoel.

'Opgelucht?' vraagt ze.

Ik knik. 'Is het gelukt met mijn kleren?'

'Nou, ik heb hier en daar moeten improviseren. Die zwarte broek kon ik niet fatsoenlijk repareren, dus die heb ik gewoon korter gemaakt.'

'Maar dat was zo'n mooie broek!' Ik hou hem voor me. Nu is natuurlijk heel het model verpest. Je kunt niet gewoon een stuk van de pijpen halen en verwachten dat het dan een capribroek is. 'Nou ja, je hebt wel je best gedaan. En mijn truitjes?'

'Die met die chloorvlekken is verloren, denk ik, maar de rest is aardig gelukt.'

Ik geef haar een dikke kus. 'Je bent de beste!'

'Ja, ja, het is al goed. Komen jij en Ruben van de week nog een keertje eten? We zien je amper tegenwoordig.'

'Ik moet het even met Ruben overleggen. Misschien kunnen we dit weekend. Morgenavond heb ik al afgesproken om even de stad in te gaan met Daph en Floor en vrijdag hebben we een borrel van mijn werk.'

'Druk, druk, druk,' antwoordt mijn moeder.

Ik knik. 'Maar ik bel je morgen, goed? Dan spreken we meteen een avond af. Vraag je of Tamara er dan ook is? En geef papa een kus van me. En nogmaals heel, heel, heel erg bedankt voor mijn kleren.'

7

'Ik weet het niet, hoor.' Ik draai me nog eens om voor de spiegel en probeer mijn kont te bekijken. 'Heb ik nu niet een enorm dikke reet in die jurk?'

Daphne onderwerpt me aan een kritische blik, maar durft geen antwoord te geven. 'Het is een mooi jurkje.'

'Dat weet ik. Aan het jurkje ligt het niet...' Ik draai nog eens rond. Kijk, vroeger was dit heel simpel geweest. Als ik een kledingstuk dicht kreeg zonder te veel mijn adem in te moeten houden, kocht ik het. Zo vaak kwam dat immers niet voor. Nu ik afgevallen ben, komt er zoveel meer bij kijken. Of het wel leuk staat, bijvoorbeeld. Dat was vroeger niet eens een issue. Ik was allang blij als ik een van mijn afgedragen meegroeibroeken kon vervangen door een nieuw model.

Maar nu heb ik de ongelooflijke luxe dat ik kan kiezen. Ik hoef niet het eerste het beste lelijke vod te kopen dat ik tegenkom. Ik hoef geen genoegen te nemen met een jurkje dat mijn kont dik maakt. Al weet ik natuurlijk wel dat ík degene ben die mijn kont dik maakt en niet dat jurkje. Feit is dat sommige jurkjes – mijn mooie zwarte jurkje thuis in de kast bijvoorbeeld – wonderen doen voor mijn kont. En dit is niet zo'n jurkje.

'Wat vindt u er zelf van?' vraagt de verkoopster met een irritant overgeïnteresseerd toontje in haar stem.

'Dat probeer ik net te bedenken,' antwoord ik. 'Hier zit hij wel mooi, toch?' Ik heb het nu tegen Daph en duw mijn borsten een beetje naar voren. 'Met een goede beha eronder...'

'Weet je, Ies, ik denk dat je thuis veel mooiere jurkjes hebt.'

'En hij is behoorlijk duur.'

'Het is de nieuwe collectie,' bemoeit de verkoopster zich er weer mee. 'Niemand heeft die jurk nog. We hebben er maar een paar binnengekregen.'

'Sorry,' zeg ik. 'Niets voor mij.' Ik heb al besloten om gewoon mijn eigen zwarte jurkje aan te trekken op de borrel.

'Daph?' roept Floor vanuit het pashok achter ons. 'Kom eens.'

'Wat is er?' Daphne loopt naar het gordijn en ik volg haar.

'Hoe zit de spijkerbroek?' vraagt mevrouwtje Bemoeial.

'Kun je een maatje groter voor me pakken?' vraagt ze heel zachtjes.

'Groter? Dat is toch negenentwintig? Die heb je altijd.'

'Vandaag niet,' antwoordt Floor.

Daph slaat vol verbazing haar hand voor haar mond. 'Floor heeft een Isa-momentje.'

Ik gluur over de schouder van Daphne en zie Floor staan met haar spijkerbroek maat negenentwintig waarvan de ritssluiting twee centimeter openstaat. 'Ik krijg hem niet dicht,' mompelt ze.

'Sorry, maar dit is dus echt geen Isa-moment,' antwoord ik. 'Dit is een halfslachtige, mislukte poging tot een Isa-moment, want het telt pas mee als je halve kont over de rand van die broek hangt. En dan moet de broek maat vierenveertig zijn in plaats van een miezerige negenentwintig.'

Floor trekt de broek uit en wij laten discreet het gordijn terugvallen. 'Is die er ook in het zwart?' roep ik Daph achterna, terwijl ze naar de stapel loopt om een maat groter voor Floor te halen. 'Mijn zwarte jeans heeft het klussen niet overleefd.'

'Ik weet niet, dit is allemaal uitverkoop. Ik kijk wel even voor jouw maat,' antwoordt ze.

'Welke maat heb je nodig?' vraagt de verkoopster.

Ik haat het als ze die vraag stellen. Wie wil nu midden in een kledingwinkel tegen een wildvreemde zijn maat roepen? We kunnen toch zelf wel zoeken? Maar gelukkig hoef ik niet langer om de grootste te vragen. 'Eenendertig,' antwoord ik bijna trots.

'O, die hebben we vast nog,' zegt ze. 'Dat is niet bepaald een gangbare maat.'

'Sorry?' vraag ik. Geen gangbare maat? Ik heb me helemaal suf getraind om in die niet gangbare maat te kunnen passen. Ze loopt al naar Daph toe om haar te helpen zoeken en ik draai me verontwaardigd om naar Floor, die in het pashokje staat te wachten. 'Hoorde je wat ze zei?'

'Laat haar toch kletsen.'

'Maar ze zei dat ik geen gangbare maat heb. Dat slaat toch nergens op? Eenendertig is toch hartstikke gangbaar?'

'Ja, Ies, tuurlijk. Ze is gek.' Floor trekt haar tuniek naar beneden en slaat haar armen voor haar lichaam.

'Er staat hier niemand, hoor,' zeg ik. Ik ken die houding als geen ander. Zo probeerde ik ook altijd mijn vetrollen te verbergen. Maar Floor heeft geen vetrollen. De buik van Floor is hartstikke plat... Wacht eens even... Het was me nog niet opgevallen, maar nu zie ik het opeens. Floor heeft een buikje gekregen. 'Floor?' vraag ik.

'Wat?'

Ik knik naar haar buik.

'Wat nou?' Ze draait zich om en grabbelt een beetje tussen de kledingstukken die ze gepast heeft. 'Zal ik dat gestreepte truitje ook maar nemen?'

'Floor!' dring ik aan.

'Hou nou eens op! Ik ben gewoon wat aangekomen,' sist ze me toe. 'Niet zo beleefd om me daar zo op te wijzen. Mas zorgt gewoon goed voor me, oké?'

'Nou, volgens mij zorgt hij heel erg goed voor je en dan heb ik het niet over eten.'

'Wat zitten jullie te smoezen?' vraagt Daphne terwijl ze Floor de broek in een maatje groter aangeeft.

'Niks,' zegt Floor nonchalant.

Ik kan niet geloven dat ik dit niet eerder gemerkt heb. 'Floor?' Ik kijk haar vragend aan. Zij moet het zeggen, dit is een vraag die je nooit kunt stellen.

Ze draait zich van ons af, maar via de spiegel in het pashok zie ik een glimlachje rond haar lippen spelen.

'Het is waar!' roep ik uit. 'Toch? Ik heb gelijk, hè?'

'Waar hebben jullie het nu over?' vraagt Daphne nieuwsgierig.

'Floor heeft nieuws,' zeg ik en dan draait ze zich om en slaakt ze een hoge, harde kreet die vast door de hele winkel te horen is.

'Oké, ik kan het niet meer voor me houden, ik ben niet gewoon dik geworden, ik ben zwanger! Ik krijg een kindje van Mas!'

En dan gillen we alledrie en springen we in een omhelzing voor het pashok rond tot de verkoopster ons met een onnozel kuchje tot de orde roept.

'Wilt u die zwarte jeans nu nog?'

'Nee. Hij valt een beetje tegen van dichtbij. En de jurk ook. U heeft niet bepaald gangbare kleding hier.' Ik ga het pashok in om mijn eigen kleren weer aan te doen. Jeetje... Floor wordt moeder.

Het winkelen wordt meteen afgebroken. Daph en ik willen nu zo snel mogelijk allerlei details aan Floor ontfutselen en onderweg naar huis bestoken we haar met vragen. Heeft ze last van ochtendmisselijkheid? (Ja, ze kotst vaker dan een tiener die voor het eerst zonder ouders in Salou is.) Hoe ver is ze? (Acht weken, ze had het eigenlijk pas over een paar weekjes willen vertellen.) Hoe vindt Mas het? (Hij is door het dolle heen en verbiedt Floor om nog iets anders te doen dan met haar benen omhoog languit op de bank te bivakkeren, terwijl hij haar favoriete tijdschriften en chocolaatjes brengt.) Is ze al veel aangekomen? (Nee, maar als Mas zo doorgaat, verdubbelt ze straks haar eigen lichaamsgewicht.) En was het een ongelukje? (Eigenlijk wel, ja. Maar wel een welkom ongelukje.)

Bij mij thuis aangekomen houden we ons even in als we zien dat Ruben druk in gesprek is aan de telefoon. Hij ziet er nogal geagiteerd uit en maakt met een paar niet zo vriendelijke woorden een einde aan het gesprek.

'Hij heeft een lastige klant,' leg ik de meiden uit.

Ruben doet zijn best zijn gezicht in de plooi te krijgen. 'Lekker gewinkeld, dames?'

'Niet zo,' zeg ik. 'Maar we moeten binnenkort toch een heel nieuwe garderobe voor Floor aanschaffen, dus dat komt wel goed.'

'Waarom heb je die nodig?' vraagt hij.

Daph en ik kijken allebei verwachtingsvol naar Floor. 'Het is eigenlijk nog een geheimpje,' antwoordt ze. 'Maar jij mag het ook wel weten. Ik ben zwanger.'

'Zwanger?' herhaalt Ruben. 'Dat had ik niet verwacht. Gefeliciteerd!' Hij loopt naar haar toe en geeft haar drie kussen. 'Die Mas kan ook alles, hè?'

'Dat blijkt,' antwoordt Floor. 'Tenzij er straks ineens een schitterend halfbloedje uitkomt, maar dat zien we dan wel weer.' Ze moet hard lachen en Ruben weet even niets te zeggen.

'Ik laat jullie dat even met z'n drieën bespreken als je het niet erg vindt,' antwoordt hij dan. 'Ik moet nog even wat op de mail zetten.' Hij geeft mij een kusje op mijn voorhoofd en maakt aanstalten om naar boven te gaan als hem iets te binnen lijkt te schieten. 'O! Voor ik het vergeet, Daphne. Ik moest van mijn broertje vragen of je het leuk zou vinden om een keer iets met hem te gaan drinken.'

'Echt waar?' roep ik in haar plaats enthousiast uit.

Daph is vuurrood geworden en weet zich even geen houding te geven. 'Eh... ja...' stamelt ze. 'Dat lijkt me best leuk.'

'Mooi, dan geef ik hem je nummer, goed?' vraagt Ruben. Hij is weer eens helemaal zijn geweldige zelf. Hij had er best moeite mee om dit bij Robin aan te roeren, maar hij heeft het toch maar mooi voor mij gedaan. En voor Daph en Robin, natuurlijk. Ze zullen ons eeuwig dankbaar zijn. Ik kan de toespraak op hun bruiloft al horen. *Natuurlijk draaiden we al heel lang om elkaar heen, maar zonder de hulp van onze lieve vrienden Ruben en Isa, die in onze ogen het ideale echtpaar zijn (ik wil wel eerder trouwen dan Daph...), hadden we hier nu niet gestaan.* Ik word vast erebruidsmeisje. Maar laten we niet te veel op de zaken vooruitlopen. Ze moeten nog wel eerst wat gaan drinken samen.

Daphne knikt en Ruben loopt door naar boven.

'Daphne heeft sjans!' plaagt Floor, terwijl we met z'n drieën op de bank ploffen.

'Nou,' zegt Daphne, 'we hoeven er niet meteen iets achter te zoeken.'

'Nee, hoor, natuurlijk niet. Robin is vast dol op tijd doorbrengen met meiden die hem helemaal koud laten.'

'Mannen en vrouwen kunnen ook vrienden zijn.'

'Klopt!' beaam ik. 'Stijn en ik zijn echte vrienden.'

'Stijn is homo,' zegt Floor ten overvloede.

'Dat was mijn punt ook,' mompel ik. 'Geloof jij dat dan ook niet, Isa?' vraagt Daphne. 'Het kan toch heus wel?'

Ik haal mijn schouders op. 'Als je iemand leuk genoeg vindt om er een goede vriendschap mee te onderhouden en die persoon is ook nog van het andere geslacht, aantrekkelijk én beschikbaar, dan ben je toch gek als je er niets mee doet?'

'Jij en Ruben waren ook eerst vrienden.'

'Niet,' antwoord ik. 'Ik deed alsof dat zo was zodat ik lang genoeg bij hem in de buurt rond kon hangen. Ik zou echt geen vrienden met Ruben kunnen zijn.'

'Wat vind jij eigenlijk van Robin, Daph? Afgezien van wat zijn redenen zouden kunnen zijn om je uit te nodigen,' vraagt Floor.

Ze bloost weer. 'Daar heb ik nooit echt over nagedacht.'

Ik weet zeker dat ze zit te liegen. Van niet nadenken over iemand krijg je niet zulke rare rode vlekken in je gezicht.

'We hoeven het niet de hele tijd over mij te hebben.' Daph maakt een wegwuifgebaar. 'Ik ben niet zwanger, zoals Floortje. Dat is pas nieuws. Laten we het daarover hebben.'

'Gaan jullie nu ook trouwen?' vraag ik.

'Jeetje, Ies, we moeten nog voor de eerste keer daten!' gilt Daphne verontwaardigd.

'Ik denk dat ze mij bedoelde, Daph,' oppert Floor.

'O.'

'Ja,' antwoordt Floor. 'Anders wordt het zo'n geregel met het erkennen en de achternaam en zo.'

Daph rolt met haar ogen. 'Goh, wat romantisch...'

Floor haalt haar schouders op. 'Sommige dingen moet je ook praktisch bekijken. Dat doet toch niets af aan de betekenis ervan?'

'Als ik trouw, wil ik een heel spektakel,' zegt Daphne.

'Ik ook,' geef ik toe. Ik heb me niet voor niets suf getraind. Ik wil een oogverblindende jurk en de hele rataplan.

'Ik niet. Ik wil alleen maar voor altijd bij Mas blijven en de rest interesseert me niet. We hebben het al helemaal uitgedacht. We wachten met trouwen tot ik kogelrond ben en dan gaan we met een klein groepje naar het stadhuis. Alleen wat familie en beste vrienden. Hooguit twintig of dertig gasten. Ik koop een wit babydollachtig jurkje met een roze of blauw lint onder mijn borsten en in mijn haar.'

'Maar dan weet iedereen of je een jongen of een meisje krijgt!' zegt Daphne.

'Nou en? Ik hoef het toch niet voor anderen spannend te maken? Mas en ik doen gewoon wat we zelf willen. Het gaat erom dat wij voor elkaar kiezen. De rest is niet belangrijk.'

Ik ben opeens ontzettend trots op Floor. Ze heeft gelijk. Ik zie het helemaal voor me. Zij met een enorme buik in een schattig jurkje en Mas in een mooi wit pak. Een kleine, besloten huwelijksvoltrekking. 'Weet je, Floor, ik denk dat het perfect wordt.'

We debatteren nog een hele tijd door over de charme van hoogzwanger trouwen en uiteindelijk geloof ik zelf ook bijna dat het geen ramp zou zijn om niet superslank te zijn op mijn trouwdag. En dat terwijl ik er tegen die tijd eigenlijk nog vijf kilo af wil hebben.

Het is aan de late kant als ik Daph en Floor uitlaat en naar boven ga. Misschien is Ruben al naar bed gegaan, denk ik, maar dan zie ik het licht in het computerkamertje nog branden.

'Het is al laat, hoor.' Ruben draait zich abrupt om en ik moet een beetje lachen. 'Sorry, ik wilde je niet laten schrikken.'

'Hé, ik eh... ik hoorde je niet de trap op komen.' Hij sluit snel alle vensters op het beeldscherm.

'Wil je dat niet even afmaken?' Ik zie dat hij een halfgetypte e-mail wegklikt.

'O... het is niet zo belangrijk.'

Ik vraag me wel af waarom hij na middernacht nog zit te mailen als het niet belangrijk is, maar ik wil niet zeuren. 'Oké.'

'Het is gewoon wat werkgedoe.'

'Oké.'

'Die... klant zit me echt achter de broek.' Hij steekt zijn arm naar me uit. 'Maar dat regel ik morgen verder wel. Kom eens hier.'

Ik laat me door hem op zijn schoot trekken en ga met mijn vingers door zijn haar. 'Bedankt dat je met Robin gepraat hebt.'

'Graag gedaan. Ik had kunnen weten dat jij oog voor die dingen hebt. Weet je dat het zijn eigen idee was om met haar af te spreken? Ik heb alleen gezegd dat jij denkt dat ze hem wel leuk vindt.'

'Dat denk ik niet, dat weet ik.'

'En Floor en Mas die een baby krijgen...'

'Ja, dat is nogal wat.'

Hij knikt. 'Het is wel fijn dat wij het kunstje eerst bij hen af kunnen kijken voor we zelf aan de slag gaan.' Hij slaat zijn armen om me heen en knuffelt me en op dat moment dringt het eigenlijk voor het eerst tot me door dat hij het allemaal echt meent met mij. Ik heb zelf allerlei plannen voor ons, maar nu besef ik dat hij ze ook heeft.

'Het hoeft niet meteen, hoor,' fluistert hij met zijn gezicht verborgen in mijn hals.

'Weet ik,' zeg ik. 'Als we alvast maar wel heel vaak oefenen.'

'Oefenen klinkt goed.'

8

Ruben ziet er superaantrekkelijk uit in zijn nette pak. Hij voelt zich meer op zijn gemak in een spijkerbroek en T-shirt, waar hij eerlijk gezegd ook prima mee wegkomt, maar juist daarom vind ik het wel erg leuk om hem een keer zo netjes te zien. Als hij wist hoe knap hij er nu uitziet, zou hij elke dag in overhemd en stropdas gaan werken. Ik zie Vivian wel kijken vanuit haar ooghoeken. Zij denkt er precies zo over. Natuurlijk kent ze hem al van de kliniek, maar ik heb altijd het idee dat ze niet echt gelooft dat hij bij mij hoort. Alsof ik dat gewoon verzonnen heb en iedereen maar meegaat in mijn fantasie om mij een plezier te doen. Daarom doet het me ook een groot genoegen om nu samen met hem binnen te komen. Niemand kan om ons heen. We zijn het ideale koppel.

Als je die kleine aanvaring van een halfuurtje geleden niet meetelt tenminste. Niet dat er nu iets heel verschrikkelijks voorgevallen is, maar volgens mij ergerde Ruben zich er wel een beetje aan hoe lang ik erover deed om me op te tutten. Hij snapt gewoon niet dat er veel bij komt kijken voor een vrouw.

Hij komt thuis, springt onder de douche, smeert wat spul in zijn haar, doet een lekker geurtje op en trekt zijn pak aan.

Ik kom thuis, alweer later dan gepland vanwege een complicatie op het werk, doe mijn vieze kleren uit en zet meteen de wasmachine aan, ga douchen, eet daarna een kom magere kwark met muesli zodat mijn haar alvast een beetje kan drogen en ik me niet te buiten ga aan het buffet straks, doe daarna mijn make-up en omdat dit toch een ietwat formele borrel is, komt daar iets meer bij kijken dan een lik mascara, ga terug naar boven om mijn haar te föhnen en bedenk ondertussen of ik het de hele avond uit kan houden op die poederroze pumps of dat ik beter een lagere hak kan kiezen, ik weet immers niet of er genoeg stoelen zullen zijn en misschien moeten we wel de hele avond staan en het zou zomaar kunnen dat we de auto niet voor de deur kunnen parkeren, ze zijn immers niet ontworpen om er grote afstanden mee af te leggen, pas daarna beide paren om te concluderen dat die roze het mooiste staan maar de zwarte toch echt lekkerder zitten, maak daarna de fout om aan Ruben te vragen wat hij ervan vindt om daarna zijn antwoord ('doe gewoon aan wat het lekkerst zit') niet te kunnen waarderen... waarna ik toch de roze kies en een halfuur op zoek ga naar een kunststof bloemencorsage in dezelfde tint die ik zeker weten pas nog heb gezien tijdens het opruimen van mijn accessoireskastje. En daarna wil ik ook de was nog even ophangen, want die is inmiddels klaar en ik heb geen zin om uren de kreukels eruit te moeten strijken omdat die spullen zo lang op elkaar gepropt in de machine hebben gezeten. En wat ik dan weer niet snap, is waarom hij dat niet even had kunnen doen in de tijd dat hij door de kamer ijsberend om mij stond te wachten. Maar goed, dat is allemaal niet belangrijk, al heb ik wel spijt dat ik dat laatste tegen hem gesnauwd heb terwijl ik me met de schone was naar boven haastte. Hij keek er een beetje beteuterd bij, alsof het echt niet in hem opgekomen was dat hij dat had kunnen doen en daar nu heel verdrietig over was.

Hij is nu eenmaal een man en ik kan niet verwachten dat hij alles precies zo ziet als ik dat doe. Net als vorige week toen ik thuiskwam en hij – heel lief – al met koken begonnen was. Alleen lagen de kipfilets tot de rand in de boter te sudderen (waardoor het eigenlijk gefrituurde kip was, in plaats van gegrild met een scheutje olijfolie) en stond Ruben met een vork in mijn dure BK-pannen te roeren (krassen, dus). Ik wilde er niets van zeggen, maar dat zou wel betekenen dat ik over twee weken geen anti-aanbaklaag meer over zou hebben, dus zei ik heel voorzichtig: 'Schatje? Hoor je dat? Vind je dat een fijn geluid? Nee? Denk je dan dat die pan het fijn zal vinden?'

Hij nam het heel goed op en later zag ik al dat hij met een houten lepel de groenten roerbakte, dus dat heb ik toch maar mooi bereikt. Soms vraag ik me wel af of zijn moeder hem wel iets geleerd heeft. Volgens mij heeft zij altijd alles bij hem uit handen genomen en is hij, eenmaal op zichzelf, maar wat in de keuken gaan doen om zichzelf in leven te houden. Niet dat daar per se iets mis mee is. Hij is immers in leven gebleven en hij heeft een stofwisseling die de gefrituurde kip moeiteloos verwerkt. Maar ik dus niet. Helaas.

Maar ik weet ook wel dat dit allemaal details zijn. Over de belangrijke dingen hebben we nog nooit ruzie gehad.

De Smuldersen hebben een imposante vergaderruimte afgehuurd in Palladium. Ik ben er nog nooit geweest, maar voor chique zakenlui is het prestigieuze hotel/restaurant de ideale locatie om elkaar te imponeren. Er zijn meer dan honderd genodigden aanwezig, wat ik best een groot gezelschap vind voor een kliniek van ons kaliber. Maar Hugo heeft de hele week lopen opscheppen over zijn 'collegae' die vanuit binnen- en buitenland over zouden komen om te toosten op zijn succes. Ze zijn er inderdaad, onder wie een paar grote namen die ik ken van wetenschappelijke artikelen in vakbladen die ik gelezen heb. Ik moet toegeven dat Hugo in hoge kringen verkeert.

Ik loop een rondje en stel Ruben hier en daar voor aan mensen die ik ken. Ik vertel hem net over de man rechts achter in de zaal, wiens artikel ik pas gelezen heb.

'Echt iets voor Isa om meteen de grote namen eruit te pikken,' hoor ik de stem van Hugo achter me. 'Dat is een goede vriend van me, weet je dat?' Hij steekt zijn hand uit naar Ruben. 'Ruben, hoe maak je het?'

Ruben schudt hem de hand. 'Prima. Jij?'

'Ach, je weet hoe dat gaat bij dit soort gelegenheden. Even een hoop opgeprikt gedoe. Ik zal blij zijn als het formele gedeelte voorbij is en we ons op de drank kunnen storten. Als je wil, Isa, kan ik je zo wel aan wat mensen voorstellen, hoor.' Hij kijkt naar Ruben. 'Het zegt jou naar alle waarschijnlijkheid niets, maar die vrouw daar weet alles over de proportionele mortaliteit in geval van hepatitis bij de dobermann.'

Ruben knikt en probeert te doen alsof hij daarvan erg onder de indruk is.

'Die ziekte komt relatief vaak voor bij dat ras en is meestal dodelijk,' leg ik uit. Dat is wat Hugo vrij vertaald bedoelde.

Hij begint een relaas over een onderzoek dat een afwijkend gen probeerde aan te tonen. Hij vertelt het dusdanig ingewikkeld dat ik zelfs moeite heb te begrijpen wat hij nu eigenlijk bedoelt. 'Maar de mate van homozygotie was dusdanig dat er geen verschil kon worden aangetoond,' zegt hij, zijn verhaal besluitend.

'Lullig als dat gebeurt,' antwoordt Ruben droog.

Ik moet lachen. 'Homozygotie betekent dat twee allelen van een gen gelijk zijn. De meeste dobermanns hebben weinig verschillende genen.'

'Je bent dus kort gezegd geen steek verder,' concludeert Ruben.

'Dat zou ik niet willen beweren,' antwoordt Hugo, waarna hij overgaat op een mogelijk andere oorzaak: koperstapeling in de lever. Weer verliest hij zich in vaktaal. 'Penicillamine zou de uitkomst kunnen zijn. Deze koperchelatieve stof heeft ook een ontstekingsremmende werking en kan een significante daling bewerkstelligen.'

Ruben laat zich niet imponeren. 'Ik heb een labrador. Die heeft daar dus gelukkig geen last van.'

'Labradors zijn mooie beesten,' zegt Hugo. 'Simpele honden. Allemansvrienden. Je zorgt voor ze en ze zijn meteen dol op je. Het is een makkelijk ras om te houden omdat er weinig ruggengraat voor nodig is om ze in het gareel te houden.'

'Dan ken je Bo nog niet,' antwoord ik.

'Alle honden hebben een bepaalde mate van opvoeding nodig, maar sommige rassen zijn nu eenmaal meegaander dan andere, Isa. Dat is een vaststaand feit. Iedereen kan met een beetje puppytraining een labrador houden.'

'Bo is mijn maatje,' zegt Ruben. 'Ik heb niet de behoefte iets te bewijzen via mijn hond.'

'Dat zeg ik. Mooie beesten.'

Wat hij eigenlijk zegt, is dat labradors voor watjes zijn. Dat hoor ik zelfs en ik ben blij dat Ruben het lekker langs zich heen laat gaan.

'Hugo?' Een jonge vrouw komt met een ietwat onzekere tred onze kant op. 'Ik was je kwijt.'

'Het lijkt erop dat je me weer gevonden hebt,' antwoordt hij nogal onaardig.

Ze pakt zijn arm vast en kijkt nu iets minder bang. 'Ik ben Sacha. Hugo's verloofde.'

Eerst ben ik nogal verbaasd, omdat Hugo het nooit over zijn vriendin heeft gehad, laat staan over het feit dat hij verloofd is. Maar tegelijkertijd voel ik een soort opluchting. Dat incident met die handschoenen heb ik dus veel te zwaar opgevat. Eigenlijk wist ik wel dat hij er niets mee bedoelde. Hij heeft gewoon een gewichtige manier van doen. Het is maar goed dat ik er Ruben niets van verteld heb.

Ze geeft Ruben en mij een hand en kijkt daarna glimmend van trots naar Hugo op. Hij glimlacht geforceerd terug. Zouden zij ook net ruzie hebben gehad omdat Sacha te lang over het aankleden deed?

Op een of andere manier vind ik ze niet echt bij elkaar passen. Ik had me bij Hugo eerder een hautaine, tot in de puntjes verzorgde vrouw van goede komaf voorgesteld. Iemand in mantelpakjes van Chanel met keurig gemanicuurde handen. Zo'n vrouw die niet hoeft te werken en al haar tijd aan mooi zijn spendeert. In ieder geval niet zo'n stil, klein, propperig muisje. Ze ziet er een beetje onopvallend uit. En het jasje dat ze aanheeft, is van een ander zwart dan de broek, die daardoor grijzig lijkt. Volgens mij passen die twee kledingstukken helemaal niet bij elkaar. Nu ik goed kijk, valt me op dat de broek eigenlijk een beetje verwassen is. En hij zit iets te strak, waardoor de vouw op haar bovenbeen niet meer zichtbaar is en de zakken te veel uitstaan. Opeens besef ik het. Dit is een meegroeibroek. De enige zwarte broek die je nog past en die eindeloos op alle feesten, borrels, verjaardagen en recepties gedragen wordt.

Opeens heb ik medelijden met haar. Ze is natuurlijk net verhuisd en kent niemand en nu moet ze op deze borrel de stralende verloofde van Hugo spelen, terwijl ze het liefst thuis weggedoken op de bank zou zitten, met een groot woonkussen voor haar buik. Ik weet precies hoe ze zich voelt. Misschien moet ik haar en Hugo een keertje bij ons thuis uitnodigen. Misschien kan ze wel een vriendin gebruiken, hier. Ik kan haar een keertje mee naar de sportschool nemen. Zonder Tamara had ik daar zelf ook nooit een voet binnen durven zetten, dus misschien kan ik nu hetzelfde voor Sacha doen.

'Bevalt het je een beetje hier?' vraag ik.

'Ja, prima. Het is een schitterende kans voor Hugo om de praktijk van zijn vader over te nemen.'

Ik knik. 'En wat doe jij?'

'O gewoon. Kantoorbaan.'

'Wat voor kantoor?'

'Ik werkte in Duitsland als secretaresse op een advocatenkantoor, maar nu doe ik de administratie bij een bedrijf dat airconditioningapparatuur produceert. We hebben een filiaal in Berlijn en daar werkt een vriendin van mij, dus via via kon ik zo beginnen.'

'Dat is mooi.' Het gesprek valt even stil en ik overweeg een nieuwe vraag te stellen, maar ik wil ook niet te opdringerig overkomen.

'Isa is ook dierenarts in de kliniek,' zegt Hugo dan. 'Ik zou haar naam maar onthouden. Ik denk dat we nog veel van haar zullen horen.'

'Nee, hoor,' antwoord ik. 'Ik doe gewoon mijn werk. Ik zie mezelf nog niet zo snel een promotieonderzoek doen.'

'Dat is vreemd,' zegt Hugo. 'Ik zie dat wel voor me.'

'Ik zal het in de gaten houden,' zegt Sacha. 'Zullen we terug naar je vader gaan, Huug? Hij wilde nog even het protocol doorspreken.'

'Dat is goed. Ik zie jullie dadelijk nog.'

Ze lopen weg en ik wissel een blik met Ruben.

'Protocol?' vraagt hij. 'Is hij van het koninklijk huis of zo?'

'Sorry,' zeg ik. 'Dat was echt dodelijk saai, hè?'

'Nou, polyzygotie is toevallig mijn favoriete gespreksonderwerp.'

Ik moet lachen. 'Homozygotie. Dezelfde allelen, weet je nog?'

'Is het nodig om te zeggen dat ik geen fan ben van die kerel?'

Ik schud mijn hoofd. 'Dat had ik al begrepen.'

'En de manier waarop hij tegen jou doet bevalt me al helemaal niet.'

'Hoezo?' vraag ik. Stiekem geniet ik een beetje van de jaloerse ondertoon in zijn stem. 'Hij is gewoon raar. Zo doet hij tegen iedereen.'

'Geloof me nu maar. Jij mag het dan bij het rechte eind gehad hebben wat Robin en Daphne betreft, maar ik weet ook wel een beetje hoe mannen denken.'

'Hugo is verloofd, hoor.'

'Ja, en? Alsof dat wat wil zeggen. Je had toch zeker ook wel in de gaten hoe hij zich net wilde laten gelden? Hij loopt een beetje met zijn kennis te pronken en probeert een discussie uit te lokken over dat labradors sukkelige honden zouden zijn. Wat hij eigenlijk bedoelt, is dat ik een sukkel ben en te min voor jou. En dat mag misschien wel zo zijn, maar dat hoef ik van hem niet te horen.'

Ik trek hem zachtjes aan zijn stropdas naar me toe. 'Heb ik je wel eens verteld dat ik heel erg op sukkels val?'

'Ik heb zo'n hekel aan kleffe stelletjes!' roept Stijn opeens vanaf een metertje afstand.

Ik draai me om. 'Wat ben jij laat. Het is ook een beetje jouw feestje, hoor.'

'Weet ik. Ik wachtte op mijn date, maar ik denk dat er iets tussen is gekomen.'

'Met Bram weet je het maar nooit,' zegt Ruben.

Stijn werpt me een dodelijke blik toe. 'Was dat niet nog een beetje geheim, Isa?'

'Ik heb het alleen tegen Ruben gezegd,' protesteer ik. 'Ik vertel het heus niet verder, maar kom op, ik moest het aan iemand kwijt.'

Stijn kijkt naar Ruben. 'Je houdt het toch wel voor je, hè?'

'Tuurlijk, joh. Maak je geen zorgen.'

'Ruben is niet van de theekransjes, zoals wij, Stijn,' zeg ik. 'Maar hoe zit het nu met Bram? Komt hij straks hierheen?'

Hij haalt zijn schouders op. 'Dat is wel de bedoeling. We hadden eigenlijk een uur geleden bij mij thuis afgesproken, maar hij belde een kwartier geleden op om te zeggen dat hij nog niet weg kon op het werk. Hij zou proberen om het nog te redden.'

'Het duurt hier zeker tot middernacht,' zeg ik. 'Dat moet toch lukken?'

Stijn kijkt er moeilijk bij. 'Ik denk dat hij het een beetje eng vindt.'

Ruben laat een schamper lachje horen. 'Sorry, maar ik heb er moeite mee om Bram als een onzeker type te beschouwen.'

'Hij is eigenlijk heel gevoelig,' antwoordt Stijn en eerlijk gezegd komt dit op mij ook niet heel overtuigend over. Ruben en ik vermijden het elkaar aan te kijken, want dan barsten we vast allebei in lachen uit. 'Het is ook allemaal nogal ingewikkeld omdat ik op het punt sta weg te gaan. Daar heeft hij het moeilijk mee. Hij vond het heel erg dat hij nog niet kon komen.'

Ik zie dat Ruben zijn gsm uit zijn zak haalt en er een blik op werpt. Dat brengt me op een idee. Het is immers vrijdagavond. Tamara is in de sportschool en kan dus als spionne fungeren. 'Ik moet heel even een telefoontje plegen.' zeg ik. 'Ruben heeft inmiddels heel veel van Hugo opgestoken, dus jullie hebben genoeg te bespreken.'

'O ja,' zegt Ruben. 'Over synchrozygotie...'

'Homozygotie, bedoel je,' verbetert Stijn achteloos.

Ruben knikt. 'Misschien lijdt Bram daar ook aan.'

Ik loop naar de garderobe en probeer Tamara op haar mobiel te bereiken. Het zou kunnen dat ze nog bezig is en haar spullen in het kluisje heeft liggen, maar meestal zitten we rond deze tijd al aan de bar uit te puffen. Na een paar keer overgaan, neemt ze op.

'Hé zus, ben je nog in de sportschool?' vraag ik.

'Hoi Ies. Ik sta op het punt om weg te gaan.'

'O, dan ben ik net op tijd. Ik wilde even weten of je Bram gezien hebt vandaag.'

'Ja, die staat hier bij me aan de bar. Hoezo?'

'Het is zeker hartstikke druk daar?'

'Op vrijdagavond? Wat denk je zelf?'

Ik denk dat het uitgestorven is, zoals elke vrijdagavond rond deze tijd, omdat iedereen dan in de kroeg zit.

'Het is hartstikke rustig,' gaat Tamara verder. 'Ik zit hier met een vriendin en er zijn nog twee mensen in de zaal.'

'Maar Bram is zeker alleen?' Ik ben vastbesloten hem het voordeel van de twijfel te gunnen, maar hij maakt het me wel moeilijk.

'Nee. Sylvie is er ook.'

Toevallig weet ik dat Sylvie vaak alleen afsluit, dus mijn bange vermoedens zijn bevestigd. Bram laat Stijn gewoon zitten

'Waarom wil je dat allemaal weten?' vraag Tamara.

'Dat vertel ik je nog wel. Bedankt, Tamaar.' Ik hang op. Wat een eikel! Ik wist het wel. Bram is niks voor Stijn. Hij maakt hem nog hartstikke ongelukkig. Ik heb zin om naar hem toe te stappen en hem te verbieden zelfs nog maar een woord met Stijn te wisselen. Wat denkt die Bram wel? Dat hij Stijn gewoon kan behandelen als een van zijn scharrels?

Ik denk dat ik mijn boosheid nog even niet kan verbergen voor Stijn en loop door naar de toiletten. Zelfs de wc is hier chic. Ik doe nog even wat lippenstift op en besluit dan meteen maar te gaan plassen.

Als ik naar buiten wil gaan en aanstalten maak om het slot open te draaien, hoor ik twee vrouwenstemmen.

'Heb je die collega van Hugo gezien?' vraagt de ene. 'Die vrouw?'

'Die met die knappe vent, bedoel je?'

'Ja. Ik heb gehoord dat ze hem afgepakt heeft van zijn toenmalige vriendin. Ik ken dat meisje, ze is door een hel gegaan.'

Mijn mond valt open van verbazing. Ik ben een collega van Hugo. En ik heb een knappe vent, maar hallo... dat laatste?

'Dat verbaast me niks,' zegt de andere stem. 'Daar is het echt zo'n type voor. Zo'n slanke bitch die zichzelf helemaal geweldig vindt.

Moet je mij nu eens zien in mijn mooie jurkje, met mijn mooie schoentjes! Alles afgestemd in dezelfde kleur, lekker belangrijk!'

'Ik haat het als vrouwen weten dat ze knap zijn. Dan worden het zulke verschrikkelijke krengen. Ik durf te wedden dat ze over lijken gaat om te krijgen wat ze wil.'

'Wie ze wil, bedoel je zeker?'

Ik hoor een deur van het wc-hokje naast me open en dicht gaan en een van de twee begint te plassen. Ondertussen praten ze gewoon door.

'Echt, vrouwen kunnen zo gemeen zijn! Hoorde je hoe ze tegen me praatte? Zo denigrerend, alsof een baan als secretaresse hélemaal niks voorstelt. En ondertussen maar naar Hugo lonken. Hij heeft het tegenwoordig alleen nog over haar, trouwens. Ze is zo geweldig en slim en soms wil ik gewoon schreeuwen dat hij zijn kop moet houden. O ja en ze keek toch afkeurend naar mijn kleren! Alsof we allemaal in zo'n krap jurkje passen en met onze kont willen draaien om aandacht te krijgen! Wat een trut!'

'Nou, inderdaad!'

Het deurtje naast me gaat weer open en ik hoor de stemmen wegsterven en de deur naar de garderobe dichtvallen.

Ik ben licht in mijn hoofd van wat ik net allemaal gehoord heb. Dat was Sacha. Ze vindt me een kreng. Ik voel tranen opkomen en probeer ze weg te slikken terwijl ik voorzichtig het hokje uitkom, bang dat ze er nog zouden kunnen staan. Ik was mijn handen en laat het koude water over mijn polsen stromen tot ik weer tot bedaren kom. Sacha heeft haar handen niet gewassen, besef ik.

'Is er iets?' vraagt Ruben als ik terugkom. Hij slaat zijn arm om me heen en drukt een kusje op mijn slaap.

Ik glimlach. 'Nee niks.'

'Weet je het zeker?' vraagt Stijn. 'Je ziet een beetje pips.'

Ik probeer overtuigender te glimlachen. 'Echt niks.'

Ruben en Stijn pakken hun gesprek weer op en ik sta er een beetje lamgeslagen bij. Ik voel Rubens vingers zachtjes in mijn zij kriebelen. Ik kan haast niet geloven wat ik zojuist over mezelf gehoord heb. Iemand die bezette mannen probeert te verleiden met haar uiterlijk? Kom op zeg, dat ben ik toch niet? Het staat zo ver van me af, dat het even in me opgekomen is dat iemand een geintje met me uit probeert te halen. Maar ik zou niet weten waarom Sacha zoiets voor de grap zou doen. We kennen elkaar niet eens. En ik ben echt geschokt over wat die vriendin van haar zei. Er zijn dus mensen die zo'n mening over mij hebben terwijl ze me niet eens kennen. Blijkbaar gaan er allerlei geruchten over mij en Ruben rond waar we zelf niets van af weten. Wat wonen we eigenlijk ook in een rotgehucht. Iedereen bemoeit zich overal mee.

Ik had naar buiten moeten komen. Ik schrok zo dat ik me niet meer durfde te verroeren, maar daar heb ik nu spijt van. Ik had naar buiten moeten komen om hen te confronteren met wat ze net gezegd hadden. Ik was toch alleen maar aardig tegen Sacha? Ik wilde zelfs een soort van vriendinnen met haar worden. Ik keek heus niet met minachting naar haar. Ik herkende juist iets van mezelf in hoe ze daar stond. Wat geeft haar het recht om zo lichtgeraakt te doen?

'Ben je nerveus voor je toespraak?' vraagt Ruben na een tijdje. Ik heb wel geprobeerd om af en toe mee te lachen als hij of Stijn een grapje maakte, maar eigenlijk heb ik niet veel van het gesprek meegekregen.

'Valt wel mee,' zeg ik.

'Mooi zo,' zegt Stijn. 'Want ze gaan al met de champagne rond en volgens mij gaat Smulders daarmee een toost uitbrengen. Daarna is het jouw beurt.'

Wat niet zo best is, want ik heb geen idee meer wat ik moet zeggen. Met een glas champagne in mijn hand luister ik even later naar de speech van Smulders. Hij heeft het over de groei van de praktijk en noemt wat cijfers en percentages die moeten aangeven hoe succesvol we met z'n allen zijn. Daarna spreekt hij de hoop uit dat het vanaf nu alleen nog maar beter mag gaan. Vervolgens roept hij mij naar voren.

'Onze kliniek draait niet alleen om cijfers. Het gaat ons aan het hart de beste zorg te bieden aan de dieren die onze cliënten zo dierbaar zijn,' zeg ik als ik op het podium sta. Er wordt even gelachen om de woordspeling. Ik ben blij dat ik de riedel weer in mijn hoofd heb en wil dit zo snel mogelijk achter de rug hebben. 'Met dokter Smulders verliezen we helaas een zeer betrokken arts, die als persoon bepalend was voor het gezicht van onze kliniek. We zullen hem erg missen. Bij dezen wil ik namens alle werknemers onze dank uitspreken voor de prettige samenwerking in de afgelopen jaren. Wij wensen hem alle geluk toe en hopen dat we zijn deskundigheid bij gelegenheid nog zullen mogen inroepen.'

Ik wacht even tot het applaus weer afzwakt voor ik verder ga. 'Gelukkig verwelkomen wij tegelijkertijd Hugo Smulders als nieuwe dierenarts. Met hem halen we een grote hoeveelheid specialistische kennis binnen op het gebied van interne diergeneeskunde en cardiologie, wat onze praktijk nog sterker zal maken. Ik heet hem dan ook namens iedereen van harte welkom.'

Weer applaus.

'Tot slot nemen we vandaag afscheid van nog een bijzonder gewaardeerde collega. Stijn is bijna drie jaar geleden bij onze praktijk begonnen met het doorlopen van zijn coschappen en heeft dit zo naar tevredenheid gedaan dat wij hem niet meer lieten gaan. Maar nù is het voor hem tijd een nieuwe uitdaging aan te gaan, waarbij wij hem alle succes wensen.' Ik zoek even oogcontact met Stijn in het publiek. 'Je mag terugkomen wanneer je maar wilt.'

Hij werpt me een kushandje toe. Ik zet de microfoon terug in de standaard. 'Nu vergeet ik bijna nog het belangrijkste. Het buffet is geopend.'

Onder luid gejuich verlaat ik het podium en verdwijn ik in de menigte. Stijn wacht me met open armen op. 'Ik zal je missen, meisje.'

'Ik jou ook,' antwoord ik met mijn gezicht gesmoord in zijn colbertjasje.

'En ik kom zeker weer terug.'

'Dat is je geraden!' Ik mep hem tegen zijn arm. 'Moet je nu zien. Je maakt me nog aan het huilen.' Ik laat hem los. Ik heb nog maar een klein duwtje nodig om in janken uit te barsten.

'Wat deed je dat goed,' zegt Ruben.

Ik pak zijn hand vast en glimlach. 'Ik deed maar wat. Ik herinner me amper wat ik gezegd heb.'

'Hij heeft iedereen die bij ons in de buurt stond aangestoten om te zeggen dat je zijn vriendin bent,' zegt Stijn.

'Niet,' antwoord ik.

'Dat heb ik echt gedaan,' beaamt Ruben.

Ik kijk van de een naar de ander. Ik geloof het toch niet.

'Kom,' zegt Stijn, 'we gaan ons volvreten.'

Als je onder volvreten twee donkerbruine stokbroodjes, een schepje aardappelsalade, twee asperges en twee opgerolde plakjes gerookte zalm verstaat, is dat inderdaad wat ik doe. Ik heb ook helemaal geen eetlust meer, dus dat komt goed uit. Kan ik straks in nog krappere jurkjes de mannen het hoofd op hol brengen.

Gelukkig houden Ruben en Stijn zich niet in. Dat zou ook zonde zijn van al dat lekkere eten. Normaal gesproken kan ik erg blij worden van koud buffet. En van warm buffet eigenlijk ook. En van dessertbuffet helemaal, waardoor we kunnen concluderen dat het principe van buffet me gewoon aanstaat. Maar op dit moment even niet. Misschien kunnen de toetjes me straks troosten. Als er iets van chocolade bij zit.

Vanuit mijn ooghoek zie ik Hugo en Sacha deze kant op lopen. 'Isa, dankjewel voor je lovende woorden.'

'Graag gedaan,' mompel ik.

'Heel mooi gesproken,' zegt Sacha met een grote achterbakse nep-glimlach. Jeetje, zij heeft wel lef, zeg. In mijn gezicht een beetje aardig en timide lopen doen, maar mij ondertussen zwart maken bij iedereen die het horen wil. Eigenlijk zou ik haar eens flink de waarheid willen zeggen. Dat ik er ook niks aan kan doen dat zij zo onzeker is. Ik heb ook hard moeten werken voor alles wat ik heb. Ik heb me suf gestudeerd, me een ongeluk getraind en me op allerlei manieren voor schut gezet voor ik Ruben zo ver had om een keertje bij mij thuis film te komen kijken. Mij is niets aan komen waaien en het is dat ik geen zin heb in een enorme scène met mensen met wie ik maandag weer moet werken... Wacht eens even... Opeens schiet me iets te binnen. Het is misschien gemeen, maar ik vind op dit moment dat ik dat even mag zijn. Eén keertje.

Ik recht mijn rug. 'Weet je Hugo, ik meende ieder woord. We hebben soms misschien onze... aanvaringen,' ik werp even een blik op Sacha zodat zij alle kans krijgt een andere betekenis aan die woorden te geven, 'maar ik heb grote bewondering voor je. Ik denk dat ik ontzettend veel van je zal kunnen leren.'

Stijn werpt me een blik toe die me duidelijk maakt dat hij denkt dat ik gek geworden ben.

'Ik dacht dat je me misschien een beetje onder je hoede zou kunnen nemen,' zeg ik met een knipoog, 'me de kneepjes van het vak bijbrengen. Interne geneeskunde heeft echt mijn interesse.'

Ik krijg een niet zo subtiele schop van Stijn onder de statafel.

'Ik ben blij dat te horen,' antwoordt Hugo bloedserieus. Die man zit echt vol van zichzelf. 'Want ik zie die aanleg ook heel erg prominent bij jou.'

'Bij mij? Meen je dat?' vraag ik schaapachtig en ik sla mijn ogen naar hem op. Ik heb Marleen wel eens zo naar Ruben zien kijken en dat haalde het bloed onder mijn nagels vandaan. Fijn dat het me nu van pas komt.

'Absoluut, Isa, ik zie ons in de toekomst heel nauw samenwerken.' Ik raak terloops zijn arm aan. 'Ik verheug me erop. Fijne avond nog, hè?'

Ik ben heel erg tevreden over mijn optreden, maar het is wel erg stil bij ons aan tafel als Hugo en Sacha weer weg zijn.

'Ik heb opeens een onbedwingbare behoefte aan nog een schep van deze salade,' zegt Stijn terwijl hij zich uit de voeten maakt met zijn bordje.

'Hoef jij niks meer?' vraag ik aan Ruben. Hij staat met zijn vork ergens halverwege in de lucht, alsof hij midden in een beweging bevroren is.

Hij legt zijn bestek neer. 'Ik heb net voorgoed mijn eetlust verloren, denk ik. Wat was dat?'

'Wat?'

'Nou, dat gedeelte waarin je hem praktisch een vrijbrief gaf om je tussen de spreekuren door te bespringen, bijvoorbeeld.'

'Dat deed ik helemaal niet.'

'Nee? Zullen we dat maandagochtend nog eens bespreken? Tegen elf uur 's ochtends zal hij het vast wel geprobeerd hebben, denk ik. Ik bel je wel even rond die tijd. Als je dan in de gelegenheid bent om op te nemen, natuurlijk. Ik wil je niet storen. Al stoor jij je ook niet zo erg aan het feit dat ik pal naast je sta.' Die laatste vier woorden schreeuwt hij bijna in mijn gezicht.

'Ruben,' zeg ik. 'Wat is er nou?'

'Vind je hem leuk of zo?'

'Nee! Hoe kom je daar nu weer bij?'

'Nou, ik weet niet. Het leek er even op.'

'Ruben, de gedachte alleen al is belachelijk. Ik vind maar één man leuk en die staat nu toevallig bij me. Ook al kijkt hij een beetje boos.'

'Dit is niet boos. Dit is een overtreffende trap van zo verontwaardigd dat ik niet weet wat ik ervan zeggen moet.'

'Ruben!'

'Ja?' snauwt hij.

'Zag je me stuntelen, stotteren, mijn buik inhouden, proberen mijn bord eten te verstoppen of struikelen en daarbij een bloedlip oplopen?'

'Nee.'

'Dan vind ik hem dus niet leuk.'

We kijken elkaar even aan waarbij ik een triomfantelijke trek op mijn gezicht voel. Alsof ik net een pleidooi gehouden heb en weet dat ik de jury overtuigd heb. Dan moeten we allebei lachen.

'Dus je vindt hem niet leuk? Dat weet je zeker?'

'Heel zeker.'

'Besef je dat hij nu denkt van wel?'

Ik schud mijn hoofd. 'Zíj denkt nu van wel. Hij heeft niks in de gaten, want hij denkt dat de hele wereld hem geweldig vindt. Eentje meer of minder valt hem heus niet op.'

'En waarom wil je dat Sacha dat denkt, dan?'

'Ik hoorde haar met iemand praten in de toiletten en ze was heel onaardig over me. Ze zei echt belachelijke dingen.'

'Zoals?'

'Zoals… gewoon stomme dingen.' Het lukt me niet om het te herhalen tegen Ruben, zo raar klinkt het. Hij blijft me dwingend aankijken. 'Dat ik neerbuigend tegen haar deed. Alsof ik beter was dan zij, en ze zei gemene dingen over mijn jurk… Ik heb niet afkeurend naar haar kleren gekeken.'

'Iesje,' begint Ruben en hij buigt zich naar me toe. 'Misschien was ze gewoon een beetje jaloers op je.'

'Wat? Waarom?' Eigenlijk weet ik wel waarom. 'Omdat ik met jou hier ben?'

'Nee, gek! Wat ben je toch een rare, soms. Misschien voelde ze zich door je geïntimideerd omdat je er ontzettend lekker uitziet in die jurk en ook nog eens nauw gaat samenwerken met haar man. Is dat al bij je opgekomen?'

'Ik... nee,' stamel ik.

'Nou, dan zeg ik je bij deze dat je met afstand de mooiste vrouw in deze ruimte bent en het is niet zo gek dat een meisje zoals zij daar onzeker van wordt. Doe een beetje aardig tegen haar.'

Een meisje zoals zij? Ik ben verdorie twee vreetbuien verwijderd van een meisje zoals zij. Sinds wanneer hoor ik niet meer bij hen?

'Kan ik even naar de wc zonder dat je je op andere mannen stort?' plaagt Ruben. Hij buigt zich nog wat verder in mijn richting en kijkt me aan tot ik het laatste stukje naar hem toe kom. Ik kus hem en ik voel zijn hand over mijn rug naar beneden glijden. 'Of ga je even mee?' vraagt hij dan.

'Gadverdamme, op een openbaar toilet? Nee, bedankt.'

'Jammer,' zegt hij dan en hij kijkt me nog even doordringend aan, waardoor ik het toch overweeg. Gelukkig loopt hij net op tijd bij me weg.

Ik kijk naar de rij bij het buffet of ik Stijn zie. Waarom blijft hij zo lang weg? Nu sta ik er zo lullig bij in mijn eentje. Ik prik nog een beetje met mijn vork in de overgebleven aardappelsalade en probeer mooie vormpjes te maken. Ik heb bijna een hartje gecreëerd als Stijn met een vertrokken gezicht naast me komt staan.

'Wat is er?' vraag ik geschrokken. 'Iets met Bram?'

Hij schudt zijn hoofd. 'Ruben. Is het mis tussen jullie?'

'Nee! Hoe kom je daar nu bij? Hij dacht even dat ik Hugo leuk vond, maar dat is nu wel uit de wereld. Maak je niet druk.'

Hij blijft me met een bezorgde blik aankijken.

'Stijn, wat is er nou?' Ik word er nu een beetje zenuwachtig van. 'Heeft hij iets tegen je gezegd of zo?'

'Niet tegen mij. Maar ik heb net even buiten gestaan om mijn voicemail af te luisteren in de hoop dat ik een bericht van Bram gemist had, wat dus niet zo is. Hoe dan ook, toen ik terugkwam, stond Ruben in de hal met zijn gsm te bellen.'

'En? Had hij Bram aan de telefoon?' vraag ik lacherig.

'Niet Bram.' Stijn kijkt nu heel ernstig. 'Marleen.'

9

Dit is een typisch geval van 'het is niet wat het lijkt'. Dat voel ik aan alles. Ik lig naast Ruben in bed. Hij slaapt, ik lig klaarwakker naar het plafond te staren. Even lijkt hij wakker te worden, maar hij draait zich alleen op zijn zij. Zijn gezicht zoekt het plekje op mijn kussen tussen mijn nek en schouder en zijn vingers omvatten de mijne.

Ik weet dat Ruben niet vreemdgaat. We zijn altijd samen. Behalve die woensdagavond twee weken geleden, toen hij laat bleef werken, maar toen had hij een klus die af moest. Net als de zaterdagmiddag daarop. Er moet gewoon een logische verklaring voor zijn. Jammer dat ik die niet durf te vragen.

Als ik alles heel realistisch bekijk, is er niets aan de hand. Wat heeft Stijn nu daadwerkelijk gehoord? Twee zinnen. De eerste was: 'Marleen, je moet me niet zo onder druk zetten.' Dat kan natuurlijk van alles betekenen. De tweede was: 'Ik doe wat ik zelf wil.' Als ik weet wat Ruben wil, weet ik ook wat hij doet.

Feitelijk heb ik geen enkele aanwijzing dat er iets niet in de haak is. Hij is nooit afwezig of vaag. Al klikte hij gisteren wel gauw zijn mailtjes weg toen ik binnenkwam. En die sms'jes die hij de hele tijd krijgt, zouden net zo goed van Marleen kunnen zijn. En die keer dat hij 's ochtends zijn telefoon niet wilde opnemen... Was zij het toen ook? God, ik moet hiermee ophouden.

Misschien heeft hij niks met haar, maar zit zíj weer achter hem aan. Dat zou heel goed kunnen. Dat verklaart ook waarom hij die twee zinnen zei. Het is wel vervelend dat hij er niets van gezegd heeft, maar ik heb hem ook niets verteld over wat Hugo met die handschoen deed. Soms wil je de ander gewoon niet onnodig ongerust maken. Hij weet dat ik het niet zomaar van me af zou kunnen zetten en daarom heeft hij het voor zich gehouden.

Even ontsnapt me een zucht van verlichting. Ruben heeft geen ander. Hij gaat niet bij me weg. Het is allemaal een stom misverstand. Ik sluit mijn ogen, vastbesloten in slaap te vallen.

Maar als Marleen haar zinnen weer op hem heeft gezet, moet ik wel op mijn tellen passen. Ik moet ervoor zorgen dat Ruben heel goed weet hoe gek ik op hem ben. Als wij het fantastisch hebben samen, komt Marleen er echt niet tussen. Eens kijken, haar belangrijkste troef is natuurlijk seks. Nou, volgens mij heeft Ruben op dat gebied echt niets te klagen. We doen het veel vaker dan het gemiddelde dat ik altijd in *Cosmopolitan* zie staan. Maar dat is natuurlijk alleen de frequentie. Het zegt niets over de kwaliteit. Misschien vindt hij het wel hartstikke saai met mij. Ik geef toe dat ik soms een beetje geremd ben, maar dat is alleen als hij zicht krijgt op bepaalde probleemzones van mijn lichaam. Verder ben ik heus wel in voor... aparte dingen.

Al heb ik hem natuurlijk wel seks in de wc van Palladium geweigerd. Ik dacht dat het een grapje was, maar misschien was het wel een noodgreep om er nog iets van te maken met mij. Hij keek me ook heel lang aan om me de kans te geven me te bedenken. Had ik dat nu maar gedaan. Het is misschien niet al te hygiënisch in zo'n toilet, maar als dat nu een fantasie van hem is? Misschien moet ik hem de volgende keer als we de kans hebben plotseling overvallen. Niet per se op een wc, maar bijvoorbeeld in de auto. Of op zijn werk.

Ik moet de ideale vriendin zijn. Ik draai mijn hoofd een stukje en kijk naar hem. Hij ziet eruit als de man van wie ik hou, niet als iemand die me bedriegt met zijn hoerige ex. Ik voel opeens de neiging om hem wakker te schudden en mijn hart bij hem uit te storten. Ik wil dat hij alles uitlegt en tegelijkertijd wil ik er niets over horen. Ik wil dat hij zegt dat ik de enige voor hem ben en dan keihard lachen om de stupiditeit van de gedachte dat er iemand anders zou zijn en daarna met zijn armen om me heen in slaap vallen.

Ik voel achter in mijn keel een diepe snik opwellen en schuif voorzichtig, heel voorzichtig naar het randje van het bed. De ideale vriendin maakt haar vriendje niet midden in de nacht wakker met een onverklaarbare huilbui. Zijn arm glijdt langzaam van me af en komt met een plofje op het matras neer. Ik sta op en sluip dan op mijn tenen de kamer uit, de trap af, naar beneden, waar ik de deur sluit. Misschien moet ik even wat warme melk drinken. Daar slaap je toch goed op? Ik vraag me af of Ruben eerder wakker zal worden van gerammel met een pannetje of van de 'ping' van de magnetron. Ik kies voor de magnetron en als ik het melkpak terug in de koelkast zet, zie ik ze liggen: Marsrepen. Op de bovenste plank. Er liggen er nog twee. Ruben neemt ze vaak mee naar zijn werk, in plaats van een mueslireep zoals een normaal mens zou doen.

Voor ik het weet, heb ik er een in mijn handen en ligt de helft van de afgescheurde wikkel op het aanrecht. Tegen de tijd dat de magnetron pingt, heb ik de hele reep verslonden.

Ik heb een nieuw dieptepunt bereikt, bedenk ik als ik met mijn beker warme melk naar de huiskamer loop. Midden in de nacht mijn bed uitgaan om te snaaien, heb ik zelfs in mijn dikste periode niet gedaan.

Bo kijkt begripvol naar me op als ik op de bank ga zitten, naast zijn verschrikkelijk lelijke, versleten hondenmand. Daar moeten we echt eens iets aan doen. 'Kun je ook niet slapen?' vraag ik zachtjes.

Hij maakt een piepend geluidje dat alweer heel begripvol op me overkomt. Volgens mij weet Bo precies hoe ik me voel. 'Weet jij hoe het zit? Heb je haar al gezien?'

Hij houdt zijn kop een beetje schuin en er lijkt een soort denkrimpel te verschijnen. Echt, soms kan dat beest zo intelligent kijken. Hij sjouwt zijn lijf overeind en komt met zijn voorpoten naast me op de zitting staan.

'Je weet dat je niet op de bank mag,' waarschuw ik, maar meteen daarna geef ik een klopje naast me. Als Ruben vreemdgaat, verdient hij een gesloopte bank. Bo komt met een sprongetje naast me terecht en legt zijn kop op mijn schoot, wat me op een of andere manier enorme troost biedt. Ik aai hem en door de therapeutisch werking daarvan, vallen niet veel later de tranen een voor een op zijn kop. Hij laat het gelaten over zich heen komen en slaat af en toe bezorgd zijn blik naar me op.

Er trekken allerlei doemscenario's aan me voorbij. Ruben die het met Marleen doet. De eerste keer dat het gebeurde, had ik toch zeker ook helemaal niets in de gaten? Ik zie hem nog naar me kijken alsof hij tot over zijn oren verliefd op me was, wat achteraf ook zo bleek te zijn, maar ondertussen had hij wel seks met haar gehad. Misschien is hij zo'n man die die dingen totaal los kan koppelen. Misschien kan hij hartstikke veel van mij houden en zeggen dat hij over een paar jaar kinderen met me wil om tegelijkertijd een geil mailtje aan zijn minnares te typen. Misschien zitten we over een paar weken weer bij de notaris om de akte van verdeling te tekenen en dan blijkt dat we niet voor ons huis terugkrijgen wat we geleend hebben, waardoor ik berooid en met een gebroken hart bij mijn ouders in de logeerkamer beland. O god! Ik krijg er hartkloppingen van. Ik moet iets doen om tot rust te komen.

'Wat vind jij? Moet ik die laatste Mars ook opeten?' Gek dat ik advies vraag aan een wezen dat zich een keer bijna doodgevreten heeft aan de chocola. Ik weet dat Bo ja zou zeggen als hij kon praten.

Al na twee happen ben ik misselijk, maar toch eet ik door, waarna ik bijna zeker weet dat ik nooit van mijn leven meer zin in een Mars zal hebben. Ik wil de wikkels weggooien, maar bedenk dan dat Ruben ze kan vinden en dan weet hij wat ik gedaan heb.

Ik denk even na en pak dan weer het melkpak uit de koelkast. Shit, daar zit nog best veel in. Ik schenk nog een beker vol en drink die op. Daarna kan ik er nog een beker uithalen, maar die krijg ik niet meer door mijn keel. Ik gooi de melk die over is door de gootsteen, prop de wikkels door de opening van het lege pak en vraag me dan af: als Ruben een Marsreep eet, laat hij dan de lege verpakking in de koelkast liggen of gooit hij die meteen weg? Heb ik ooit een leeg pak sinaasappelsap in de koelkast aangetroffen? Heb ik ooit een lege Marsverpakking moeten opruimen? Volgens mij niet. Ruben is niet zo'n sloddervos. Hij zou hem weggegooid hebben en dat zou dan vanochtend gebeurd moeten zijn, waardoor de wikkel onder het plastic bakje van mijn kwark van vanavond zou moeten liggen, met dit melkpak daar weer bovenop. Ha! De perfecte misdaad. Als ik een verhouding zou hebben, zou niemand daar ooit achter komen.

Ik doe de rest van de nacht geen oog dicht en 's ochtends ga ik nog voor Ruben wakker is naar de sportschool om het schuldgevoel van die twee repen kwijt te raken. Bovendien lijkt het me heerlijk om mijn woede even af te reageren op de crosstrainer… en op Bram. In willekeurige volgorde. Die lamzak zal het horen, vandaag.

Ik zie zwarte sneeuw tijdens het sporten. Ik kan wel merken dat ik de afgelopen weken de boel flink heb laten versloffen. Ik kan geen goed ritme vinden, maar gelukkig sleept mijn woede me het eerste halfuur door. Daarna stort ik me op de buikspierapparatuur, want ik zag vanochtend duidelijk dat de Marsen daar terecht zijn gekomen. Als ik mijn training afrond op de loopband, stel ik me voor dat ik Marleen met Ruben in ons bed heb betrapt en haar achterna zit tot aan de hel, waar ze thuishoort. En al die tijd laat die lafaard van een Bram zich niet zien in de zaal. Ik zie hem wel lopen achter de bar en van zijn kantoortje naar de mannenhoek, waar ik nu opeens heel anders tegenaan kijk.

Normaal gesproken ga ik altijd naar huis om te douchen, maar nu vraag ik me af of dat is wat de ideale vriendin zou doen. Ik zie niets ideaals in thuiskomen met een vuurrood hoofd en zweterig haar, dus stap ik voor het eerst in mijn leven onder de gezamenlijke douche in de dameskleedkamer. Gelukkig is het nog niet zo druk, maar ik vind het toch heel raar om te doen. Tamara zegt altijd dat ik niet zo moet zeuren omdat niemand op je let en iedereen daar om dezelfde reden is. Maar ik snap dat niet helemaal. Als ik kritisch naar andere vrouwen kijk, doen zij dat toch net zo goed naar mij?

De opmerkingen van Sacha en haar vriendin schieten me weer te binnen. Zou die vrouw naast me nu hetzelfde denken? Wat ziet ze nu? Iemand met striae op haar heupen die net niet overal zo strak is als ze zou willen zijn? Of iemand die niets te klagen heeft omdat ze niet dik genoeg is? Denkt zij ook dat ik me verkneukel over het feit dat ze dikker is dan ik?

Ik kan er niets aan doen dat die dingen me opvallen, maar heb je dat recht niet als je een paar jaar geleden zelf nog degene was die altijd en overal het dikke meisje was? Misschien heb ik onderschat wat het betekent om niet meer dat meisje te zijn. Wat als ik er niet klaar voor ben? Wat als ik simpelweg niet weet hoe ik iemand anders moet zijn?

Als ik uit de kleedkamer kom, zie ik Bram zijn kantoortje in schieten. Hij ontloopt me, maar ik ben niet gek. Hij heeft mij ook eens net zo lang gestalkt tot ik mijn vetpercentage liet meten en nu is hij mijn slachtoffer. Ik lummel een beetje rond bij een standaard met folders over de nieuwe groepslessen en kijk hier en daar de programma's door. Het duurt wel lang. Waarschijnlijk ziet Bram me hier staan en verstopt hij zich. Ik schuifel met een foldertje in de hand richting de uitgang. Nog een paar stapjes en dan ben ik uit het zicht. Zodra die deur dan op een kier gaat, heb ik hem te pakken. Ik wacht bij het poortje. Waar blijft hij nou? Hij denkt mij zeker te slim af te zijn. En ja hoor, na een halve minuut zie ik hem de zaal in wandelen.

'Bram!'

Hij staat stil zonder zich om te draaien en ik zie hem inwendig vloeken.

'Kan ik je even spreken over die fittest? Je weet wel, waar we het laatst ook al over hadden?'

'Sorry, geen tijd,' mompelt hij terwijl hij er weer de pas in zet.

'O, dat vind ik helemaal niet erg. Ik heb er totaal geen moeite mee mijn resultaten midden in de zaal te bespreken waar iedereen ons kan horen. Ik loop wel even met je mee.'

Nu komt hij als de wiedeweerga naar me toe. Hij pakt me bij mijn bovenarm en sleept me mee naar zijn kantoortje.

'Hé, zo ga je niet met je klanten om, hoor. Ik ga mijn beklag doen bij de leiding als je niet snel een beetje normaal tegen me doet.'

Hij sluit de deur met een ferme klap achter ons. 'Isa, waarom heb ik het gevoel dat jij je met dingen komt bemoeien die jou helemaal niets aangaan?'

'Toevallig zijn Stijn en ik heel close met elkaar.'

'O ja? Nou vast niet zo close als ik met hem ben.'

Niet te geloven. Of hij het nu met mannen of vrouwen doet, Bram blijft echt Bram. 'Waar was je gisteren?' vraag ik.

'Hier. Aan het werk.'

'En je kon niet nog even langskomen toen je klaar was? We waren tot halfeen op die borrel en ik weet niet of je het weet, maar Stijn gaat morgenmiddag weg en jij hebt hem in jullie laatste weekend samen laten zitten.'

'Dat praat ik met hem wel uit. Stijn is een kerel en geen zeikerig meisje met een gebrek aan eigenwaarde.'

'Zoals ik?'

'Hé, als de schoen past, Isa, trek hem gerust aan. Wil je me nu met rust laten? Ik heb werk te doen.'

'Waarom doe je zo? Volgens Stijn ben je zo lief en gevoelig, maar...'

'Nou, ik weet niet waarom hij zulke onzin uitkraamt, want we weten allebei hoe ik in elkaar zit. Daar heb ik nooit moeilijk over gedaan.'

'Volgens mij doe je op dit moment juist erg moeilijk over hoe je in elkaar steekt.'

'Helemaal niet. Er werken vrienden van me bij Palladium en als die mij daar met Stijn hadden gezien, was de hele boel buiten proporties opgeblazen. Ik doe het nu met Stijn en als hij straks weg is en ik zin heb om hier het halve klantenbestand nog een keertje af te werken, dan doe ik dat gewoon. No big deal.'

'Je bent gewoon bang om eens een keer echt iets te voelen,' zeg ik. Ik loop naar de deur. 'Je bent een bange, laffe kerel.'

'Hé,' zegt Ruben als ik binnenkom, 'wat ben jij actief. Had me maar wakker gemaakt, ik had best met je mee willen gaan sporten.

'Je lag zo lekker te slapen.' Ik hang mijn jasje aan de kapstok en zet mijn sporttas bij de wasmachine. 'Heb je al gegeten?'

'Alleen een broodje. En ik wilde net een Mars pakken, maar die liggen er niet. We hadden die toch in huis?'

'Mars?' herhaal ik zo onschuldig mogelijk. 'Weet ik niet, die neem je toch altijd mee naar je werk? Je zal de laatste wel gepakt hebben.'

'Ik dacht dat er nog wat lagen. Nou ja, maakt ook niet uit. We moeten ze wel kopen, de volgende keer.'

'Wat wil je vanavond eten? Ik kan zo wat boodschappen doen en dan maak ik iets lekkers klaar.'

'Ik denk er nog wel even over na.' Hij loopt naar me toe en leunt tegen de deurstijl. 'Ik wilde zo even naar de werkplaats rijden. Ik maak een nieuwe hondenmand voor Bo, aangezien je de oude zo lelijk vindt.'

'Naar de werkplaats?' vraag ik. 'Alleen? Of is Robin er ook?'

'Nee, het is een klein projectje van mezelf.'

'Op die manier.' Hij gaat een hondenmand maken, Isa! Voor jou, omdat je de hele tijd klaagt over deze. Zoek niet overal wat achter. Je kunt best wat strenger zijn voor jezelf. 'Zal ik eh... ik bedoel, ik kan wel meegaan als je wilt.'

'Als je daar zin in hebt,' antwoordt hij.

'Dat zou je niet vervelend vinden? Als ik meeging?'

'Waarom zou ik? Ik vraag me alleen af wat er voor jou aan is.'

'Oké. Dan blijf ik misschien maar hier.' Het gaat erom dat ik mee mág. Als hij niet tegensputtert, heeft hij geen rare plannen. 'Ik wilde Tamara nog even bellen.'

'Wat jij wil...'

'Maar het zou best kunnen dat ik daarna nog even langskom, hoor. Onverwacht.'

Hij lacht. 'Wat doe jij raar vandaag.'

'Raar? Doe ik dat?' Shit! De ideale vriendin doet niet raar.

'Volgens mij weet je niet wat je met jezelf aan moet. Dit, lieve Isa, is nu een vrije dag. Je hoeft niks te doen en je kijkt gewoon waar je zin in hebt. Snap je?'

'En waar denk je dat ik nu zin in heb?' vraag ik leunend tegen het aanrecht terwijl ik mijn vestje uittrek. Ik had het natuurlijk gewoon over een broodje hagelslag, maar nog voor mijn vestje de grond raakt, heeft hij me op het aanrecht getild. Ik vang nog net een glimp van zijn blij verraste gezichtsuitdrukking op, voor hij me vol overtuiging begint te zoenen. 'Dat heb je snel door,' fluister ik tegen zijn lippen.

Goed, ik geef het toe. Ik ben nog nooit in een seksshop geweest. Wat er het dichtst bij in de buurt komt, is die keer dat ik samen met Floor bij Expo een trillend badeendje heb gekocht voor Daphne. We hingen een naamkaartje met 'Archie' om zijn nek en we vonden onszelf ontzettend grappig. Nu voel ik me ontzettend preuts, want ik zie hier meisjes van een jaar of zeventien die met hun vriendje kinky lingeriesetjes staan uit te zoeken. Misschien is dit niks voor mij. Kan ik het niet gewoon houden bij vluggertjes op het aanrecht? Dat ging me best goed af. Wie weet is Ruben daar wel helemaal tevreden mee.

'Kijk,' zegt Tamara. Ik ben blij dat zij erbij is, want zonder haar was ik hier niet eens over de drempel gestapt. Er stonden twee mannen aan de overkant van de straat en die denken nu vast van alles over ons. Als het aan mij had gelegen, was ik doorgelopen naar de breiwinkel op de hoek. 'Is dit niks?'

Ik kijk naar het avant-gardistische glow-in-the-dark geval in haar hand en het duurt even voor ik doorheb wat je ermee zou moeten doen. 'Tamara, ik heb niks vervangends nodig,' antwoord ik. 'Die van Ruben doet het prima.'

Ze kijkt me aan alsof ik een idioot ben. 'Dit ís voor Ruben, sukkel.'

'Wat?' Ik pak een nog ingepakt exemplaar en lees aandachtig nog wat kreten op de achterkant van het doosje. 'O god, daar gaan we dus niet aan beginnen. Ik heb al één man homo gemaakt, dat is wel even genoeg.'

'Wat heb je gedaan?' vraagt ze verward, terwijl ze nog wat andere doosjes en dingetjes oppakt en weer terugzet.

Verdorie, dat had ik natuurlijk niet moeten zeggen. 'Laat maar.'

'Hé kijk, deze zijn leuk. Het zijn kleine gewichtjes die je in moet brengen, gewoon als je aan het werk bent of zo, dan word je de hele dag al geprikkeld en train je meteen je bekkenbodemspieren.'

'O ja, natuurlijk. En dan sta ik aan de operatietafel en komt er ineens zo'n knikker van onder uit mijn doktersjas gevallen.'

'Ha! Lachen toch?' Ze zet het gelukkig terug. 'Maar wie heb jij dan homo gemaakt, Ies?'

'Ik heb me versproken, vergeet het alsjeblieft.'

'Nee. Ik ben je zus. Ik hoor die dingen te weten. Bovendien ken ik iedereen met wie je het gedaan hebt, dus ik ben er zo achter. Eens kijken. Die kerel op vakantie, maar als je het mij vraagt was hij toen al homo.'

Ik geef haar een por, ook al zou ze best eens gelijk kunnen hebben, maar zij gaat rustig verder met haar opsomming. Het is echt een erbarmelijk lijstje. 'Die dikke overbuurman een paar jaar terug. Geen idee wat je daarin zag. Is die homo?' vraagt ze verbaasd. 'Want verder houden we alleen Bram en Ruben over, dus...'

'Ja!' roep ik. 'Mijn vroegere buurman is dus homo.'

'Hij is toch vorig jaar getrouwd?'

'Ja, en nu heeft hij zijn kersverse vrouw verlaten voor een man.'

'Nou, dat vind ik een gek verhaal, want vorige week kwam zij nog iets ruilen bij mij in de winkel en toen zat hij gewoon aan de overkant in de auto te wachten. Je zit toch niet te liegen, hè?'

Ik schud mijn hoofd, wat waarschijnlijk even geloofwaardig overkomt als een kleuter met zijn hand in de koektrommel die zegt: 'Ik heb geen koekje gepakt.'

'Dan is het dus Bram,' concludeert Tamara.

'Sttt!' sis ik. 'Het is nog geheim. Stijn heeft me verboden erover te praten.'

'Met Stijn? Jeetje, wat een roddel! Weet je, eigenlijk vond ik Bram altijd al een beetje té knap. En altijd zo met zijn uiterlijk bezig, hè? Maar ja, met die metromannen van tegenwoordig weet je het gewoon niet meer, toch?'

'Je zegt het tegen niemand, hoor. Anders vertel ik je nooit meer iets.'

'Zou hij niet bi zijn? Hij heeft het ondertussen toch wel met te veel vrouwen gedaan om als homo te kunnen worden beschouwd, vind je niet?'

'Ik vind dat ik moet voorkomen dat met Ruben hetzelfde gebeurt. Kunnen we even focussen, Tamara?'

'Goed, goed, belangrijke dingen eerst. Ik denk dat we voorlopig maar beter even naar de lingerie kunnen kijken. Dat is niet meteen te afschrikwekkend en dan kunnen we als je wat meer op je gemak bent bent de overstap maken naar deze afdeling.'

Ik volg haar, maar eigenlijk vind ik die lingerie ook behoorlijk eng. Ik zie mezelf al staan in een slipje zonder kruis of een beha met gaten. Dat kan toch gewoon niet? 'Kunnen we niet naar Hunkemöller of Livera gaan?' Die setjes daar zijn toch hartstikke mooi?

'Isa! Werk nu even mee! Je hebt mij meegevraagd omdat je op mijn expertise vertrouwt, toch? Laat me dan ook helpen. Kijk dit.' Ze pakt een korsetje met een enorme hoeveelheid riempjes en gespjes.

'Leuk. Kunnen we meteen onze Houdini-act oefenen.'

'Even serieus, Ies. Kijk nou eens goed. Het pusht up, verstevigt en kijk, het is er ook in tijgerprint. Met bijbehorend slipje.' Ze duwt het me in handen. 'Deze nemen we sowieso. Wacht, dat slipje doen we een maatje groter, om de rolladelook te voorkomen. En nee, dat ligt niet aan jou, dat heeft elke vrouw. Wil je hier passen of thuis?'

'Thuis,' antwoord ik angstig.

'Goed idee. Dan kun je het meteen aanhouden voor als Ruben thuiskomt. Nu nog wat gadgets.'

'Wat voor gadgets?'

'Ik weet niet. Wat vinden jullie leuk? Bondage? Eetbare slipjes en bodypaint? Spanking?'

'Eh... gewoon elkaar, dacht ik.' Misschien is dit allemaal toch iets te heftig voor mij. Ik denk dat dit lingeriesetje al meer is dan ik aankan.

'Ik weet het al. We nemen zo'n verrassingspakket. Daar zitten simpele standaarddingetjes in. Dat is hartstikke leuk om samen uit te pakken. Als het niet sexy is, wordt het in ieder geval lachen. Hier, neem mee. Op naar de kassa.'

Als we naar buiten komen met die grote doos in onze armen, wil ik echt niet weten wat die mannen aan de overkant denken.

10

Oké, ik heb mijn nieuwe gevalletje aan. Ik kan nu twee constateringen doen. Ten eerste: tijgerprint is niet mijn ding. Ten tweede: smalle riempjes op mijn heupen is zéker niet mijn ding. Ik zie er inderdaad uit als een rollade, maatje groter of niet. Wat mij betreft krijgt Ruben dit nooit onder ogen. Ik kan het maar beter zo snel mogelijk uittrekken. Het ziet er gewoonweg belachelijk uit.

Ik moet een beetje wurmen om bij het ritsje aan de zijkant te komen. Er zijn allerlei riempjes om de top gedrapeerd, maar gelukkig hoef je ze niet allemaal los te maken. Als je gewoon aan het ritsje eronder trekt, heb je genoeg ruimte om het over je hoofd te kunnen trekken. Maar... waarom geeft dat ritsje niet een beetje mee? Jeetje... Ik wrik een beetje heen en weer, maar het komt alleen maar vaster te zitten. Zit er een stukje stof dubbel of zo? Het is zo dicht onder mijn oksel, dat ik het niet goed kan zien. Misschien even draaien.

Ik probeer de zijkant van het korset aan de voorkant te krijgen, maar daarmee komt het alleen maar strakker te zitten. Wat een rotding!

Ik hoor Bo blaffen aan de voorkant van het huis en schrik me kapot. Bo is vanmiddag met Ruben meegegaan. Ik gluur door de lamellen op mijn kleedkamer en zie Ruben van zijn auto naar de voordeur lopen. Shit! Waarom? Waarom? Waarom? Met een laatste krachtsinspanning geef ik nog een ruk aan de rits, maar er is gewoon geen beweging meer in te krijgen. In paniek draai ik het weer met de goede kant naar voren, trek mijn spijkerbroek weer aan en zoek mijn truitje. Als ik het aanheb, zie ik allemaal gekke bulten en bobbels waar de gespjes zitten. Ik slaak een kreet van frustratie en ren naar de kast om iets te zoeken wat een beetje ruimvallend is. Helaas is ruimvallend iets wat niet meer in mijn garderobe voorkomt, sinds het niet meer nodig is. Of je moet mijn slaapkleren meetellen. Kan ik Ruben wijsmaken dat ik net een dutje heb gedaan?

'Iesje? Ben je boven?' hoor ik hem roepen.

'Ja!' piep ik. 'Ik kom zo!'

Dat pretpakket moet ook weg! Ik probeer de doos onder in mijn kast te schuiven, maar dat past natuurlijk niet, hoe ik hem ook draai. Ik voel mijn hoofd rood aanlopen en trek mijn truitje over mijn hoofd terwijl ik tegen de doos blijf duwen. Opeens schiet hij voorbij een paar schoenendozen op de bodem van mijn kast en met een bons stuit hij tegen de achterwand.

'Wat ben je aan het doen?' vraagt Ruben nu onder aan de trap.

'Even iets anders aantrekken. Ik kom zo!' Een bloes, gewoon een simpel zwart bloesje met knoopjes. Iets anders kan ik niet bedenken. Maar waar is dat ding? Ik heb het toch pas gestreken? Denk na, Isa, denk na! Ik kijk tussen de spullen die over mijn schommelstoel hangen. Niks! Wacht, ik weet het al: op de poef. Ik moest er nog een knoopje aanzetten, maar dat is nu wel de minste zorg aan mijn hoofd. Ik laat me erin glijden en begin de knoopjes dicht te doen. Scheef, natuurlijk. Niet te geloven.

Ondertussen komt Ruben naar boven. 'Waar zit je?'

Misschien win ik een paar seconden als ik geen antwoord geef, bedenk ik, terwijl ik de laatste knoopjes losmaak en weer opnieuw begin. O! En al die schoenendozen puilen nu half uit de kast.

'Ies?'

Ik maak het laatste knoopje dicht en kniel voor de kast om de schoenendozen terug naar binnen te schuiven. Dan gaat de deur open en staat Ruben achter me. 'Wat ben je aan het doen?'

'O, je weet wel,' breng ik buiten adem uit, 'een beetje reorganiseren.'

'Nu al?'

'Ach, soms zie je spullen waarvan je haast vergeten was dat je ze hebt. Zoals deze schoenen hier.'

'Die had je toch gisteren aan?'

'Ik bedoel ook niet letterlijk déze schoenen,' zeg ik alsof dat heel erg voor de hand ligt. 'Hoe was het op de werkplaats?'

'Goed. Ik heb de mand bij me. Hij staat beneden.'

'O! Dan moeten we maar eens gaan kijken.' Ik stapel de schoenendozen op naast de kast en duw de deur dicht.

'Heb je nu al te weinig ruimte?'

'Nee! Ik wil nog even bedenken of ik die schoenen wel wil houden. Eigenlijk zijn ze verschrikkelijk uit de tijd. Zullen we even naar de mand gaan kijken?'

'Wacht eens,' zegt hij als ik langs hem heen loop. Hij steekt zijn hand uit naar het kraagje van mijn bloes. 'Dit zit dubbel.' Hij kijkt me recht in mijn ogen terwijl hij het goed trekt. Alsof hij de zaak niet helemaal vertrouwt.

Ik glimlach. 'Dank je.'

'Mooi?' vraagt Ruben.

Ik probeer mijn antwoord op de juiste manier te formuleren. 'Nee' klinkt zo onaardig. Niet dat het nu per se lelijk is, maar het is zo groot! Het gevaarte neemt bijna evenveel ruimte in als een luxe fauteuil. Bo ligt er al prinsheerlijk in, dus dat is het probleem niet. 'Ehm... wil je hem ook op deze plaats laten staan?'

'Ja,' zegt hij vrolijk. 'Het is een miniatuurversie van onze bank.'

'Nou, miniatuur...' mompel ik. 'Het is niet echt heel klein of zo.'

'Nee, ik kan Bo moeilijk in een luciferdoosje proppen. Hij is geen Klein Duimpje.'

'Dat is waar. Nou, dan kan die oude mand gelukkig weg.'

'Je vindt het niks.'

'Jawel. Ik vind het een hele vooruitgang. Het is... heel knap gemaakt.'

Ruben zucht en loopt bij me weg. Dit gaat niet goed, zo.

'Ruben, ik vind het mooi, echt waar.' Waarom heb ik niet gewoon meteen gelogen? Als ik het nu kan, had het toch ook twee minuten geleden gekund?

Hij zet de tv aan. 'Laat maar, Ies.'

Ik vind het niet leuk als hij me Ies noemt. Iedereen doet het en dat vind ik prima, maar hij zegt altijd zo lief Iesje. Hij vindt me nu niet zo lief, denk ik.

'Het is alleen dat ik zo graag een leuk kleurtje had gewild. Dat zwarte leer is prachtig, hoor. Je weet dat ik dat echt prachtig vind...' Goed, ik heb destijds een keertje gezegd dat ik zijn bankstel mooi vind, wat niet zo is. En nu staat dat ding natuurlijk pontificaal in ons nieuwe huis omdat hij denkt dat ik er net zo dol op ben als hij. En het zit verder prima, dus wat dat betreft maakt het me allemaal niet uit. Hij vindt mijn spullen ook niet allemaal even geweldig en ik vind het echt belangrijk dat we allebei wat in te brengen hebben. Bovendien heb ik een prima oplossing gevonden. Ik heb inmiddels zoveel kussens op de bank gegooid dat je hem amper nog ziet. Hij op zijn beurt trekt ze met lichte ergernis achter zijn rug vandaan als hij gaat zitten, maar klaagt er verder niet over. Dat werkt allemaal perfect. Een kwestie van geven en nemen. Ik vind het alleen een beetje jammer dat hij die mand nu in dezelfde stijl heeft gemaakt. Maar ik weet dat hij er niks aan kan doen, omdat ik hem heb laten geloven dat ik het allemaal fantastisch vind.

'Sorry,' zeg ik. 'Je hebt heel erg je best gedaan en ik reageer bot. Het spijt me, echt.'

'Maakt niet uit. Als je zo graag dat kussen uit de winkel wilt, dan gaan we dat wel halen.'

'Nee. Bo is jouw hond. Jij mag de mand kiezen. Ik vind het al heel fijn dat je de oude weg wilt doen. Oké?'

Hij knikt.

'Je bent toch niet boos?'

'Nee,' antwoordt hij. 'Ik probeer het te zijn, maar je maakt het nogal lastig.' Hij zet de tv weer uit en staat op. 'Zullen we naar het centrum lopen, ergens iets eten en een filmpje pakken?'

'Ik dacht dat we zelf zouden koken...' Ik wil niet zeuren, maar als we thuis blijven kan ik op een onbewaakt ogenblik dat rare ding uittrekken. Ik ga echt door de grond als Ruben ontdekt wat ik aanheb.

'Ik heb zin om weg te gaan. Ik trakteer.' Hij komt achter me staan en geeft een kusje op mijn haren. 'Dat we samenwonen betekent toch niet dat ik je nooit meer mee uit hoef te nemen?'

'Hmm, oké, maar dan moet ik me wel even omkleden.' En dus dat rare ding uittrekken.

'Je mag je tas pakken en een paar schoenen en dan gaan we,' zegt hij. 'Wat is dit trouwens?' Zijn hand is ongemerkt van mijn heup naar boven gegleden en hij heeft blijkbaar een riempje ontdekt.

'Niks!' Ik loop bij hem weg en zoek een paar laarzen om aan te trekken. Als hij nu maar niet doorvraagt. Bij nader inzien is snel naar buiten gaan toch een heel goed idee. Gelukkig gaat zijn gsm.

'Hé Kai,' hoor ik hem zeggen. 'Goed, met jou? Ik ga net met Isa de stad in om wat te eten... O ja, dat klinkt wel leuk. Komen we daarna wel even langs. Tot straks.'

Als Ruben ophangt, heb ik mijn jas al aangetrokken. 'Wat zei Kai?'

'Er speelt een nieuwe band in SKAI Lite vanavond. Ze schijnen heel goed te zijn. Ik heb gezegd dat we even komen kijken.'

'Oké, gezellig. Schiet jij ook een beetje op, dan?'

Ruben heeft gelijk. Dit soort dingen moeten we altijd blijven doen. We hebben een heerlijke avond samen. Ik merk bijvoorbeeld dat hij heel erg enthousiast is over de zwangerschap van Floor en dat vind ik zo lief van hem. Stiekem denk ik er ook wel eens over na hoe hij als vader zal zijn. Volgens mij zou hij het hartstikke goed doen. Eigenlijk maak ik me meer zorgen over hoe ik als moeder zal zijn. Zo zie ik heel erg op tegen een zwangerschap nu ik eindelijk op een normaal gewicht zit. Ik vraag me ook af of ik dat wel zal kunnen combineren met mijn werk en zo. Als er een spoedgeval is, kan ik toch moeilijk mijn kind even aan een boom binden? Maar dan is Ruben er natuurlijk nog. Het is niet zo dat ik het alleen moet doen. Tenzij hij me met een kind opzadelt en er daarna met Marleen vandoor gaat. Jeetje, waarom doe ik dat nu weer? We hebben het perfect met z'n tweeën en dan denk ik zoiets. Ik ga het nu echt van me afzetten. Ik wil er niet meer aan denken.

Dus geniet ik van het eten en de lekkere wijn en van Rubens hand die op tafel steeds de mijne zoekt en de warme, liefdevolle blik waarmee hij me aankijkt terwijl hij met me praat. Het is zo fijn om eens echt in elkaar te investeren.

Na het eten wandelen we innig gearmd door de frisse avondlucht naar SKAI Lite. De sfeer zit er al goed in op het moment dat we binnenkomen. Floor en Mas zijn er ook en Ruben is de eerste die Mas hartelijk feliciteert, waarna ik het nog eens dunnetjes overdoe. Floor heeft trouwens niets te veel gezegd. Mas is echt in de wolken en hij zorgt ervoor dat het haar aan niets ontbreekt. Een sapje in de hand, een kruk binnen handbereik voor als ze even wil gaan zitten en hij neemt haar ook in bescherming tegen getrek en geduw in de volle kroeg. Het is toch geweldig dat we allebei zo'n leuke man gevonden hebben? Nu alleen Daph nog, maar zij werkt er inmiddels ook aan. Ze had voor vanavond afgesproken met Robin en stiekem hoop ik een beetje dat ze hier zullen eindigen. Ik ben heel benieuwd hoe het gaat.

Ik stuur ook nog even een sms naar Stijn. Misschien vindt hij het wel leuk om er vanavond nog een soort afscheidsfeestje van te maken voor hij vertrekt. Die slappe borrel was het toch ook niet helemaal. Het duurt een uur voor ik antwoord krijg. Hij zegt dat hij liever zijn laatste avond thuis met Bram doorbrengt en dat ik hem morgen zeker nog even zie. Waardoor ik toch even een brok in mijn keel krijg. Het is zo'n raar idee dat ik maandag ga werken en dat hij er dan niet is.

'En?' vraagt Ruben als ik mijn gsm weer in mijn tas doe. 'Komt Stijn nog langs?'

Ik schud mijn hoofd. 'Ik zie hem morgen nog even.'

Hij legt zijn hand onder op mijn rug en aait zachtjes heen en weer. Gelukkig zitten die gekke gespjes aan de zij- en voorkant. Als ik nu stil blijf staan, merkt hij er niks van, maar dan moet hij ook niet verder bewegen. Helaas is Ruben al net zo zorgzaam ingesteld als Mas en trekt hij me veilig tegen zich aan als er een ietwat beschonken type met een metertje bier langs wil. En zo belandt zijn hand toch weer op mijn zij. Ik zet een stapje opzij en doe alsof ik iets tegen Floor wil zeggen. Hij trekt me meteen weer behendig tegen zich aan.

'Wat heb je daar nu allemaal zitten?'

'Ik weet niet waar je het over hebt.'

'Onder je kleren. Laat eens zien.'

'Wat? Ruben, nee.'

Hij probeert mijn bloesje aan de onderkant een stukje op te tillen en eronder te gluren. Gelukkig zit het korsetje maar tot aan mijn navel.

Ik tik hem op zijn vingers. 'Niet doen... Ruben, laat dat, we staan midden in een café!'

'Nou en? Niemand let op ons... Zeg dan wat je daar hebt.'

'Niks!' Op dat moment zie ik Daph en Robin binnenkomen. Godzijdank. 'Daph!' gil ik. 'We staan hier!'

Ze worstelen zich door de menigte onze kant op en ik draai net zo lang tot ze tussen mij en Ruben in komen te staan. 'Hoe is het?' vraag ik.

'Goed. Heel gezellig.'

'Alleen gezellig?'

'Hij is heel leuk, oké? Kunnen we de details bespreken als hij niet naast me staat?'

Ik knik. Het zou toch helemaal geweldig zijn als zij met de broer van mijn vriendje trouwt? Dan worden we tante van elkaars kinderen. Dat is toch te leuk? Als ze het nu maar niet verpesten. Ik kijk even naar Ruben. Ik hoop dat hij nu ook aan Robin vraagt hoe hij Daphne vindt, in plaats van dat ze op hun gemak de voetbaluitslagen bespreken. Daar zie ik hen eigenlijk best voor aan. Mannen zijn soms zo onnozel.

'Hebben jullie al gezoend?' vraag ik toch nog even. Voor hetzelfde geld krijgt Ruben niets uit zijn broer en dan weten we straks nog niks. 'Ja, hè?' Daphne antwoordt niet, maar haar gezicht spreekt boekdelen.

'Misschien een beetje.'

'Ik wist het! Ik wist het!' Ik pak haar handen en spring op en neer, terwijl Daphne me gegeneerd tot kalmte maant. Misschien moet ik me ook een beetje inhouden.

'Ik moet Mas nog even feliciteren,' zegt ze terwijl ze bij me wegloopt.

De rest van de avond houd ik bewust een armlengte afstand tussen mij en Ruben. Intussen heeft hij al aardig wat gedronken, dus ik heb goede hoop dat hij straks al helemaal vergeten is dat er iets raars onder mijn bloesje zit. Hij valt straks als een blok in slaap en ik knip dat ding desnoods van mijn lijf, als het moet.

De band is inderdaad knalgoed en Robin en Daphne gaan met de minuut meer in elkaar op. Ze zonderen zich steeds een beetje meer af, tot ze uiteindelijk met een drankje aan de bar belanden. De volgende keer dat ik weer kijk, staan ze in een hoekje van de bar te zoenen. Nou ja, zoenen. Hij heeft haar tegen de muur gedrukt en haar armen zitten in een wurggreep om zijn nek, terwijl zijn hand elke centimeter van haar kont aftast. Het ziet er allemaal nogal verhit uit. Het gaat echt de goede kant op. Ik ben opgelucht als ze dat na een kwartiertje ook beseffen en zich met een snelle zwaai naar ons uit de voeten maken. Het lijkt me wel duidelijk waar dit gaat eindigen, en ik ga morgenochtend zodra ik wakker ben Daphne bellen.

Vlak voor sluitingstijd besluiten wij het ook voor gezien te houden. We lopen met z'n vieren naar de auto van Mas. Floor heeft aangeboden ons thuis te brengen en ik heb dat gretig geaccepteerd. Ruben heeft de neiging om in de auto in slaap te vallen als hij gedronken heeft, dus als het goed is, hoef ik hem zo meteen alleen nog in bed te rollen. Helaas heeft hij blijkbaar niet zoveel gedronken. Hij zit klaarwakker naast me en praat honderduit met Mas. Als we de straat inrijden, is hij verre van in slaap. Dus bedenk ik een nieuw plan. Bo.

'Schatje,' zeg ik als we binnenkomen. 'Als jij nou nog even een blokje met Bo loopt...?'

Bo staat al bij de tussendeur te kwispelen en ik lijn hem meteen aan.

'Zullen we even samen gaan?' stelt Ruben voor.

'Ik moet heel erg plassen.'

'Ga maar, we wachten wel even.' Hij pakt de hondenriem van me over.

'Eigenlijk wilde ik nog even snel onder de douche springen. En ik heb altijd zo lang werk in de badkamer. Als ik alvast begin, kunnen we tegelijk naar bed.'

'Ik wil ook nog wel even douchen. Als we nu samen Bo uitlaten, kunnen we daarna samen onder de douche.'

'Ruben, ik ben echt doodmoe.'

'Des te handiger, toch? Dan kan ik je haren wassen en hoef je niks te doen.'

Ik zucht en loop met hem mee naar buiten. Het is maar een kort rondje, zodat Bo een paar keer zijn poot op kan tillen, maar het was net genoeg geweest voor mij om me uit mijn dwangbuis te bevrijden. Hoe moet ik dat nu voor elkaar krijgen?

Thuis aangekomen sluiten we meteen alles af en gaan we naar boven. Ik begin eerst mijn tanden te poetsen en Ruben volgt mijn voorbeeld. Daarna blijf ik een beetje schaapachtig staan. 'Gaan we niet douchen?' vraagt hij.

'Ik bedenk ineens: hebben we het rolluik voor het keukenraam wel laten zakken toen we weggingen?' Ik weet dat ik dat zelf gedaan heb, maar als ik hem zover kan krijgen het te gaan controleren, dan heb ik even wat tijd.

'Ik kijk zo wel.'

'Vergeten we het dan niet?'

'Nee, hoor.'

Ik besef dat ik geen kant op kan. Zelfs als ik hem even met een smoes uit de badkamer krijg, ben ik nooit snel genoeg om alles uit te trekken en ook nog te verstoppen. De enige optie is hem eerst in bed krijgen. 'Weet je, misschien is het een beetje laat om nog te douchen.'

'Ach, wat maakt dat uit?' Hij trekt zijn shirt uit en gooit het in de wasmand. 'We kunnen doen wat we willen, Isa. Zal ik je even helpen met uitkleden?'

'Waarom blijven we niet nog even op?' Ik glip onder zijn arm door en loop de trap af. 'We kunnen nog even gezellig praten tot we echt heel, heel erg moe zijn en...'

'In slaap vallen?' maakt Ruben af terwijl hij me volgt.

'Juist.' Opeens zie ik een grijns op zijn gezicht verschijnen. Hij speelt expres dit spelletje met me. Ik kan het niet winnen, want hij heeft me door.

'Ik vind dat je een beetje ontwijkend doet,' zegt hij. 'Alsof ik bijvoorbeeld niet mag zien...' Hij zet een paar passen in mijn richting, 'wat je onder dat bloesje aanhebt.'

'Ik wil een deal maken,' zeg ik terwijl ik de afstand tussen ons in stand probeer te houden. Ik steven echter op het bankstel achter me af. 'Je mag zien wat ik aanheb, als ik het eerst uit mag trekken.'

'Je mag het best uittrekken waar ik bij ben.'

'Nee!' Ik wijk nog wat achteruit. 'Ik bied daarbij ook nog een hele week koken én het vuilnis buiten zetten... en...'

'En wat?'

Weet ik veel wat, ik sta met lege handen. 'Alsjeblieft, Ruben, dit is echt niet leuk. Het is stom en ik schaam me dood als je... niet doen!' Hij staat nu vlak voor me.

'Wat? Ik wil je alleen een kusje geven.' Hij buigt zich naar me toe en zijn lippen raken de mijne en ook al weet ik dat het een list is, toch is het zo verleidelijk dat ik blijf staan terwijl hij me zonder zijn handen te gebruiken onder zich op de bank dwingt. 'Ik ben gewoon heel erg nieuwsgierig, Iesje,' zegt hij terwijl zijn hand onder mijn bloes glijdt.

'Ruben!' roep ik streng. 'Ik verbied je te kijken. Het is míjn lichaam en...' Ik weet dat hij toch niet luistert en probeer me onder hem vandaan te worstelen terwijl ik met één hand zijn aanvallen op mijn bloesje probeer af te weren. Ondertussen krijg ik ook nog de slappe lach, wat mijn positie niet bepaald sterker maakt. Hoewel hij natuurlijk niet eens zijn best doet om me echt vast te houden, krijg ik het toch niet voor elkaar om aan zijn greep te ontsnappen.

In plaats daarvan sla ik mijn armen om hem heen en kus ik hem vol overgave. 'Oké... ik laat het je zien... wacht.' Ik ga boven op hem zitten. 'Niet lachen.'

Ik voel zijn greep verslappen. Hij ligt nu alleen nog verwachtingsvol naar me te kijken. Mijn vingers reiken naar het bovenste knoopje en ik doe alsof ik het los wil maken. In plaats daarvan laat ik me snel van hem af rollen. Hij duikt meteen achter me aan op de grond. Hij heeft echt niet veel gedronken, want zijn coördinatie is heel nauwkeurig. Ik probeer nog onder hem vandaan te tijgeren, maar na een korte stoeipartij lig ik vastgepind onder hem.

'Mag ik nu kijken?' vraagt hij lief.

Ik schud driftig mijn hoofd.

'Ik beloof je dat ik niet zal lachen.'

Ik staak mijn verzet. Er is gewoon geen manier om hieraan te ontsnappen. Hij heeft gewonnen. Ondanks mezelf moet ik lachen. Of eigenlijk huilen, maar dat zou een tikkie overdreven kunnen zijn. Terwijl zijn vingers de knoopjes van mijn bloes een voor een openen, sla ik vol schaamte mijn handen voor mijn gezicht. Ik zal blij zijn als hij begint te lachen, dan kan ik meedoen en proberen te vergeten dat dit ooit gebeurd is. Ik koop nooit meer zoiets stoms. Nooit meer. Het is echt... Waarom is hij eigenlijk zo stil?

Het duurt een paar tellen voor ik genoeg moed op kan brengen om door mijn vingers te gluren, maar dan zie ik hem roerloos naar me kijken. Volgens mij... ik denk echt dat... Hij zal dit toch zeker niet *mooi* vinden?

'Ruben?'

'Ik eh...' stamelt hij, 'ik... weet je...' Hij vindt het niet alleen mooi, hij kan er gewoon geen normale zinnen meer van formuleren. 'Ik dacht eerst dat je het in je hoofd had gehaald om zo'n stomme elektronische afslankgordel van Tellsell aan te trekken... met die gespen weet je wel, maar... dit is wel wat anders...'

Ik leg mijn hand op zijn gespierde bovenbeen. 'Zal ik even een glaasje water voor je halen?'

'Doe maar niet,' antwoordt hij. 'Blijf maar hier.'

'De rits zit hier vast,' zeg ik beteuterd terwijl ik mijn arm een stukje optil.

'Geen zorgen, ik krijg het wel open.' Hij schenkt me een glimlach waar ik helemaal van smelt en voor ik het weet, heeft hij me inderdaad uitgepakt. Misschien hou ik dat korsetje toch maar. Ik bedoel: twee keer op een dag! Marleen kan inpakken...

11

Zondagochtend. Ik heb geen oproepdienst dit weekend en Stijn vertrekt pas vanmiddag. Ik hoef me niet te haasten met opstaan en verheug me op een ochtendje langzaam wakker worden met Ruben. Maar ik moet natuurlijk wel eerst mijn voorbereidingen treffen.

Ik moet toegeven dat ik het soms, heel soms, een beetje vermoeiend begin te vinden. Ik realiseer me nu wel dat ik het vroeger best gemakkelijk had, toen ik elke dag een uur de tijd kon nemen om er op mijn best uit te zien voor ik Ruben onder ogen hoefde te komen. Niet dat ik het niet voor hem over heb om me een beetje op te knappen. Maar op een ochtend als vandaag, als ik lekker warm en gekoesterd naast hem lig, is het wel moeilijk om mezelf er toe te zetten. De verleiding is zo groot om het nog even een kwartiertje uit te stellen, maar daarmee loop ik het risico dat hij eerder wakker wordt en zich doodschrikt als hij me ziet.

Ruben slaat zijn arm om me heen, net als ik aanstalten maak om uit bed te gaan. 'Blijf nou nog even liggen. We kunnen toch uitslapen?' zegt hij slaperig.

'Ik ben zo terug.'

'Blijf nou nog even bij me liggen.' Hij verstevigt zijn omhelzing en drukt een kusje in mijn hals. 'Ik lig net zo lekker met jou tegen me aan.' Hij lijkt weer weg te doezelen en ik denk dat ik over een minuutje wel even snel mijn tanden kan gaan poetsen, zonder dat hij weer wakker wordt. Ik doe nog heel even mijn ogen dicht...

En als ik ze weer opendoe, lijkt het nog maar een paar minuten later, maar dan zie ik opeens Ruben die klaarwakker, op één arm steunend naar me ligt te kijken. 'Dus zo zie je er eigenlijk echt uit,' zegt hij geamuseerd.

Ik probeer een opkomende paniekaanval te onderdrukken, want er dringt van alles tot me door. Ik heb niet één minuutje mijn ogen dichtgedaan, maar ben weer in slaap gevallen. Mijn haren zijn nog niet gekamd, mijn gezicht is niet gewassen en mijn tanden zijn niet gepoetst en Ruben zíét het. Hij ziet mij helemaal, als... als... mezelf! Met een ruk kom ik omhoog. Althans, dat zou ik doen, als hij me niet weer terugduwde.

'Ik lig al een halfuur naar je te kijken, dus je hoeft niet meteen naar de badkamer te rennen.'

Ik stamel allerlei lettergrepen, maar wil eigenlijk maar één vraag stellen: waarom doe je me zoiets aan?

'Isa, we zijn al meer dan twee jaar bij elkaar, denk je dan dat ik me nog nooit midden in de nacht heb omgedraaid om naar je te kijken?'

'Maar dan is het donker.'

'Weet je wat ik zo fijn vind aan samen slapen?'

Ik schud onnozel mijn hoofd.

'Dat ik je geur dicht bij me heb en je lekker warm en zacht tegen me aan voel. En als je dan naar de badkamer gaat en terugkomt met een walm van deodorant en dagcrème en weer klaarwakker en met een koud lijf naast me komt liggen...'

'Vind je mijn deo stinken? Want dan moet je het zeggen, dan koop ik andere.'

'Waar het om gaat, Isa, is dat ik dol op je ben als je fris gedoucht bent en een lekker geurtje opdoet. Maar ik vind het ook wel eens fijn om een heel klein momentje puur Isa te zien, snap je?' Hij aait een verwilderde pluk haar uit mijn gezicht.

'Zoals nu?' vraag ik onzeker. Ik kan het me niet voorstellen, maar de blik in zijn ogen is zo zacht en liefdevol, dat ik heel even overweeg om mijn haren nooit meer te kammen.

Hij knikt en buigt zich over me heen voor een kus.

'Ik ga toch even...' zeg ik en ik doe een poging me om te draaien, maar hij zet zijn arm naast me neer en komt nog dichterbij.

'Ik wil gewoon jou, Iesje. Als ik zin heb in freshmint neem ik wel een kauwgumpje.'

En dan delen we een ontzettend smerige, vieze, walgelijke ochtendkus. Maar stiekem is dit een van de mooiste, belangrijkste zoenen die hij me ooit gegeven heeft, omdat ik diep vanbinnen voel dat dit misschien wel de eerste keer is dat hij de persoon kust die ik werkelijk ben.

Stijn is bij zijn ouders, die hem straks naar het vliegveld brengen. We zitten met z'n allen aan de thee alsof dit een alledaagse visite is, maar ik zie aan de gespannen trek rond zijn mond dat het niet zo is, ook al lachen we dat drukkende gevoel zo hard als we kunnen weg. Ik zie aan de rode ogen van zijn moeder dat zij het er ook moeilijk mee heeft, al roept ze om de paar minuten dat ze zo trots op hem is omdat hij deze stap durft te nemen.

Dat ben ik natuurlijk ook. Ik vind het verschrikkelijk dat hij weg-gaat, maar tegelijkertijd realiseer ik me waar hij zich voor in gaat zetten en denk ik dat als meer mensen zoals Stijn zouden zijn, de we-reld een betere plek zou worden. Als ik beelden van dierenleed zie, grijpt me dat ook aan, maar Stijn stapt erop af. Hij gaat ernaartoe om te helpen en zijn steentje bij te dragen. Ik stort alleen een klein bedrag per maand en koop daarmee mijn schuldgevoel af. Dat is het verschil en daarom vind ik het ook hartstikke goed dat hij dit gaat doen. Ik zou alleen willen dat hij er niet zo ver voor weg hoefde. Ik ben bang dat ik het straks ook niet droog ga houden als hij in de auto stapt. Gelukkig is Ruben met me meegekomen. Hij zit naast me en geeft me af en toe een kneepje in mijn hand.

'Je hebt je paspoort toch, hè Stijn?' vraagt zijn moeder bezorgd terwijl ze zijn handbagage aan een laatste controle onderwerpt.

'Ja, mam. Hier.' Hij laat haar een buideltje zien. 'Dit draag ik straks onder mijn bodywarmer en dan kan er absoluut niets mee gebeuren.'

'Als je maar goed op je bagage let. Zeker op die buitenlandse vliegvelden. Je weet niet wat voor rommel ze er allemaal in kunnen stoppen. Je kunt geen dieren helpen vanuit een smerige cel, jongen.'

'Ik kijk heus wel uit. Rustig nou maar.'

'Rustig maar, zegt hij dan.' Ze haalt mismoedig haar schouders op. 'Mijn kind gaat eiland hoppen in Azië, maar ik hoef nergens over in te zitten.'

'Mam, we kunnen toch skypen? Ik heb je uitgelegd hoe het moet.'

'Ach, dat ben ik allang weer vergeten.'

De vader van Stijn komt erbij en slaat zijn arm om zijn vrouw heen. 'Maak het hem nu niet zo moeilijk, lieverd. Hij redt zich best en wij ook. Nietwaar, Stijn?'

Hij knikt en kijkt mij aan. 'Sorry, hoor. Mijn moeder kan soms een beetje hysterisch reageren.'

'Dit hysterisch?' antwoord ik. 'Dan zou je míjn moeder eens voor de grap moeten vertellen dat ik aapjes ga redden op Borneo.'

Hij lacht. 'Wie weet. Misschien raak je straks zo enthousiast door mijn verhalen dat je me komt helpen.'

'Ik weet het niet, Stijn. Ik heb voorlopig mijn handen vol aan de honden, katten en knaagdieren in een straal van tien kilometer. En dan hebben we meneer Hufter nog. Ik denk niet dat ik weg kan.'

'Ik ga jullie wel missen. Misschien zelfs meneer Hufter nog.' Hij drinkt vlug zijn laatste beetje thee op. 'Het wordt tijd om te vertrekken, denk ik.'

Zijn moeder begint haastig de kopjes af te ruimen en zijn vader sjouwt de koffer naar de auto. Stijn, Ruben en ik lopen een beetje druilerig het tuinpad af.

'Komt Bram niet?' vraagt Ruben.

Stijn schudt zijn hoofd. 'We hebben gisteren gedag gezegd. Hij zag er een beetje tegenop met mijn ouders en zo. Ik begrijp het wel. Het is prima, zo.'

Ruben knikt, maar ik zie aan hem dat hij het, net als ik, niet echt prima vindt.

'Je past goed op haar als ik weg ben, hè?' vraagt Stijn. Eigenlijk klinkt het niet als een vraag. Hij draagt het hem min of meer op.

'Geen probleem,' zegt Ruben.

'Ik meen het, hoor. Want ik kom terug en ik heb vrije toegang tot een heleboel verdovende middelen en ik weet waar ik moet prikken.'

Ruben lacht en steekt zijn hand naar Stijn uit. 'Ik beloof het. Vertrouw me maar, ze is in goede handen.'

Stijn kijkt hem nog even heel serieus aan, alsof hij probeert te doorgronden of Ruben het meent. Dan schudt hij zijn hand. 'Goed dan. Vind je het heel erg als ik haar nog even een minuutje van je steel?'

'Wat moet, dat moet,' zegt Ruben. 'Goede reis.'

'Bedankt.' Stijn pakt me bij mijn arm en we lopen een paar meter bij de rest vandaan. 'Dus...'

'Dus...' herhaal ik.

'Ik heb er echt een beetje moeite mee jou hier achter te laten, Ies.'

'Doe normaal, joh. Ik heb Ruben, mijn vriendinnen, Tamara, mijn ouders. Ik heb amper tijd om je te missen. Bovendien: iemand moet hier blijven om Bram in de gaten te houden.'

'En wie houdt Ruben nu in de gaten?' Hij staat stil en kijkt me aan. 'Hoe zit het nu met Marleen?'

Ik maak een wegwuifgebaar. 'Dat is niks.'

'Echt? Dus jullie hebben het uitgepraat? Hij heeft een logische verklaring gegeven en we hebben ons zorgen gemaakt om niets?'

'Nou ja, we hebben het er niet echt over gehad...'

'Isa!'

'Maar ik voel gewoon dat het goed zit, Stijn. Echt, dat soort dingen weet je toch, als vrouw? We hebben het zo leuk samen. Dit weekend was echt heerlijk en ik weet gewoon, met alles wat ik in me heb, dat hij me niet bedriegt.'

'Dat is mooi, Ies. Maar het zou fijn zijn als hij even uit kon leggen hoe het dan wel zit. Ik heb er geen goed gevoel over om weg te gaan en jou in deze onzekerheid achter te laten.'

'Maar ik...'

'Isa, hij heeft weer contact met zijn ex! De ex waarmee hij je al eerder bedrogen heeft, en hoe onschuldig dat contact nu ook mag blijken te zijn, het probleem is dat hij je er niets over vertelt. Dat betekent dat hij niet eerlijk is en als hij niet eerlijk is, vertrouw ik hem niet met jou. Snap je? Ik wil dat je het aan hem vraagt.'

'Maar als ik dat doe, dan ben ik bang dat...' Ik maak mijn zin niet af.

'Dat je een beslissing moet nemen die je niet nemen wilt.'

'Ruben houdt van me.'

'Dat geloof ik wel, maar... Je kent mannen misschien niet, Isa. Je weet niet hoe ze kunnen zijn.'

'Zeg dat nou niet, Stijn. Alsjeblieft...'

'Wil je dat ik hem ermee confronteer? Laat mij dat dan doen, Ies. Ik wil het nu nog doen, je hoeft het maar te zeggen.'

'Ik wil dat je lekker bij je ouders in de auto stapt en je geen zorgen meer maakt over mij.'

'Dat zou een stuk gemakkelijker gaan als ik wist dat het goed zit tussen jou en Ruben.'

'Dat zit het. Daar zorg ik voor. Vertrouw mij dan, als je hem niet vertrouwt.'

Hij haalt diep adem. 'Isa...'

'Ik kan me niet voorstellen dat ik morgen ga werken en dat jij er dan niet bent,' zeg ik om hem op andere gedachten te brengen. We kijken elkaar even aan en ik voel tranen opwellen.

'Ik ook niet... Niet huilen, hoor! Dan begin ik ook.'

'Ik huil niet.' Maar dat doe ik natuurlijk wel en Stijn trekt me tegen zich aan. We houden elkaar even vast, terwijl ik mijn best doe mijn tranen weg te slikken. Dan geef ik hem een bemoedigend klopje op zijn rug. 'Nou... je moet gaan. Doe voorzichtig en vooral: geniet ervan. Goed?'

Hij knikt. 'We mailen en hyven...'

'Ja.'

'En we zien elkaar weer voor je het weet.'

'Zo is het.'

We wandelen terug naar de rest. 'Je moet me wel op de hoogte blijven houden van de rare acties van Hugo en de hufterigheden van meneer Hufter en van het armzalige liefdesleven van Vivian, natuurlijk. Laat me niet merken dat je iets voor me achterhoudt.'

Ik glimlach. 'Ik zal het allemaal in de gaten houden.'

'En kijk zelf alsjeblieft ook heel goed uit, Isa.'

'Dat doe ik, echt waar.'

Hij geeft me een kus op mijn voorhoofd. 'Nou, Ruben, je hebt haar weer terug. Verpest het niet.'

Ik werp Stijn een waarschuwende blik toe, maar hij opent het portier van de auto, waarin zijn ouders al zitten te wachten, en Ruben steekt zijn hand naar hem op, alsof hij geen vreemde ondertoon gehoord heeft.

'Dag, Ies.'

'Dag, Stijn. Tot...'

'Gauw,' zegt hij. 'Dat zul je zien.' Hij stapt in en trekt het portier snel dicht. Als de auto optrekt, werpt hij me nog een kushandje toe en ik loop een stukje de straat op om hem beter te kunnen zien.

Ik voel dat Ruben achter me komt staan. Hij legt zijn hand onder op mijn rug, terwijl ik zwaai tot Stijn de hoek om is. Ik blijf nog even staan, midden op straat, met mijn hand half in de lucht geheven.

'Gaat het?' vraagt Ruben lief.

'Ja... het gaat best.'

'Je mag wel even huilen als je dat wilt.' Hij pakt mijn hand en trekt me een stukje van de weg af, in de richting waar onze auto geparkeerd staat. 'Kom maar,' zegt hij dan en hij slaat zijn armen troostend om me heen.

'Sorry,' zeg ik, mijn stem gesmoord tegen zijn schouder. 'Ik weet dat het stom is.'

'Het is niet stom om iemand te missen.'

'Maar hij is nog niet eens weg.' Ik begin nu echt te snikken, met gierende uithalen, en ik kan me voorstellen dat Ruben zich hier geen raad mee weet, maar hij blijft me tegen zich aan houden en hij streelt met één hand over mijn haren. 'Ik weet gewoon niet hoe ik zonder hem moet werken. Ik weet niet of ik dat kan, Ruben. Wat als ik dat nu niet kan?'

'Natuurlijk kun je dat wel. Dat deed je toch ook voor je hem kende? Jij hebt hém onder je hoede genomen, niet andersom. Hij moet nu leren om op eigen benen te staan. Voor hem is het veel enger zonder jou dan het voor jou is zonder hem. Jij hebt niemand nodig, Iesje. Je bent het alleen een beetje vergeten.'

'Ruben?'

'Hmm?'

'Ik ben zo blij dat jij er bent.'

Hij kust mijn wang en knuffelt me teder. 'Mooi zo. Want ik ga helemaal nergens heen.'

Als we thuiskomen, maken we eerst een lange wandeling met Bo. We laten hem even rennen in het bos door een bal te gooien die hij dan weer terugbrengt. Hij vindt het leuker als Ruben gooit, omdat mijn worpen niet ver genoeg komen.

Daarna gaan we naar huis en zetten we een dvd'tje op zoals ik vroeger altijd met mijn vriendinnen deed. Ik ga lekker bij Ruben liggen, met mijn hoofd op zijn schoot, en hij kriebelt met z'n vingers door mijn haren. Bo ligt aan onze voeten een dutje te doen en ook al ben ik een beetje verdrietig, toch voel ik me eigenlijk heel gelukkig. Kon Stijn ons nu maar zien, dan zou hij toch zeker ook geen enkele twijfel meer over Ruben hebben?

'Hoe zou het eigenlijk met Daphne en Robin zijn?' vraag ik als de film afgelopen is.

'Geen idee. Het leek erop dat ze het goed met elkaar konden vinden.'

'Als jij nu Robin belt, dan hoor ik Daphne uit.'

'Laat ze nu maar even, Isa. We horen het vanzelf als ze iets aan ons kwijt willen.'

'Maar dan moeten we zo lang wachten,' zeg ik mokkend. Ik vind het sowieso flauw van Daph dat ze nog niets van zich heeft laten horen. Toen ik Ruben ontmoette, heb ik mijn vriendinnen meteen alles over hem verteld. Waarom weten zij altijd alles van mij en moet ik elk detail uit hen zien te persen? Dat is toch niet eerlijk? 'Ik ga Daphne even bellen.'

Ik sta op en moet even zoeken voor ik weet waar ik mijn gsm heb neergelegd. Als ik hem gevonden heb, zoek ik haar naam in het 'pas gebeld'-rijtje. Het duurt even voor ze opneemt. Misschien zijn ze zo verliefd dat ze alles om zich heen vergeten zijn.

'Hé Ies,' hoor ik dan toch nog, 'hoe is het?'

Ze klinkt niet helemaal hoteldebotel. Eerder een beetje vlak.

'Dat wilde ik juist aan jou vragen. Het leek wel goed te gaan tussen jou en Robin, gisteren.'

Ze laat een vreugdeloos lachje horen. 'Als je het niet erg vindt, heb ik het liever niet over hem.'

'Waarom niet? Toe nou, Daph. Ik ben hartstikke benieuwd.'

'Dat snap ik, maar ik wil er niet over praten. Laten we gewoon vergeten wat er gisteravond gebeurd is.'

'Dat wát gebeurd is? Wat kan er nu zo erg zijn dat je niets wilt zeggen?' Ik wissel een bezorgde blik met Ruben, die me vragend aankijkt.

'Isa, laat het maar rusten, oké? Het is niet geworden wat jij gehoopt had. Of wat ik gehoopt had. Ik wil er niet eens meer aan denken. Ik hoef Robin nooit meer te zien.'

'Nooit meer?' herhaal ik vol ongeloof. 'Luister, Daph, nu maak je me echt ongerust. Ik snap hier helemaal niks van. Robin is toch hartstikke leuk? En toen jullie gisteren weggingen...'

'Dat was gisteren en nu is het vandaag en ik vind Robin een lul. Ik wil nooit meer een woord met hem wisselen. En ik moet nu ophangen, Ies. Ik sta op het punt om bij mijn ouders aan tafel te gaan.'

'Zeg dan meteen dat je niet kunt praten! Bel me als je thuis bent, goed?'

'Nee, Isa. Dit is het laatste wat ik over die eikel gezegd heb. En dat meen ik echt. Doei!'

Ik staar even naar mijn telefoon alsof ik het ding nooit eerder gezien heb.

'Wat is er?' vraagt Ruben.

'Ik heb echt geen idee. Daph deed zo raar. Ze zegt dat ze Robin een eikel vindt en dat ze hem nooit meer wil zien.'

'Waar slaat dat nou weer op?'

'Weet ik niet. Ik vind het ook raar. Ze wilde het niet uitleggen.'

'Wacht even...' Ruben pakt mijn telefoon en belt Robin, die wel snel opneemt. 'Hé, broertje,' zegt Ruben, 'ik hoor net een nogal vreemd verhaal van Isa... Ja, over Daphne inderdaad... O.'

Ik tik Ruben op zijn arm. 'Wat zegt hij?'

'Wacht even, Rob.' Ruben kijkt me aan. 'Hij heeft geen zin om ook maar één woord aan dat rotwijf vuil te maken.'

'Daphne is geen rotwijf!'

'En Robin is geen eikel.' Hij richt zich weer op het telefoongesprek. 'Robin, ik ben er weer. Wees eens een beetje duidelijk. Wat is er nu gebeurd tussen jullie? ... Dat weet ik, maar je kunt toch wel gewoon zeggen ... Ik sta aan niemands kant zolang ik geen idee heb waar we het over hebben ... Hoezo is dat mijn schuld? Ik heb alleen gezegd dat Isa dacht dat Daphne jou leuk vond en het was jouw idee om haar mee uit te vragen. Ik heb alleen de boodschap overgebracht, hoor ... Het is wel duidelijk dat het je allemaal erg hoog zit, ja... Weet je wat? Ik zie je morgen op de zaak, dan hebben we het er nog wel over ... Oké, dan zie ik je morgen.'

Ruben legt de telefoon neer en kijkt me aan. 'Dat was dus de laatste keer dat ik je help met koppelen.'

O... en ik wilde nog wel vragen of hij ook iets tussen Kai en Tamara kon regelen.

12

Hugo heeft weer op-de-vingers-kijk-dienst vanochtend. Hij pendelt heen en weer tussen de operatiekamer waar Petra een paar castraties uitvoert en de spreekkamer waar ik mijn afspraken heb. Tijdens het overleg heeft hij gezegd dat hij ons de komende weken vooral zal blijven observeren, tot hij zeker weet dat we allemaal dezelfde koers varen. Daarna zal hij pas zijn agenda openstellen voor eigen patiënten. Hij vindt het belangrijk eerst de kliniek en onze werkwijze te leren kennen zodat we elkaars capaciteiten ten volle kunnen benutten. Dat klinkt heel zinnig, maar ik heb hem wel duidelijk gemaakt dat hij zich ook aan ons beleid moet houden. Hij zal zich, als nieuweling, hotshot specialist of niet, moeten bewijzen, en dat betekent dat de eerste tien ontstoken anaalklieren voor zijn rekening zijn. Dat geldt ook voor de eerstvolgende afspraak met meneer Hufter (en we hebben Vivian duidelijk geïnstrueerd dat Hugo vanaf nu sowieso zijn eerste aanspreekpunt is. Ha! Ik lach echt in mijn vuistje over die zet). O ja, en hij moet ook de eerste maand alle weekenden oproepbaar blijven. Dat heeft Petra erbij verzonnen en het slaat natuurlijk nergens op, maar hij slikte het allemaal voor zoete koek, dus je hoort mij niet klagen.

Mijn volgende patiënt is een hondje dat al een paar dagen sloom en lusteloos is, lees ik in de agenda. Ik laat een ouder echtpaar binnen met een wit Maltezer leeuwtje. Het beestje loopt wel zelf de kamer binnen, maar ik kan zien dat het niet van harte gaat. De man tilt hem op de tafel en hij valt bijna om als hij hem weer loslaat. 'Hij is erg suf, zie ik. Is hij al een paar dagen zo?' vraag ik.

'Ze. Het is een wijfje,' verbetert de vrouw. 'Ze is al een paar dagen niet zoals normaal, maar gisteren kwam ze haar mandje niet eens meer uit.' Ze kijkt haar man aan. 'Toen jij met haar naar buiten wilde, reageerde ze zelfs niet, hè?'

'Toen zei ik tegen haar: nu is het echt mis,' vult hij aan.

'Eet en drinkt ze nog?' vraag ik.

'Gisteren niets, maar daarvoor nog wel.'

'Ik zal haar even temperaturen. Ik vermoed dat ze ook koorts heeft, houdt u haar even vast?' Het hondje staat te trillen op haar pootjes als ik wegloop om de thermometer te pakken. 'Verder nog bijzonderheden?'

'Niks. We wilden wel meteen een afspraak maken om haar te laten steriliseren, want ze is net loops geweest en dat is toch wel vervelend, iedere keer.'

'Ze is loops geweest?' De temperatuur geeft ruim veertig graden aan. 'Ze heeft erg hoge koorts en ze zal misschien ook al wat uitgedroogd zijn.' Ik bekijk de oortjes en de oogjes en wil de ademhaling beluisteren als ik met mijn vingers op iets heel vreemds stuit. Er zit een massa onder aan de buik. Ik til het hondje een stukje met de voorpootjes omhoog en ik schrik me echt rot.

Hugo staat helemaal aan de andere kant van de kamer, maar hij ziet het zelfs vanaf daar en komt aangesneld. Alle tepels zien er vreemd uit, maar de bovenste aan de linkerkant is zo schrikbarend groot, daar past het hele hondje haast nog een keer in. Ik voel enkele verhardingen, maar de grote massa voelt slap aan. Ik vermoed dat daar een opeenhoping van moedermelk zit, die is gaan ontsteken. Ik kijk naar Hugo. Ik heb dit echt nog nooit zo erg gezien. 'Kan dit door schijnzwangerschap veroorzaakt worden?'

'Schijnzwangerschap, daar had ze de vorige keer ook last van,' merkt de vrouw op.

'Maar dit is een enorme ontsteking, mevrouw. Heeft u dit niet eerder opgemerkt?'

Ze buigt zich voorover en slaat dan haar hand voor haar mond. 'Gossie.'

Gossie? Zei ze dat nu echt? Ik kijk haar een paar tellen aan en zij staart met grote, niet-begrijpende ogen terug. Het is wel duidelijk dat ze dit niet heeft opgemerkt en de ernst van de situatie ontgaat haar volledig. 'Gossie' is voor dit geval wel heel zwak uitgedrukt.

Ik kijk in twee gezichten die beide onwetendheid uitstralen en ik weet niet of het zin heeft om boos te worden.

'Als we dit geweten hadden, waren we wel eerder gekomen, natuurlijk,' zegt mevrouw nadat ze een verschrikte blik met haar man heeft gewisseld.

Ik kan er niet goed tegen en concentreer me op het plan van aanpak. 'Wegen, dosis antibiotica bepalen en een infuus?'

Hugo knikt goedkeurend en ik weet niet waarom ik ineens alles bij hem navraag. Normaal gesproken heb ik ook niemand om mijn bevindingen te bevestigen, maar ik ben hier even heel erg door van slag. Dit Maltezertje heeft echt een halve hond extra aan haar buik hangen!

'Kunt u het niet weghalen, dokter?' vraagt de vrouw.

'Dat had gekund als u het eerder gesignaleerd had. Nu is de koorts zo hoog dat ik haar niet onder narcose kan brengen voor een ingreep. We moeten eerst de ontsteking met antibiotica bestrijden en daarmee de koorts omlaag krijgen. Ondertussen dienen we haar vocht toe...'

'Ik doe de weging wel even,' zegt Hugo terwijl hij het hondje van me overneemt.

'Het spijt me erg het te moeten zeggen, maar dit is niet ontstaan in een tijdsbestek van een paar dagen. Het duurt wel even voor een gezwel zo groot wordt. Uw hond loopt hier echt al langer mee rond. We zijn er nu waarschijnlijk wel op tijd bij, maar dit had slecht af kunnen lopen. Alleen die koorts al kan tot zodanige uitdroging leiden...'

'Maar het is verder niets ernstigs, toch? Niks kwaadaardigs? Alleen een ontsteking?'

'Alle tepels voelen onrustig op dit moment. Ik kan niet garanderen dat er verder niets zit. Dat moeten we nader onderzoeken als de koorts gedaald is.'

'Isa!' hoor ik Hugo roepen.

'En als ze hersteld is, gaan we dringend steriliseren,' zeg ik terwijl ik naar de weegschaal loop die in de kamer hiernaast staat. Dan hoor ik een kort maar ferm gejank en komt Hugo terug de behandelkamer in, het hondje met uitgestoken armen voor zich uit dragend. Een spoor van smurrie druipt langs zijn arm op de grond.

'Ik zag al dat het abces op knappen stond,' zegt Hugo terwijl hij het hondje op de tafel zet. Hij zit van zijn schouder tot aan zijn knie helemaal onder het walgelijkste spul dat ik ooit gezien heb. En de hoeveelheid is ongelooflijk! Ik pak een stuk gaas om te proberen de wond een beetje schoon te maken. De ontsteking is zo groot dat er geen beginnen aan is.

'Dat blijft er nog wel even uitlopen,' zegt Hugo terwijl hij een stuk papier uit de houder aan de muur scheurt en zijn arm schoonveegt. Nou ja, schoon. Iets droger.

Ik moet die mensen maar eens de deur uitwerken. 'We gaan haar nu naar de opname brengen,' zeg ik terwijl ik weer naar het echtpaar toeloop. 'Daar leggen we een infuus aan en geven we haar medicijnen om deze infectie te bestrijden. Afhankelijk van hoe dat aanslaat, bepalen we de verdere aanpak en we houden u natuurlijk op de hoogte van haar toestand. U moet rekening houden met een operatieve ingreep.'

Ze knikken beduusd en ik begeleid hen naar buiten. Daarna breng ik het hondje naar een bench in de opvang, terwijl Hugo de troep in de behandelkamer opruimt. Petra heeft net een castratie afgerond en springt bij om het infuus en de medicatie toe te dienen, waardoor ik niet te veel uitloop voor mijn volgende afspraak. Ik heb zelf ook met mijn vingers in de viezigheid gezeten en schrob mijn handen aan de wasbak in de opname voor ik door het smalle gangetje terugloop naar de voorkant van het gebouw.

Hugo komt net aan de andere kant, langs de 'artiestenuitgang', de behandelkamer uit en blijkbaar heeft hij me hier niet gezien, want met een vloeiende beweging trekt hij zijn vieze operatiehemd uit en loopt hij met ontbloot bovenlijf naar het kleine nisje waar de wasmanden en kledingkasten staan.

Ik blijf even stilstaan aan de andere kant van de hal. Ik vind het een beetje ongepast om verder te lopen terwijl ik weet dat hij daar half uitgekleed staat. Maar ik moet wel naar die behandelkamer terug. Ik kan ook teruglopen en via de wachtkamer langs de reguliere ingang gaan, maar… Ik had trouwens niet verwacht dat Hugo zo atletisch gebouwd was. Niet dat het er toe doet, natuurlijk. En ik heb nu zo lang geaarzeld dat hij vast wel een schoon shirt aangetrokken heeft.

Ik loop verder en hoor binnensmonds gevloek uit het nisje komen. Vlak voor ik hem passeer, komt Hugo terug de hal in en staan we pal tegenover elkaar in de nauwe doorgang.

'O, sorry!' roep ik. Hij heeft nog steeds geen shirt aan. Dit is echt een beetje genant.

'Er liggen geen schone operatiehemden meer in de kast,' zegt hij met lichte ergernis in zijn stem.

'O. Maar de schone was is toch altijd al gebracht rond deze tijd?' Ik doe mijn best om mijn blik op die van hem te richten, in plaats van op zijn gespierde bovenlijf. Wat best goed lukt. 'Zal ik even kijken of het ergens anders is neergelegd? Soms heeft Vivian het te druk om het meteen op te ruimen.'

'Nou, graag. Beetje raar voor de cliënten als ik zo langs de wachtkamer wandel.'

'Ach, wie weet, misschien komen ze dan wel vaker,' flap ik eruit en het is maar goed dat ik me net omgedraaid had, want ik schrik van mezelf. Waarom zeg ik zoiets? Straks denkt hij nog dat ik met hem flirt.

Gehaast loop ik naar het kantoorgedeelte aan de andere kant van het gebouw en ik zie uiteindelijk op een van de bureaus een tas met schoon wasgoed staan. Er zitten shirts en broeken in en ik bedenk dat hij die allebei wel kan gebruiken. Opeens zie ik weer voor me hoe die rotzooi over hem heen droop en ik moet grinniken als ik terugloop naar waar ik Hugo heb achtergelaten.

'Waar lach je om?' vraagt hij als ik weer binnen zijn gezichtsveld ben.

'Nergens om.' Ik houd mijn armen uitgestrekt zodat hij de juiste maat uit de stapel kan zoeken.

Hij neemt een shirt uit het midden en kijkt me onderzoekend aan. 'Je lacht me uit.'

'Nee, helemaal niet. Ik vind het hartstikke zielig voor dat hondje.' Er ontsnapt toch een soort van giechel als ik dat zeg. 'Maar het was wel een beetje grappig hoe jij weer de behandelkamer inkwam, helemaal onder die troep. Dat gezicht van je...' Ik moet nu echt lachen.

Hugo lacht een klein beetje mee, als een boer met kiespijn. 'Ik heb zelden zoiets goors over me heen gekregen. Je mag me wel dankbaar zijn, want ik heb me voor jou opgeofferd. Ik zag al dat dat ding op uitbarsten stond.'

'En dan ga je met die hond lopen sjouwen?'

'Als ik dat niet had gedaan, had jij hier nu in je beha gestaan.'

'Nee hoor. Ik zou me nooit omkleden in een openbare hal. Ik moet trouwens verder met de volgende patiënt.'

'Heb je hier ook een broek bij zitten?'

'Onderop.' Ik wil dat hij de hele stapel overneemt, maar hij pakt alleen wat hij nodig heeft. 'Hugo, je bloedt!' Ik zie een schram op zijn onderarm.

'Toch? Ik dacht dat het er niet doorheen was. Die hond hapte naar me toen dat ding openbarstte. Het was maar een schampbeet. Stelt niks voor.'

'Nou, die kleine tandjes kunnen anders best doorbijten. Kom eens, het is hier te donker.' Ik leg de stapel wasgoed in de kast en duw Hugo terug de behandelkamer in. 'Je hebt het toch al wel met water schoongespoeld, of niet?'

'Ik heb me net helemaal schoongeboend.'

Ik pak een flesje jodium en een nieuw gaasje. 'Ik zou maar in de gaten houden of het niet gaat ontsteken. Anders laat je er toch even iemand naar kijken?'

'Dat doe ik nu toch?'

'Niet mij. Iemand met verstand van zaken.'

'Als je een hondenbeet bij een andere hond kunt behandelen, mag je ook mijn arm doen. Ik vond het trouwens goed van je hoe je die mensen hebt gewezen op het feit dat ze nalatig geweest zijn.'

'Misschien was ik een beetje hard voor ze. Ze hadden werkelijk geen benul. Alsof ze water zagen branden.'

'Je hebt het goed gedaan.'

Ik plak het gaasje vast met pleisters. 'Bedankt.'

'Net was hij hier nog,' hoor ik Vivian aan de andere kant van de deur naar de wachtkamer zeggen. Voor er weer nieuwe roddels ontstaan, laat ik de arm van Hugo los en doe ik snel een stapje terug, vlak voor de deur opengaat. Vivian staat in de deuropening met Sacha achter zich. Ik zie Vivian knalrood worden en even twijfel ik. Deed ik dat stapje terug vlak vóór of op het moment dát de deur openging? Leek het nu alsof ik abrupt bij hem vandaan sprong omdat we iets onbetamelijks aan het doen waren? Aan het gezicht van Sacha te zien wel.

Hugo trekt snel zijn schone hemd aan. 'Liefje, wat doe jij hier?' Voor ze kan antwoorden, loopt hij naar haar toe. Aan haar arm loodst hij haar mee naar buiten.

'Sorry,' mimet Vivian voor ze de deur weer sluit. Ik trek een gezicht. Dat heb ik weer lekker voor elkaar. Stijn zou hiervan gesmuld hebben.

'Maya?' vraag ik als ik voldoende hersteld ben om mijn volgende patiënt te ontvangen. Ik heb alleen gezien dat het om een pup gaat die gechipt en geënt moet worden en ik heb niet op de naam van de cliënt gelet. Daarom ben ik zo verrast als ik de eigenares van de zes weken oude border collie zie. 'Mevrouw De Vries! Wat leuk u weer eens te zien.'

Ze schudt me hartelijk de hand. 'Ja, met deze gaan we toch proberen de bezoekjes in de kliniek te plannen. Dat is voor u ook gemakkelijker dan huisbezoekjes, toch?'

Ik knik. 'Hier hebben we alles bij de hand.' Ik ken mevrouw De Vries, of eigenlijk het hele gezin De Vries al jaren. Hun eerste hondje Boomer was een heel dierbaar patiëntje van me. Toen ik voor het eerst zelfstandig spreekuur mocht houden, was hij mijn eerste patiënt. Ook mijn eerste solo-operatie, een castratie, was bij hem. Daarna heb ik nog eens een *patella luxatie* bij hem verholpen, een operatieve ingreep aan het kniegewricht. Dat heeft hij me nooit helemaal vergeven, want nadien werd het steeds moeilijker om hem voor onderzoek naar de kliniek te krijgen. Op de parkeerplaats werd hij al zo zenuwachtig dat zijn baasjes hem naar binnen moesten dwingen en eenmaal op de behandeltafel was het gewoonweg onmogelijk hem normaal te onderzoeken. Vandaar dat ik destijds besloot om hem voortaan thuis te bezoeken om mijn diagnose te stellen en aan de hand van mijn bevindingen te bepalen of nadere behandeling in de kliniek nodig was. Uiteindelijk kreeg Boomer ouderdomsklachten, waaronder een beginnende vorm van dementie. Ik bezocht hem om de paar weken om zijn toestand in de gaten te houden en met de familie van gedachten te wisselen over zijn kwaliteit van leven. Ze waren er heel stellig over dat ze hem niet wilden laten lijden, maar tegelijkertijd was Boomer een volwaardig gezinslid en meestal ook heel erg vrolijk. Tot het moment, ongeveer twee jaar geleden, dat hij plotseling instortte en ik halsoverkop met mijn injecties naar hem toe gegaan ben om hem in te laten slapen.

Als dierenarts weet ik dat dat in zo'n geval de enige juiste oplossing is. Meestal kan ik daar heel rationeel mee omgaan. Maar sommige mensen maken grote indruk doordat ze zo gehecht zijn aan hun huisdier. Dan raakt mij dat ook. En dit geval is me altijd bijgebleven. Ik zie die drie kinderen nog zitten met hun zieke hondje op schoot. Ik heb Boomers foto, die de familie me vlak na zijn dood als dankkaartje opstuurde, nog in mijn bureaulade liggen.

'We zijn heel lang niet toe geweest aan een nieuwe hond,' zegt mevrouw De Vries terwijl ze haar pup op tafel tilt. 'We waren bang om hem met onze lieve Boomer te gaan vergelijken. Maar toen zagen we haar...'

'Het is echt een prachtig beestje.' Maya zit, met haar koppie een beetje schuin en de oortjes gespitst, rustig te wachten op wat komen gaat. 'Ik ben Boomer ook nog niet vergeten, hoor.'

Mevrouw De Vries glimlacht. 'Ik heb er op gestaan dat Maya door jou behandeld zou worden. Je bent zo goed voor onze Boomer geweest. Dat willen we ook voor deze meid.'

'In dat geval wil ik meteen maar voorstellen om haar te steriliseren als ze een maand of zes is. We hadden hier net een verschrikkelijk geval van schijnzwangerschap bij een hondje en dat wil ik graag voorkomen.'

'Is dat zo vreselijk?'

Ik knik. 'U moet zich voorstellen dat de hond helemaal is voorbereid op de komst van een pup en vervolgens zijn er geen jongen om voor te zorgen. Dat maakt het dier erg van streek en tevens kan het grote problemen opleveren met de melkklieren, zoals bij mijn vorige patiënt. Die maken melk aan, die de hond vervolgens niet kwijt kan, en dat kan tot enorme ontstekingen leiden.'

'Ik dacht altijd dat het beter was als de hond eerst een nestje krijgt.'

'Dat idee is echt achterhaald. Het is zelfs goed om te steriliseren voor Maya voor het eerst loops wordt, want hoe minder zij blootgesteld wordt aan de vrouwelijke hormonen die daarmee gepaard gaan, hoe kleiner de kans op melkkliertumoren, suikerziekte en eierstoktumoren later is.'

Ondertussen tref ik mijn voorbereidingen voor het zetten van de chip en de enting. 'Ze is echt heel erg rustig,' zeg ik als ik zonder dat ze een kik geeft, de chip heb geplaatst.

'Zeker vergeleken met onze Boomer.'

'Hoe vindt u dat ze het verder doet? Is ze thuis levendig?'

'Ze is niet heel druk. Het is echt een lieve schat. Heel meegaand, maar ze kan wel lekker spelen met de kinderen en ze is heel vrolijk en onderzoekend.'

'Dus ze speelt wel? Er zit wel pit in?'

'Dat wel. Als ze eenmaal op dreef is, dan kan ze zich best even uitleven.'

Ik ben klaar met mijn enting. 'Dat is goed. Ik vraag het alleen voor de zekerheid. Ik voer nog even een algemene controle uit. Dat doen we altijd bij pups, hoor. Niets bijzonders.'

'Beter het zekere voor het onzekere,' beaamt mevrouw De Vries.

'Inderdaad.' Ik bekijk de oogjes (helder) en de oortjes (schoon), het gehemelte is mooi gesloten, het gebit ziet er goed uit en sluit mooi op elkaar. 'Geen overbite,' zeg ik om mevrouw De Vries op de hoogte te houden van wat ik doe. Daarna bevoel ik het lijfje. De schouders, de heupen, alles in orde. 'Nu luister ik nog even naar de longen en het hart en dan mag ze weer met u mee.'

Ik zet de stethoscoop op haar borst en hoor meteen een luide ruis, die een beetje te vergelijken is met het lawaai in Rubens werkplaats als alle machines tegelijk aan het draaien zijn. 'Machinebijgeruis' wordt dit dan ook genoemd.

'Is er iets?' vraagt mevrouw De Vries. Blijkbaar verraadt mijn gezicht mijn bezorgdheid. Ik weet even niet wat ik moet antwoorden. Ik wil haar zo graag geruststellen, maar ik hoor hier iets behoorlijk zorgwekkends. 'Er is iets mis...' concludeert ze geschrokken.

'Ik hoor een ruis,' leg ik uit. 'Een zeer typerende hartruis die duidt op een aangeboren hartafwijking.'

'O god, ze gaat toch niet dood? De kinderen zijn nu al zo gek op haar en ze hebben de dood van Boomer nog maar net een beetje verwerkt.' Ze drukt Maya beschermend tegen zich aan, alsof ze het lot zo af kan wenden.

'Ik moet eigenlijk... Weet u, als het is wat ik nu denk dat het is, dan... Wacht heel eventjes. Ik wil u niet onnodig ongerust maken. Ik haal er iemand bij. Maakt u zich niet te veel zorgen alstublieft. Ik ben zo terug en dan leg ik u alles uit.'

Ik loop via de binnendoorgang naar de kantoorruimtes. Dit zal toch niet gebeuren? Niet uitgerekend bij deze mensen. Ze hebben zoveel verdriet om hun eerste hondje gehad en nu gaat hun nieuwe pup misschien ook dood.

Ik klop op de gesloten deur van Hugo's kantoor. Ik hoor Sacha die tegen hem uitvaart, waarschijnlijk over het voorval van zojuist, maar ik kan nu even niet wachten tot zij klaar is. Ik laat mezelf binnen. 'Hugo, sorry dat ik stoor, maar ik heb even je hulp nodig. Ik heb een pup en... Je moet even komen. Ik wil weten wat jij denkt.'

Hij staat tegen het bureau geleund en aan de gepijnigde uitdrukking op zijn gezicht zie ik dat ik een zwaar gesprek onderbreek.

Sacha kijkt me woedend aan.

'Sorry,' zeg ik nogmaals. 'Het is echt belangrijk.'

Hij maakt zich los van zijn bureau. 'Wacht je hier even? Ik ben zo terug.'

'Ik kan niks beloven,' antwoordt ze snibbig.

'Sorry...' herhaal ik weer terwijl we naar mevrouw De Vries en Maya lopen.

'Eén keer excuses was al voldoende, Isa. Wat is er aan de hand?'

Ik open de deur. 'Mevrouw De Vries, dit is mijn collega Hugo Smulders, hij volgt zijn vader op in onze kliniek.' Ze schudden elkaar de hand terwijl ik verder ga met mijn uitleg. 'Het mooie is dat zijn specialisme cardiologie is. Hugo, wil jij even naar het hart van Maya luisteren?'

Hij doet wat ik zeg en bevestigt binnen twee seconden mijn vermoeden. 'Machinekamergeluid.'

'Maya heeft waarschijnlijk Persisterende Ductus Arteriosus Botalli, kortweg PDAB,' zeg ik tegen mevrouw De Vries. 'Dat is een aangeboren afwijking aan het hart. Ik zal het u proberen uit te leggen. Een ongeboren pupje ademt via de placenta. De longen zijn nog samengevouwen en hebben in deze situatie weinig bloed nodig. De Ductus Arteriosus is een klein bloedvat dat de aorta met de longslagader verbindt. Het bloed wordt hierdoor om de longen heen geleid. Dit is functioneel omdat de longen nog niet hoeven te ademen. Kunt u dit een beetje volgen?'

'Ik denk het,' mompelt ze.

'Normaal gesproken sluit dit bloedvat tijdens of vlak na de geboorte. Dat is bij Maya niet gebeurd. Er blijft dus bloed door dit bloedvat stromen. Er komt een grotere hoeveelheid bloed in de longen, wat schade kan veroorzaken als dit lange tijd voortduurt. Tevens komt deze grotere hoeveelheid bloed weer terug in het hart, wat hartfalen veroorzaakt. Deze continue turbulentie van bloed veroorzaakt een zeer typerende ruis, die dokter Smulders meteen herkende als het "machinekamergeluid".'

'En die aandoening is dodelijk?'

'Op den duur wel. Sommige honden kunnen er enkele jaren redelijk klachtenvrij mee leven, maar in ongeveer vijfenzestig procent van de gevallen sterft de pup binnen een jaar aan de gevolgen. Uiteindelijk ontwikkelen ze allemaal hartfalen.'

'Wat is daaraan te doen?'

'Opereren. Dit is natuurlijk nog een waarschijnlijkheidsdiagnose. We moeten een echo maken om zeker te weten dat het deze hartaandoening betreft, maar als Maya die heeft – en daar lijkt het heel erg op – dan moeten we het bloedvat sluiten, anders sterft ze zeer waarschijnlijk.'

'Maar die operatie... die brengt natuurlijk ook allerlei risico's met zich mee.'

'Het is een openhartoperatie. Maar u heeft geluk, want zoals ik al zei, is dokter Smulders bekend met de ingreep.'

'Ik heb hem eerder verricht,' antwoordt hij. 'Het is een technisch ingewikkelde ingreep, maar als we hem niet uitvoeren sterft uw hond zeker.'

'Als de operatie tijdig wordt uitgevoerd, is Maya net zo gezond als elke andere pup. Ze hoeft er niets aan over te houden,' val ik hem bij.

'Als het lukt,' nuanceert mevrouw De Vries.

Ik knik. 'Als het lukt. Maar het is haar enige kans en wij hebben hier alles in huis om het tot een goed einde te kunnen brengen. Ik kan geen garanties geven, maar ik verzeker u dat ze in de best mogelijke handen is.'

'Na alles wat u voor Boomer gedaan hebt, geloof ik u op uw woord,' zegt mevrouw De Vries. 'Wanneer kan de ingreep plaatsvinden?'

'Heel snel,' antwoord ik. 'Maar het is misschien verstandig met bloeddrukverlagende medicijnen te beginnen. Wat denk jij, Hugo?'

Hugo bevestigt dat. 'En ze is nog erg klein. Aangezien ze niet in acute nood verkeert, lijkt het me verstandig te wachten tot ze rond de vier kilo weegt. Intussen kan de medicatie het voorbereidende werk doen.'

Mevrouw De Vries geeft Maya, die er inmiddels lekker bij is gaan liggen, een dikke knuffel. 'Het komt allemaal goed met jou, hoor. Daar gaan we met z'n allen voor zorgen.'

Ik heb met haar te doen en leg mijn hand even op haar arm. 'Het spijt me zo dat uitgerekend u een pup met deze afwijking treft.'

'Dat is juist goed,' antwoordt ze. 'Het is zo'n lief beestje. Iemand anders zou haar misschien uit kostenoverweging de operatie onthouden. Bij ons heeft ze tenminste een kans.'

Ik aai Maya achter haar oortje. 'Ze had zich geen beter thuis kunnen wensen.'

13

Wat ik zo fijn vind aan bij mijn ouders eten, is dat ik precies weet hoe ze alles klaarmaken en dus ook wat ik binnen krijg. Vandaag hebben ze nasi gemaakt en ik laat de kroepoek met rust en neem geen zelfgemaakte satésaus. In die satésaus is namelijk een hele pot pindakaas verwerkt en dat is misschien wel lekker, maar ook heel erg slecht voor de lijn. De saté zelf kan ik met een gerust hart opscheppen, want dat zijn magere, gemarineerde stukjes kipfilet.

Bij de ouders van Ruben ligt dat anders. Ik kan daar het gevoel hebben dat ik heel gezond gegeten heb om er dan achter te komen dat er een halve fles slasaus door de salade is gegaan, doordat ik een paar dagen later Ruben hetzelfde gerecht zie bereiden. Soms schrik ik me echt dood als ik zie wat zijn moeder met een mager stukje vlees kan doen. Ik begrijp niet dat ze daar niet dichtgroeien. Je gebruikt toch geen twee flessen vloeibare boter om hete kip te maken?

Ruben keek alsof hij water zag branden toen ik hem vertelde dat je ook een saus kan maken zonder roomboter, vloeibare margarine of mayonaise. Ik heb inmiddels olijfolie, bouillon en Griekse yoghurt bij hem geïntroduceerd. Samenwonen betekent nu eenmaal ook voor hem concessies doen. De flessen bakboter komen dus niet bij ons in huis. Veto!

'Lekker satétje,' zegt Ruben.

Mijn moeder knikt. 'Eigenlijk wilde ik je laten kennismaken met onze beroemde speklappen, maar dat is tegenwoordig uit den boze bij Isa.'

Speklap – het woord alleen al. Je gaat toch niet uren trainen in de sportschool om daarna hetzelfde naar binnen te werken als wat je net hebt proberen te verbranden? Waarom zou ik andermans buikvet willen eten? Het slaat gewoon nergens op.

'Neem nog wat, jongen,' gaat mijn moeder verder. Ze reikt de schaal met satétjes nog eens aan. Ik geef hem meteen aan mijn vader. Ik probeer tweede porties te vermijden. Bij mijn moeder gaat dat meestal wat moeilijker dan bij andere mensen. Ze denkt altijd dat ik haar persoonlijk afwijs als ik haar eten weiger. 'Wat is er, Isa? Vind je het niet lekker?' vraagt ze.

'Jawel. Maar we zijn dit weekend ook al uit eten geweest, dus het mag wel weer een paar daagjes wat minder.'

'Heb je iets verkeerds gegeten, dan?'

'Nee, het was prima. Alleen een beetje veel.'

'Ik dacht dat je misschien niet lekker was, omdat je hier toen je vanochtend langskwam meteen naar de wc moest. En nu eet je ook al zo weinig. Heb jij ook last van je darmen, Ruben?'

'Eh... nee.' Hij kijkt me een beetje verbaasd aan, wat ik wel kan begrijpen.

'Mam!' roep ik. Ik geneer me soms dood voor haar. 'Niemand heeft daar last van, oké?'

'Kom kom, Isa, iedereen heeft dat weleens, hoor. Maak je niet zo druk. Daar is toch niets raars aan.'

Ik werp haar een boze blik toe. 'Ik heb nergens last van, zeg ik toch.'

'Ik wist niet dat je nog langs je ouders bent geweest, vanochtend,' zegt Ruben. 'Ik dacht dat je haast had om naar je werk te gaan.'

'Ik had haast omdat ik hier nog langs moest,' antwoord ik. 'Om de groenten af te geven.'

Ik kan zien dat Ruben verbanden probeert te leggen en dat is nu net niet de bedoeling. Hij maakt me tegenwoordig iets te vaak in onflatteuze situaties mee. Eerst met dat tijgerkorset, toen 's ochtends zonder make-up en nu suggereert mijn moeder weer dat ik diarree had, wat níét zo is.

Ik ging even langs mijn ouders omdat ik al die verse groenten over had die ik eigenlijk dit weekend had willen eten. Met dat spontane etentje tussendoor, zijn we er niet aan toegekomen, dus dacht ik dat mijn moeder ze vanavond kon gebruiken. Het was een aangename bijkomstigheid dat ik bij hen naar de wc kon. Want ik geef toe dat ik het niet zo prettig vind om dat te doen als Ruben in de buurt is. Ik wacht dus meestal tot hij naar zijn werk is, maar omdat hij het niet zo nauw hoeft te nemen met werktijden, kan dat wel eens te lang duren. Soms begint hij heel vroeg en dan heb ik dus geluk, maar het komt ook wel eens voor, vooral op maandagochtend, dat hij opstartproblemen heeft en een beetje treuzelt. In die zin kwam het me dus wel goed uit om bij mijn ouders thuis te gaan. Maar als ik geweten had dat mijn moeder het publiekelijk zou bespreken, had ik wel even gewacht.

'Tamara, hoe was jouw weekend, eigenlijk?' vraag ik om de boel af te leiden van dit verschrikkelijke gespreksonderwerp. Tamara heeft altijd wel een leuk verhaal.

'Niet zo spannend. En van jullie?' Ze kijkt Ruben sensatiebelust aan. 'Nog iets "boeiends" gedaan?'

'We hebben Stijn gisteren uitgezwaaid,' antwoord ik. Straks komt het sekspakket ook nog ter sprake. Dat kan ik echt niet hebben. 'Het is nu net alsof hij vakantie heeft. Ik besef nog niet goed dat hij zo lang weg zal blijven.'

'Wie weet komt hij helemaal niet meer terug,' zegt Tamara, 'als het hem goed bevalt, daar.'

'Hij komt heus wel terug,' antwoord ik beteuterd. Ergens ben ik ook wel een beetje bang dat het werk in de kliniek straks veel te saai is voor hem. De hele dag urinetestjes, entingen en gebitscontroles doen, valt natuurlijk nogal tegen als je apenweesjes uit gekapte regenwouden gered en grootgebracht hebt. 'Hij gaat ons vast missen. Stijn heeft het altijd naar zijn zin gehad op de kliniek. Vandaag gebeurde er iets met Hugo wat hij echt hilarisch had gevonden.' Ik vertel over de schijnzwangere hond en dat de ontsteking over Hugo's shirt openbarstte. Omdat we aan tafel zitten, vertel ik alleen over de hoeveelheid wondvocht en laat ik in het midden hoe het er precies uitzag. Gelukkig is iedereen hier ondertussen wel aan mijn dierenartspraat gewend.

Tamara vindt mijn beschrijving van Hugo's bovenlijf duidelijk interessanter dan de aandoening van de hond. 'Goh, nu zou ik hem best eens willen ontmoeten,' zegt ze. 'Ik dacht dat hij zo'n saaie zeurpiet was. Je hebt hem nooit als aantrekkelijk beschreven.'

'Nee, inderdaad,' zegt Ruben. 'Verrassend.'

Hij klinkt een beetje jaloers, wat ik wel grappig vind. 'In het begin vond ik hem ongelooflijk irritant, maar ik denk dat hij ook wel zijn goede kanten heeft. Hij is bemoeizuchtig, maar ik merk dat ik zijn advies toch begin te waarderen.'

'Kan ik je niet een keertje komen ophalen van je werk als hij er ook is?' vraagt Tamara. 'Als we samen gaan sporten, of zo?'

'Mij best, maar hij heeft een verloofde, dus ik betwijfel of het zin zal hebben.'

'O.' Daar denkt ze even over na. 'Maar misschien beseft hij dat zij de ware niet is als hij mij leert kennen.'

'Jongedame,' waarschuwt mijn vader, 'zo heb ik je niet opgevoed.'

'Ik vraag me sowieso af of zij de ware is. Ze kwam vanmiddag langs op het werk en ze kregen knallende ruzie in zijn kantoor.'

'Zie je?' zeg Tamara. 'Er is hoop.'

'Als je het niet erg vindt, Tamaar, weet ik wel leukere mannen voor je. Ik mag Hugo dan als collega weten te waarderen, maar dat wil niet zeggen dat ik hem als zwager zie zitten.' Ik wil dat ze zich op Kai richt. Hij past veel beter bij haar.

'Waarom wil je zo graag voorkomen dat Tamara achter Hugo aan gaat?' vraagt Ruben als we in de auto zitten. We hebben na het eten nog koffie gedronken en over vakanties gepraat (na al die drukte rond de verhuizing zijn we er best aan toe) en Ruben heeft met mijn vader nog uitgebreid de voetbalresultaten van afgelopen weekend besproken, dus het verbaast me een beetje dat hij nu ineens weer op Hugo terugkomt. Het is al bijna twee uur geleden dat hij ter sprake kwam.

'Gewoon. Dat lijkt me niks.'

'Gewoon?'

'Ja. Zie je dat al voor je? Dat we voortaan dit soort etentjes hebben met Hugo erbij?'

'Ik niet. Maar misschien zie jij het wel voor je. Dat wil zeggen: met Hugo erbij en mij er niet meer bij.' Ik kijk hem stomverbaasd aan. Ruben houdt zijn blik strak op de weg gericht. 'Misschien wil je hem liever zelf?'

Ik begin te lachen. 'Ik en Hugo? Kom op, zeg!'

'Weet je nog wat ik vrijdag tegen je zei op de borrel? Dat hij iets zou proberen bij jou? Vind je het niet toevallig dat hij meteen op de eerste werkdag na die borrel zijn kleren uittrekt waar jij bij bent?'

O. Net vond ik het best leuk dat hij een beetje jaloers is, maar nu lijkt het niet zo heel grappig meer. 'Zo ging het niet, Ruben. Hij deed het niet waar ik bij was. Ik was de spreekkamer uitgelopen en ik kwam toevallig net de hal in terwijl hij naar het washok liep. Het was puur toeval.'

'Nou, dat vind ik wel erg veel toeval, eigenlijk. Hij wist natuurlijk heel goed dat je terug zou komen. Hij zag je waarschijnlijk al lopen.'

'Dat geloof ik niet. Hij kon toch niet weten dat die hond binnen zou komen?'

'Het kwam hem wel heel goed uit.'

Ik ben even stil. 'Je denkt toch niet echt dat ik iets van hem wil?'

'Ik weet het niet, Ies. Hij heeft de superintelligente specialisten-troef waardoor hij je dagelijks kan intrigeren met allerlei wetens-waardigheden en dat was prima toen ik nog dacht dat hij je type niet was...'

'Dat is hij ook niet.'

'O nee? Ik heb anders net gehoord dat hij qua spiermassa niet on-derdoet voor, weet ik veel, Hugh Jackman of zo.'

'Hugh Jackman?' Nu wordt het toch wel weer een beetje grappig. 'Daar zeg je wat. Maar dan iets minder opzichtig. Hugo is niet op-gepompt. Ik zou hem eerder vergelijken met... nou ja... Cristiano Ronaldo of zo?'

Hij kijkt opzij en ziet er nu zwaar geïrriteerd uit. 'Fijn dat je eer-lijk bent.'

Ik lach. 'Wat wil je dan dat ik zeg?'

'Nou, dat weet ik niet. Niet wat je net zei, in ieder geval. Vind je dit om te lachen?'

'Een beetje. Jij niet?'

'Niet bepaald.' Hij is echt een beetje pissig. Ik kan hem maar beter niet te veel plagen, nu.

Ik draai me naar hem toe. 'Hugo heeft dan misschien de specialis-tentroef en een fantastisch lijf, maar daarmee kan hij echt nog niet aan jou tippen.'

Hij kijkt me even aan. 'Ik hou je in de gaten, Isa Verstraten.'

'Spannend.'

Het is opeens erg stil. We rijden op een binnenweggetje en er is wei-nig verkeer. Misschien weet ik wel iets om het weer goed te maken. 'Ruben, wil je de auto daar eens even aan de kant zetten?'

'Waarom?'

'Omdat ik zo meteen je aandacht heel erg van de weg ga afleiden...'

14

Seks is niet het probleem in onze relatie. Daar ben ik nu vrij zeker van. En ik ben van plan om dat zo te houden. Door die geheimzinnige telefoontjes met Marleen ben ik in ieder geval een stuk inventiever geworden en ik merk dat Ruben dat erg leuk vindt. Op deze manier kán hij er volgens mij niet eens een ander op nahouden. Ik heb hem trouwens al twee weken niet meer op vlugge sms'jes of snel afgebroken telefoongesprekken kunnen betrappen. Misschien was het een eenmalige toenaderingspoging van haar kant en heeft hij het nu afgekapt. Ik denk niet dat we nog last van haar zullen hebben. Nee, echt. Ik merk aan alles dat Ruben volledig toegewijd is aan mij en er is niemand die daar tussen zal kunnen komen.

Ik moet er nu wel voor zorgen dat dat zo blijft. Dat gedoe met Hugo is natuurlijk ook niet echt goed voor ons. Ik ga er altijd maar van uit dat Ruben precies weet wat ik voor hem voel, maar misschien ben ik niet altijd duidelijk genoeg. Er is geen ruimte in mijn hoofd voor andere mannen. Als het tot een vergelijking komt, wint Ruben het altijd. Maar hij kan geen gedachten lezen. Hij weet niet hoe vaak ik triomfantelijk denk dat ik de allerleukste heb. Ik moet het hem dus vaker laten weten. Het komt veel geloofwaardiger over als ik het uit mezelf zeg dan wanneer ik het als antwoord geef als hij me vraagt of ik een ander leuk vind.

Ik heb laatst in mijn pauze een paar boeken over relaties gekocht. Toen dat een tijdje geleden zo'n hype was, boeide het me niet echt waarom mannen van Mars komen en altijd liegen en vrouwen van Venus komen en niet kunnen kaartlezen, maar nu is er echt een wereld voor me opengegaan. Onze hersenen werken dus compleet anders. Daarom denk ik vaak dat ik volkomen duidelijk maak wat ik wil, terwijl hij geen idee heeft.

Ik kwam bijna te laat terug op het werk omdat er zo'n enorme hoeveelheid aan titels te verkrijgen is. Allerlei gidsen, werkboeken, leidraden, handboeken en bijbels. *Van single naar gesetteld in tien stappen, Gids voor een monogame relatie: trouw is een keuze, Hebben en houden: de man van je dromen binnen handbereik, Het mannelijke brein ontrafeld, Waarom vrouwen horen wat mannen niet zeggen, Man & vrouw: communicatieverschillen ontmanteld, Immuun voor affaires: zo wordt hij het!, Intimiteit, respect en liefde: werkboek voor een stabiele relatie.* En zo gaat het maar door. Planken vol van dit soort titels. Ik vind het goed om me daar eens in te verdiepen, maar ik heb liever niet dat Ruben die boeken onder ogen krijgt. Straks denkt hij nog dat ik denk dat er iets mis is met ons, terwijl ze alleen bedoeld zijn om dat juist te voorkomen. Ik laat ze dus liever op het werk liggen. Dan lees ik ze in de pauze.

Het is niet zo dat ik alle genoemde adviezen klakkeloos overneem. Maar soms kun je er best handige tips uithalen. Iedereen kan tips gebruiken, toch?

Ik heb ook meteen wat reisgidsen opgehaald bij het reisbureau. Ruben heeft twee eisen wat vakantie betreft: mooi weer en mooie gebouwen. Mij lijkt het helemaal geweldig om met hem in de auto te stappen en een rondreis door Italië te maken. We kunnen Toscane verkennen. Ik zie ons al slenteren door Florence, Pisa en Siena. Ik word helemaal blij als ik daaraan denk. Mede doordat ik thuis een schitterend kookboek over de Toscaanse keuken heb, waar ik echt de heerlijkste gerechten uit tover, dus dat wordt gewoon een feestje, dat weet ik zeker. We kunnen nog wat meren aandoen en eindigen met een paar dagen aan de kust. Al zie ik daar dan wel weer een beetje tegenop, zeker als ik me al twee weken te goed heb gedaan aan de Toscaanse keuken. Maar daar probeer ik niet te veel aan te denken. Misschien kan ik een paar weken van tevoren alvast heel fanatiek naar de sportschool gaan, zodat ik een marge heb om wat aan te komen. Dat zou een goede maatregel zijn. Het is slim om de vakantie na het hoogseizoen te plannen. Dan is het op de kliniek ook weer wat rustiger. Dan is Hugo gewend aan ons en wij aan hem en hebben we de roosters vast op orde. En dan is de operatie van Maya ook achter de rug, want daar wil ik wel graag bij zijn.

Deze ingreep komt nu eenmaal niet elke dag voor. Ik kan er veel van leren. Ik mag vast met Hugo meekijken, aangezien Maya mijn patiënt is en ik de familie zo goed ken.

Ik heb pas één keer eerder een pup met PDAB gezien en toen hebben we hem doorverwezen. Het is nu eenmaal een ingreep die voorbehouden is aan specialisten en hoewel de oude dokter Smulders destijds wel op dat niveau werkzaam was op het gebied van oncologie, was het risico te groot. In dit soort gevallen is het belangrijk je beperkingen te kennen en hulp in te roepen van een collega met meer opleiding en ervaring. Dat is een van de belangrijkste dingen in het vak: weten wat je kunt en wat je niet kunt en hulp in durven roepen als het nodig is. Het zou een schande zijn om vanwege je eigen ego een dier op de operatietafel te zien sterven.

Ik heb nog nooit zo'n ingewikkelde ingreep gezien, dus ik zal er zeker met mijn neus bovenop staan als Hugo Maya opereert. Op die manier kan ik er hoogstpersoonlijk voor zorgen dat het Maya aan niets zal ontbreken. Binnenkort hebben we overleg over de samenstelling van het team en krijgen we uitleg over de procedure. Ik zal ervoor zorgen dat ik van elk detail op de hoogte ben, zodat Hugo niet om me heen kan.

Als ik die avond thuiskom, staat de auto van Ruben nog niet voor de deur en is binnen alles nog donker. Ruben zegt wel eens iets van míj, maar zelf kan hij er ook wat van wat betrokkenheid bij zijn werk betreft. Soms denk ik dat een meubelstuk op de werkbank voor hem hetzelfde is als een dier op de operatietafel voor mij. Net zo min als ik een dier aan zijn lot zal overlaten, zal hij zomaar het gereedschap uit zijn handen laten vallen als het vijf uur is.

Door mijn gemijmer over Italië heb ik trek gekregen in een van mijn Toscaanse gerechten. Vanmiddag heb ik in mijn pauze boodschappen gedaan en ik ga heerlijk koken vanavond. Ik maak zeebaars met kappertjessaus en verse basilicum. Dit pak ik in aluminiumfolie en dat gaat zo de oven in. En de geur die dan ontsnapt als je het pakje openvouwt... onbeschrijflijk. Ik serveer het met tagliatelle en babyasperges. Ik ben zo blij dat ik door gezonder te eten op zoek ben gegaan naar alternatieve recepten. Vroeger bestond mijn feestmaal uit een groot bord friet en een vette hamburger. Soms heb ik nog wel eens zin in junkfood, maar eigenlijk valt het altijd tegen als ik me eraan te buiten ga. Dat gevoel erna! Dat ben ik echt walgelijk gaan vinden. Je merkt gewoon aan alles dat je rotzooi gegeten hebt. Het verteert slecht, je voelt je moe en zwaar na afloop en je proeft nog uren een vieze, vette nasmaak.

Af en toe een bitterbal bij de borrel of wat frietjes bij het eten vind ik echt nog wel lekker, maar als maaltijd staat het bij mij niet snel meer op het menu. Ik voel me stukken beter nu ik aan een gezond eetpatroon gewend ben. Het is een kwestie van andere dingen proberen, nieuwe wegen inslaan. En Ruben eet alles, dus dat is geen probleem.

Ik ga eerst even snel onder de douche en trek een leuk jurkje aan. Daarna begin ik met koken. Ik wil dat het bijna klaar is als Ruben thuiskomt en dat het hele huis naar mijn heerlijke maaltijd ruikt. Zo lang zal het niet meer duren. Als hij echt lang over moet werken, belt hij wel even.

Ik heb mijn kappertjessaus bereid en wil aan de vispakketjes beginnen als de bel gaat. Mijn moeder, zie ik als ik naar de voordeur loop. Ze heeft een grote boodschappentas bij zich. 'Hoi mam.' Ik wil niet onaardig doen, maar ik kan me niet herinneren dat we iets hadden afgesproken. Ik heb net zo'n zin in een rustig avondje met Ruben. 'Wat een verrassing. Of ben ik vergeten dat je langs zou komen?'

'Ik heb Ruben vanmiddag aan de telefoon gehad,' zegt ze terwijl ze de tas langs me heen naar binnen torst. 'En ik heb alles bij elkaar gezocht.'

'Alles?'

'Heeft hij dat niet gezegd? De vorige keer hadden we het toch over die vakantie op Gran Canaria?'

'O,' mompel ik. Ik heb niet zo'n goede herinnering aan die vakantie op Gran Canaria. Dat is niet de schuld van Gran Canaria, want dat was op zich prima, maar toen was ik echt ontzettend dik. Het was bloedheet en mijn bovenbenen plakten tegen elkaar, wat lelijke en zeer pijnlijke rode plekken veroorzaakte en waardoor ik de rest van de vakantie in een lange, linnen broek heb rondgelopen. Of in een lange jurk met een wielrenbroekje eronder. Het was een hel. Ik heb die avond ook uit alle macht geprobeerd om het onderwerp van Gran Canaria af te brengen, want op een gegeven moment wilde mam fotoboeken tevoorschijn halen en... Ik werp een blik op de tas. Ze zal toch niet... Die wil ik niet in mijn huis. Het huis dat ik met Ruben deel, nog wel. Als hij dat ziet... O mijn god, ik herinner me die foto's precies. Ik heb heel erg mijn best gedaan de camera te ontwijken die twee weken, maar ik weet nog dat pap op een gegeven moment aan een van de obers vroeg een foto van ons allemaal te maken en ik kon geen kant op. Tamara zit naast me en ik lijk twee keer zo breed als zij. Zij is mooi gebronsd en ik melkwit omdat ik het strand niet op durfde. Als je goed kijkt, zie je op die foto het randje van mijn wielrenbroek onder mijn jurk afgetekend. En dan dat gezicht van mij: gewoon angstig. Bang voor de camera. Bang om gezien te worden door wie dan ook. Ik had het liefst in een hol willen kruipen en er niet meer uit willen komen en ik heb dan ook die hele vakantie uit mijn geheugen proberen te bannen. Ik heb er nooit foto's van willen hebben. Maar mijn ouders koesteren dierbare herinneringen aan die laatste gezinsvakantie met z'n viertjes en ze halen dolgraag de herinneringen op. Ze hebben niet eens in de gaten dat ik er daar zo verschrikkelijk uitzie. Soms denk ik dat daar een gedeelte van het probleem zit. Dat sommige mensen vastbesloten zijn onvoorwaardelijk van je te houden en daardoor niet op het idee komen om te zeggen dat je nu echt te dik aan het worden bent!

'Wat is er?' vraagt mijn moeder. Ik sta me natuurlijk inwendig ontzettend op te winden en daar snapt ze helemaal niks van.

'Mama, als dat de fotoboeken van Gran Canaria zijn, neem ze dan maar heel snel weer mee terug, want je zal echt over mijn lijk moeten voor Ruben dit te zien krijgt.'

Ze kijkt naar me alsof ze water ziet branden. Ik verwacht min of meer dat ze 'gossie' gaat zeggen, maar gelukkig houdt ze zich in. 'Maar hij was zo enthousiast over onze verhalen. Hij wil juist graag de foto's zien en misschien nog een keertje met jou samen gaan.'

'Ik ben daar op mijn allerdikst, mam. Dat was vlak voor ik uit mijn allerlaatste broek groeide. Ik haat die foto's en als Ruben ze ziet...'

'Nou, wat dan? Hij houdt toch zeker van je? Dat zou wat zijn, zeg. Als hij daar iets van durft te zeggen, krijgt hij met mij aan de stok. Je bent wie je bent, Isa. En toen je wat zwaarder was, zag je er ook hartstikke leuk uit. Dat wil ik niet horen, hoor.'

Tot mijn verbijstering haalt ze de fotoboeken uit de tas en begint ze op tafel uit te stallen.

'Kijk toch eens, Isa. Dit vind ik toch zo'n leuke foto van jou en Tamara.'

Ik staar naar de opengeslagen bladzijde. Dit is nog erger dan ik dacht. Blijkbaar hebben ze in een onbewaakt moment toch een foto op het strand weten te maken. Opeens herinner ik me dat het die dag niet druk was op het strand en dat Tamara me overhaalde om toch mijn grote T-shirt even uit te trekken om wat zon te vangen. We delen samen een tijdschrift en zij ligt er aanbiddelijk bij in haar bikini, maar dat kun je van mij niet zeggen. Ik heb een pareo om mijn heupen geslagen, maar dat lijkt alleen maar de aandacht te vestigen op de enorme massa die daar zit. En ik lig dan wel op mijn buik, maar je ziet wel een enorme vetkwab op mijn rug. Omdat ik zo wit ben wordt dat door het zonlicht extra geaccentueerd, en mijn dikte spat gewoon van de foto af. Alsof hij alleen daarom genomen is.

Mijn moeder ziet een schattig zussenmoment tussen haar dochters, maar ik zie alleen hoe ontzettend dik ik ooit geweest ben. Ik verbied mezelf ooit nog te klagen over hoe ik er nu uitzie. Net als ik denk dat het niet erger kan worden, valt me een nieuw detail op. Voor ons ligt een geopende zak chips... en ik reik ernaar. Ik ben doodongelukkig over hoe ik eruit zie, ik durf het strand niet op en heb maar één broek en één jurk om aan te trekken, ik lig naast mijn knappe slanke zusje en ik reik naar de chips! Ik reik naar de chips, ik reik naar de chips, ik reik naar de... Oké. Genoeg. Dit is echt iets wat Ruben nooit zal zien. Ik klap het boek dicht. 'Goed, mam. Laat ze hier maar achter. We zullen zien wat Ruben ervan denkt.' Niks natuurlijk, want ik ga echt nog liever dood dan dat ik ze aan hem laat zien.

Mijn moeder glimlacht. Even voel ik me schuldig omdat zij zo goedgelovig is. 'Prima. Als hij van je houdt, moet hij van alles houden. En ik bel hem nog wel even om te bespreken wat hij ervan vindt. Van Gran Canaria, dus. Niet van jou. Jij bent altijd prachtig.'

Ze geeft me een kus en loopt terug naar de deur. Mijn hersenen beginnen op volle toeren te werken. Ik wilde de albums gewoon weggooien, verbranden, vernietigen. Maar dan komt Ruben er natuurlijk achter en dan moet ik dat weer verklaren. Wat als mijn moeder hem dan de digitale bestanden gewoon mailt? Of hem een cd-rommetje geeft? Dan kan hij alles nog uitvergroot bekijken ook. Niet dat dat nodig zal zijn. Ik moet iets anders bedenken. Ik moet ervoor zorgen dat hij denkt dat ik alles heb laten zien, en de foto's waar ik op sta op slinkse wijze achterover drukken.

Als mijn moeder weg is begin ik meteen te screenen. Omdat ik de foto's zo afschuwelijk vond, heb ik blijkbaar nooit goed gekeken. Van die laatste met Tamara wist ik bijvoorbeeld niks. Ik moet ervoor zorgen dat ik alle foto's van mezelf eruit verwijder. Dat moet ik doen voor hij hier is, wat eigenlijk elk moment kan zijn. En dan moet ik ook nog met het eten verder.

Ik begin ijverig met het verwijderen, maar ik moet het wel netjes doen, anders valt het op. Met een aardappelschilmesje snijd ik heel voorzichtig tegen de rug van het fotoboek het blad in, waarna ik het heel recht eruit kan scheuren. Poeh, het zijn nog best veel bladen. Ik sta er toch nog vaak op, ook al heb ik mijn best gedaan zoveel mogelijk weg te duiken. Soms overweeg ik een enkele foto te laten zitten, maar mijn gezicht ziet er ook zo bol uit. En op die foto hier neem ik nog net een hap ook. Die moet er ook uit. Of, wacht!

Ik sta op. Sneldrogende lijm, dat is wat ik nodig heb. Soms plakt mijn moeder ook zo verschrikkelijk slordig in. Toch jammer dat die bladen dan aan elkaar gaan plakken. En dan net die klodder midden op mijn gezicht, zodat als je de bladen toch van elkaar weet te krijgen, de foto onherstelbaar (en onherkenbaar!) beschadigd is. Ik breng de lijm aan en duw de bladen op elkaar. Het moet wel droog zijn voor Ruben terug is. Mijn haarföhn! Ik ren naar boven en blaas de lijm droog. Ha! Wat ben ik hier goed in.

Ik haal nog een paar foto's uit het boek die er gewoon 'per ongeluk' uitgevallen zijn, verzamel de uitgescheurde bladen, stop ze in de tas en verstop die in mijn kast. Ik ren terug naar beneden. De oven is ondertussen voorverwarmd en de visjes kunnen erin. Wat een timing. Het komt allemaal goed. Ik zet de asperges ook op een klein vuurtje. Ik bak ze in het restant van mijn kappertjessaus, maar ze moeten wel knapperig blijven. Om vlug met de tagliatelle verder te kunnen doe ik heet water in de pan en zet die ook op het vuur.

De fotoboeken zijn misschien een tikkeltje aan de dunne kant geworden, maar dat kan me niets schelen. Het valt Ruben heus niet op dat we drie albums gebruikt hebben voor een hoeveelheid foto's die in één fotoboek gepast had. Ik haal even diep adem en vraag me af of ik misschien alvast een wijntje zal nemen om tot rust te komen.

Op het moment dat ik de tagliatelle in het kokende water doe, gaat de voordeur open en komen Ruben en Bo binnen.

'Hoi Ies,' roept Ruben. Bo wil meteen de achtertuin in en staat te trappelen bij de schuifpui tot Ruben hem weer naar buiten laat. 'Ik ben echt kapot. Dat mens haalt in één keer de leverdatum twee weken naar voren. En dan niet vragen of dat kan, maar het gewoon eisen. Anders hoeft ze de spullen niet meer. Is het nou zo moeilijk te begrijpen dat we niet voor niets een planning hebben? Ik heb net de hele handel alvast voorgelakt, dan hoop ik dat het morgenvroeg droog genoeg is om verder te gaan, want ik heb nog niet eens alle losse elementen af. Wat een trut... Hé, zijn dat de fotoboeken die je moeder zou brengen?'

'Ja!' roep ik boven het lawaai van het fornuis en de afzuigkap uit.

'Mooi zo. Ik ben ondertussen wel aan een vakantie toe... Vond jij het leuk daar?'

'Ach... Het ging wel.'

Het is even stil en ik wacht tot het water weer aan de kook is.

'Wat is er eigenlijk met die fotoboeken gebeurd?' vraagt Ruben dan. 'Dit is echt...'

'Ik weet het niet, ik heb nog niet gekeken,' lieg ik. 'En ik versta je slecht met die herrie hier.'

'Er zitten allemaal bladzijdes aan elkaar geplakt!' schreeuwt hij.

'Goh, echt? Nou ja, dat kan natuurlijk, hè?' Ik zet het vuur van de tagliatelle laag en draai de kookwekker op acht minuten. Dan loop ik naar de kamer. 'Heeft Robin nu al iets losgelaten over Daph?' Ik verander gewoon van onderwerp, dan verliezen die boeken zijn interesse heus wel.

'Nee, nog steeds niet. Ik begin er maar niet meer over. Ze zoeken het zelf maar uit.' Hij bladert nog steeds, voor zover mijn zorgvuldig aangebrachte lijmklodders dat toelaten, door het fotoboek.

'Ja, maar het is toch niet normaal dat ze allebei zo kwaad op elkaar zijn en er verder niets over willen loslaten? Ik vind dat ze uitleg aan ons verplicht zijn.'

'Doe je best met Daphne, zou ik zeggen.' Hij loopt naar de bank en ploft neer.

Natuurlijk heb ik het allang opnieuw bij Daphne ter sprake gebracht. Maar dat is nu juist het probleem, Daphne zegt er ook niets meer over. Hoe ik het ook probeer. Ze herhaalt alleen keer op keer dat Robin een lul is en dat ze hem nooit meer wil zien. Er moet iets heel ergs voorgevallen zijn, anders zou ze dat toch niet zeggen?

'Het is toch niet zo gek dat ik wil weten waarom jouw broer mijn beste vriendin haat?' Ik kan het natuurlijk niet met zoveel woorden zeggen, maar het lijkt me vrij duidelijk dat het aan Robin ligt.

'Je kunt je ook afvragen waarom mijn broer te min is voor jouw vriendin.'

'Hij is niet te min voor haar, dat heeft ze nooit gezegd. Ik weet zeker dat ze hem hartstikke leuk vond. Dat heeft iedereen kunnen zien. Er is iets gebeurd, na of tijdens die date, anders kan ik het niet verklaren.'

Ruben trekt wat kussens achter zich vandaan en zoekt de afstandsbediening van de televisie. 'Hoe dan ook, het is ons probleem niet. Goed?'

Goed? Natuurlijk is dat niet goed. 'Heb je wel echt je best gedaan om iets aan de weet te komen?'

'Het klikt gewoon niet, Isa. Dat kan toch? Wat maakt het uit? Laat het toch lekker zitten.'

Dat probeer ik ook wel, maar het lukt me niet. Waarom doet hij hier nu zo nonchalant over? Toevallig is dit belangrijk voor mij. En voor Daph, dat weet ik zeker. Ik wil terug naar de keuken lopen en het eten afmaken, maar tegelijk moet ik dit nu kwijt. En ik kan me niet inhouden. 'Als Robin geen serieuze bedoelingen had, dan had hij dat wel eerder mogen aangeven.'

'Dus het is automatisch de schuld van Robin? Wie zegt dat het niet andersom is?'

'Ik weet toevallig dat Daphne niet zomaar met de eerste de beste het bed induikt. Misschien dacht ze wel dat hij haar echt leuk vond en heeft hij haar gewoon buiten gezet na afloop.'

'Ja hoor, natuurlijk. Dat is echt typisch Robin. Fijn dat ik nu weet hoe je over mijn familie denkt.' Hij zet de tv aan en staart naar het beeldscherm. Hij ziet niet eens wat er bezig is, anders zou hij wel doorzappen. Of hij moet *Lingo* ineens razend spannend vinden.

'Zo bedoel ik het niet,' antwoord ik. 'Maar ik ken Daph...'

'En ik ken mijn broer en dat is precies waarom ik me er niet mee wilde bemoeien en waarom ik dat koppelgedoe al bij voorbaat niet zag zitten. Nu zijn wij ruzie aan het maken om iets tussen hén.'

'Ja, maar…' Ik zucht. Misschien heeft hij gelijk. Het is iets tussen hen. Ik loop terug naar de keuken. Laat hem maar even afkoelen voor de tv, dan kunnen we straks misschien gezellig aan tafel. Hij heeft het in ieder geval niet meer over de fotoboeken. 'Het eten is over tien minuutjes klaar.'

'Je hoeft niet te veel moeite te doen. Ik heb niet zo'n honger. Robin had pizza besteld omdat het zo lang duurde.'

Ik stop in de deuropening. 'Wát?'

Hij kijkt niet eens weg van de televisie. 'Ik heb al een halve pizza op. Ik heb niet veel honger meer.'

'Nou, bedankt dat je dat even op tijd zegt! Alsof ik geen lange dag gemaakt heb. Ik heb speciaal in mijn pauze boodschappen gedaan om iets lekkers voor jou te maken en dan sta ik me hier uit te sloven en zit jij je gewoon met pizza vol te stouwen?'

'Jeetje, Ies, ik heb je toch niet gevraagd dat te doen? En ik lust heus nog wel iets te eten, hoor. Ik zeg alleen dat je niet te veel hoeft klaar te maken.'

'Het is toch al klaar? Bel dan even op!' De kookwekker gaat en komt maar nauwelijks boven mijn gegil uit. Ik stamp de keuken in en draai driftig alle pitten en de oven uit. 'Dan eten we maar helemaal niet meer!' bijt ik hem toe voor ik kwaad naar boven ga.

Samenwonen is een hel, denk ik terwijl ik met een jankhoofd op onze slaapkamer bivakkeer. Hij zit daar gewoon lekker op zijn gemak televisie te kijken terwijl ik me hier de ogen uit mijn kop aan het huilen ben. Het kan hem niet eens schelen.

Hij zit *Lingo* te kijken en Daph te haten – net als zijn broer – en waarschijnlijk haat hij mij nu net zo erg. Misschien zit hij wel weer lekker met Marleen te sms'en, want ik hoorde net duidelijk dat hij een berichtje kreeg. En nu weer! Hij zit zeker te vertellen wat voor zeur ik ben en hoe leuk en sexy hij haar vindt.

Ik wou dat we een groter huis hadden. En een slaapkamer met tv, zodat ik niet elke beweging hoefde te horen die hij beneden maakt. Ik wilde zelf geen tv op de slaapkamer, maar dat is omdat ik het zo vreselijk sfeerbedervend vind om de televisie aan te hebben in een domein dat bedoeld is voor rust en romantiek. En seks. Toen heb ik echter niet overwogen dat we ooit zo erg ruzie zouden maken dat ik niet meer naar beneden wil en hij niet naar boven.

Dit is nog nooit voorgekomen. Dat we niet meer met elkaar praten. Het duurt nu al uren. Hij moet het toch goed komen maken? Het is toch zeker allemaal zijn schuld? Híj wil niet met Robin praten en híj eet pizza terwijl ik sta te koken en híj heeft een affaire met zijn ex en híj laat mij hier huilend zitten.

En nu... Nu word ik helemaal woest, want ik hoor de deur van de oven! En de schuifdeur van de buffetkast. Hij is gewoon een bord aan het pakken. Ik hoor de besteklade open en dicht gaan! Het is niet te geloven. Míjn eten... Het eten dat ik met liefde voor hem bereid heb, gaat hij nu met een boze kop opeten. Hoe kan hij eten? Ik kan nu echt geen hap door mijn keel krijgen, zo ellendig voel ik me, maar daar heeft hij blijkbaar geen last van. Waarom zou hij ergens mee zitten? Het kan hem geen ruk schelen hoe ik me voel.

Ik sta op en smijt de deur dicht. Ik wil hem niet meer horen. Stomme Ruben. Als hij maar niet denkt dat hij hier mag slapen vannacht.

Wat gaat de tijd langzaam zo. Ik lig mezelf nog steeds op te vreten, starend naar het plafond. Ik denk niet dat Ruben nog naar bed komt vannacht. Ik weet dat ik dat eerst niet wilde, maar ik denk niet dat ik een oog dichtdoe voor het weer goed is. Ik bedoel, het zal toch wel goed komen? Hij zal toch niet bij me weggaan omdat we ruzie om een pizza kregen? Hoe leg ik dat uit aan mensen? Ik zie het al voor me. Tja, we woonden samen en het ging eigenlijk fantastisch, maar toen had hij een keer vóór het eten gesnoept... Waar ben ik eigenlijk mee bezig? Wat ben ik toch ook een idioot. Ik ben zijn moeder toch niet? Stomme Isa. Stomme, stomme Isa.

Ik sta op en leg mijn hand op de deurklink. Wat zou hij aan het doen zijn? Ik durf de kamer niet uit. Wat als hij nu nog steeds heel boos is? Wat als hij niet met me wil praten? Misschien zegt hij wel dat hij naar Marleen wil. Wat als dat nu zo is? De tranen die net gedroogd waren, dringen zich weer op. Waarom ben ik nu zo boos geworden om niks? Dit is nog zinlozer dan het dopje van de tandpasta. Dat draait hij er trouwens altijd weer op. Wat heb ik nu te klagen?

Zal ik naar beneden gaan of niet? Misschien moet ik gewoon afwachten tot hij het uit wil praten. Ik duw de klink voorzichtig naar beneden. Ik kan hier niet tegen. Ik kan geen ruzie met Ruben hebben. Als ik dan degene moet zijn die toenadering zoekt, dan is dat maar zo.

Ik open de deur, loop onze slaapkamer uit en struikel bijna over de lange benen van Ruben die naast de deuropening met zijn rug tegen de muur zit. Hij kijkt naar me op, bijna alsof hij verbaasd is om me te zien. 'Hoi,' zegt hij zacht. Lief.

'Wat zit je hier te doen?' vraag ik. Zijn haar zit helemaal in de war, alsof hij net uit bed komt. Ik heb zin om er met mijn handen doorheen te gaan.

'Ik eh...' Hij haalt zelf zijn hand door zijn haar en maakt het nog warriger. 'Ik zat naar die deur te kijken en me af te vragen of je me af zou maken als ik naar binnen ging.'

Ik voel me helemaal warm worden vanbinnen. Hoe kun je hier nu kwaad op zijn? 'En? Wat denk je?'

Hij haalt zijn schouders op. 'Nou, ik weet het niet. Ik heb natuurlijk een halve pizza gegeten. Dat is niet niks...'

'Sorry,' antwoord ik. 'Ik reageerde echt heel overdreven. Ik weet niet waarom... Ik was gewoon met te veel tegelijk bezig.'

'En ik was bot.' Zijn hand omvat mijn kuit en hij aait zachtjes omhoog terwijl hij zijn hoofd een beetje schuin houdt en me aankijkt. 'Zullen we het goedmaken?'

Ik knik en hij pakt mijn hand vast. Hij kust mijn vingers en mijn handpalm en trekt me langzaam omlaag, naar zich toe. Zijn lippen verplaatsen zich naar mijn pols... mijn onderarm... mijn bovenarm... mijn schouder... Als ik naast hem kniel, slaat hij zijn armen om me heen en begraaft hij zijn gezicht in mijn hals.

'Ben je niet meer boos op me?' vraagt hij.

Ik schud mijn hoofd en nestel me tegen hem aan. Zo blijven we een hele tijd zitten. Midden op de overloop. Tot ik bijna door hem in slaap geknuffeld ben. Dan staan we op om naar bed te gaan en de hele nacht slaap ik dicht tegen hem aan.

15

Het was een typische valkuil, dat zie ik nu in. Het is een paar dagen na onze ruzie en als ik eerder was begonnen in *Waarom vrouwen horen wat mannen niet zeggen* had ik het allemaal kunnen voorkomen. Ruben was moe en zat met zijn hoofd bij zijn werk, waardoor hij zich niet kon inleven in de dingen die mij bezighielden. Als ik had gewacht tot na het eten, had hij de tijd gehad om zijn werkdag van zich af te zetten en had hij opengestaan voor een gesprek. Dan had hij ook begrepen hoe erg ik mijn best gedaan had op het eten en die onhandige pizza-opmerking niet gemaakt. Mannen kunnen al die impulsen nu eenmaal niet tegelijk verwerken. Als vrouw houd ik rekening met een heleboel factoren. De toon van zijn stem, zijn gezichtsuitdrukkingen, zijn lichaamstaal, elke hapering en intonatie wordt opgevangen en geregistreerd. Een man doet dat veel minder. Hij richt zich meer op wat er werkelijk gezegd wordt en kan niet altijd het achterliggende gevoel ontrafelen. Had ik het allemaal maar eerder gelezen. Maar ach, het is weer bijgelegd.

'Isa? Teamoverleg over een halfuurtje?' Hugo steekt zijn hoofd om de hoek van mijn kantoortje. Ik zie al de hele dag iets aan hem, maar kan niet thuisbrengen wat het is.

'Ik heb nog één patiënt na de pauze,' zeg ik. 'Maar als jullie al willen beginnen, spring ik later wel in.'

'Ben je gek? Maya is jouw patiënt, ik wil jou erbij hebben. Ik vraag wel even aan Petra of zij de afspraak kan overnemen.'

'O, maar ik weet niet of ze daar blij mee is, hoor. Die kat heeft een gebruiksaanwijzing.'

'Welke niet? Ik heb nog steeds littekens van Pias.'

'Ik wil haar niet het gevoel geven dat zij mijn rotklusjes moet overnemen zodat ik de interessante ingrepen kan inpikken.'

'Dat gevoel geef jij haar toch niet? Dat is mijn taak. Kom maar op met die gebruiksaanwijzing, dan regel ik het wel met Petra.'

'Het gaat om een Britse Langhaar met kapsones. En ik weet dat katten arrogant kunnen zijn, maar deze slaat echt alles. Ze heet Donna en sinds ik haar ken, weet ik dat katten zichzelf mooi kunnen vinden.'

Hij lacht. 'De kat vindt zichzelf mooi?'

'Als ze loopt, zwiept ze expres overdreven met haar staart zodat haar haren wuiven als in een shampooreclame. Je zou haar moeten zien. Ik heb haar een tijd geleden behandeld voor oormijt en sindsdien kijkt ze me niet meer aan. Het is een verwaand kreng. Soms heb ik zin om haar onder een roesje stiekem kaal te scheren.'

'Isa, niet zo gemeen.'

'Eigenlijk ligt het niet aan de kat. Ze doet me gewoon denken aan de ex van mijn vriend. Het is Marleen in kattenvorm.'

'En die Marleen, is zij toevallig de reden dat je dat boek zit te lezen?'

'O!' Ik leg beschaamd het boek neer. Wat is dat toch dat ik bij Hugo geen enkele behoefte voel om dingen te verstoppen? Hij hoeft niet alles te zien. 'Nee, dit is gewoon... Ik weet het niet, zomaar.'

'Toch geen problemen in het paradijs?'

'Nee zeg!' Ik ga rechtop zitten. 'Het paradijs is perfect. Zoals dat hoort.'

Hugo komt mijn kantoortje binnen en leunt tegen een hoekje van mijn bureau. 'Niets is perfect, Isa. Als je daarnaar streeft, leg je de lat veel te hoog. Daar voldoe je nooit aan. Dingen hoeven niet perfect te zijn om te slagen.'

'Behalve bij het dichtbinden van een ductus, bedoel je?'

'Tja, dan benader je de perfectie wel, inderdaad. Een afwijking van twee graden kan een fatale bloeding aan de aorta veroorzaken.'

'Maar jij kunt het.'

'Ik heb het eerder gedaan zonder iemand te vermoorden.'

'Mag ik je iets vragen, Hugo?'

'Vraag maar raak.'

'Wat doe je hier eigenlijk?'

Hij kijkt me vol verbazing aan.

'Sorry,' stamel ik. 'Ik bedoel het niet zoals het klinkt, maar iemand met jouw opleiding en ervaring? Eerst als internist gespecialiseerd in cardiologie. Daarna als cardiologisch chirurg in opleiding. En dan wat je in Duitsland gedaan hebt. Je hebt jaren ervaring als cardiologisch chirurg in de best aangeschreven klinieken. Ik heb artikelen over je gelezen op internet...'

Hij laat me mijn zin niet afmaken. 'Heb je onderzoek naar mij zitten doen, dokter Verstraten?'

Ik begin te blozen, wat echt helemaal nergens op slaat. 'Ik wilde wat meer informatie over de PDAB en nou ja... Je kunt maar moeilijk om jou heen.'

'Ach, er zijn meer mensen die het kunnen,' zegt hij. Niet op een opzichtige 'kijk mij eens bescheiden zijn'-manier, maar oprecht.

'Dat weet ik.' Verdorie, waarom kan ik de uitknop van die bloosmachine niet vinden? 'Maar die mensen komen niet hier in de kliniek werken.'

Hij haalt zijn schouders op. 'Het is de toko van mijn vader. Ik heb hier als kind rondgelopen vol fascinatie over alles wat hij hier deed. Ik wist al heel jong dat ik dit ook wilde gaan doen. Precies zoals hij. En toen ik dat kon, wilde ik beter worden dan hij. Nu ik me bewezen heb, vind ik het weer tijd om te ontdekken waar het echt om gaat. Persoonlijk contact met mijn cliënten. Vechten voor mijn eigen zaak. Samenwerken met getalenteerde collega's en het beste uit hen halen. Ik heb hier echt nog wel uitdaging, Isa. En prettig materiaal om mee te werken.'

'O. Oké. Zo had ik het nog niet bekeken...'

'Geeft niet. Ik ben blij dat je het vraagt. Je hoeft niet bang te zijn om mij vragen te stellen. Ik waardeer het als mensen dat doen. Als ze durven nadenken en een mening kunnen vormen.'

'En ervoor openstaan deze bij te stellen?'

'Als dat zo uitkomt,' antwoordt hij vriendelijk.

Opeens zie ik wat er met hem is. 'Hugo, draag je geen bril meer?' vraag ik. Zijn bril stond hem goed, maar het gaf hem ook iets autoritairs. Hij ziet er nu veel vriendelijker uit. Zachter. En ook wat jonger.

'O, Ik vond het tijd worden hier een goede lenzenspecialist te zoeken,' antwoordt hij nonchalant. 'Veel handiger, vind ik.'

'Staat je goed,' zeg ik. 'Die bril ook, natuurlijk.'

Hij glimlacht en schrikt op als Petra ons in de hal passeert. 'Petra, heb je een momentje? Ik heb een klein organisatorisch dilemma...' Hij loopt naar haar toe. 'Isa, jou zie ik zo meteen in mijn kantoor?'

'Donna heeft een stressblaas,' zegt Petra als ze zich even later bij ons voegt.

Hugo heeft in grote lijnen de operatie van Maya uiteengezet. Aan de hand van de hartecho heeft hij definitief vastgesteld dat het om PDAB gaat. Hij heeft me veel uitleg gegeven en allerlei tekeningetjes gemaakt om duidelijk te maken wat hij gaat doen. En het knappe aan Hugo is dat hij me toch het gevoel geeft dat ik heel slim ben, terwijl het overduidelijk is dat ik vergeleken met hem echt níéts weet.

Hij laat de echo's nu ook aan Petra zien en vraagt haar wat zij eruit opmaakt. Dat heeft hij net ook bij mij gedaan. De vergroting van de linkerboezem en linkerkamer viel me op. Ik heb namelijk al heel wat uitgezocht over deze afwijking en heb ter voorbereiding echo's van gezonde harten vergeleken met die van harten met dezelfde afwijking als Maya. Daar ben ik nu heel blij om, want daardoor had ik tenminste iets zinnigs te melden.

'Sorry, Hugo,' zegt Petra, 'dit is niet mijn vakgebied. Je zult me moeten bijpraten.'

'Zoals Isa net heel slim opmerkte...' begint hij, wat ik niet zo fijn vind. Hij kan het toch uitleggen en mij erbuiten laten? '... is er een volume-overlading links. Zie je dat? De linkerkamer is daardoor vergroot.'

Petra werpt me een blik toe die weinig te raden overlaat. Ze vindt me een hielenlikker. Is het nu zo raar dat ik dit interessant vind? En toevallig gaat het ook nog om een cliënt die voor mij heel belangrijk is. Dat snapt ze toch zeker wel? Ze zal toch niet denken dat ik alleen probeer bij Hugo in het gevlij te komen?

We spreken nog wat details af met betrekking tot de procedure. Op de ochtend van de operatie is het hier alle hens aan dek. We plannen geen afspraken en we houden Petra vrij voor noodingrepen, mochten die nodig zijn. Er komt een speciale anesthesieassistent, omdat de narcose extra veilig moet zijn. Maya is nog een pup en er zal een stuk van de linkerlong naar achteren geklapt moeten worden om bij het hart te kunnen. Ze zal ook beademd moeten worden omdat bij het openen van de borstkas een klaplong ontstaat. Het effect van de beademing zal dan ook gedurende de hele procedure nauwlettend in de gaten gehouden moeten worden.

'Vivian, jij bent aanwezig in de operatiekamer om ondersteuning te bieden, maar ik wil dat Isa assisteert.'

'Waarom?' vraagt Vivian. 'Ik ben assistente, waarom kan ik het niet doen? Sinds wanneer moeten artsen hier assisteren?'

'Sinds dit geen standaardingreep is, Vivian,' antwoordt Hugo. 'En omdat ik het zeg. Ik ben degene die deze ingewikkelde operatie uitvoert en ik bepaal zelf met wie ik dat doe. Nog vragen?'

Iedereen is stil en ik wrijf even over mijn slapen. Ik voel een hoofdpijn opkomen. Volgens mij heeft iedereen hier vragen, alleen durft niemand ze nu nog te stellen.

'Mooi!' concludeert Hugo. 'Dan wens ik er ook niets meer over te horen. Ook niet in de wandelgangen. We geven Maya nog een paar weekjes de tijd om op de medicatie te reageren en wat aan gewicht te winnen en dan gaan we ervoor!'

Hij geeft een knikje ten teken dat we mogen gaan en ik loop naar mijn eigen kantoortje terug. Gelukkig geen lastige ingrepen meer vandaag. Alleen wat papierwerk en telefoontjes.

'Hé Isa, heb je even?' vraagt Petra.

'Ja, natuurlijk. Het gaat zeker over Donna?'

Ze komt de kamer in en doet de deur achter zich dicht. 'Onder andere. Maar dat niet alleen.'

'Luister Petra, ik snap het helemaal dat je het vervelend vindt dat jij voor het blok werd gezet om de afspraak over te nemen, maar het was niet mijn idee. Ik wilde het zelf doen, maar Hugo wilde meteen met het overleg beginnen en hij vond dat ik erbij moest zijn.'

'En ik ben niet van belang?'

'Natuurlijk wel! Sorry Petra, het zal niet meer gebeuren, oké?'

'Weet je dat zeker? Want ik vind het niet zo eerlijk als alle interessante gevallen hier automatisch naar één persoon gaan. De oude dokter Smulders had nooit...'

'Petra, sorry dat ik je onderbreek, maar dat is gewoon niet waar. Niet alles gaat automatisch naar mij. Hugo heeft zelf gezegd dat iedereen zijn steentje moet bijdragen als hij gaat opereren.'

'Ik ben gewoon op de reservebank gezet! Ik mag een beetje rondlummelen voor het geval er een spoedeisende kwestie voorvalt, terwijl jij er straks met je neus bovenop staat.'

'Waarom heb je dat net niet gezegd? Hugo vroeg of iemand iets te zeggen had en dan is iedereen stil.'

'Het gaat mij niet om Hugo. Ik bespreek het met jou omdat ik het idee heb dat jij het ook allemaal heel normaal vindt.'

'Nou... Maya is mijn patiëntje, of niet?'

'Maya is een paar weken oud. Ze had bij iedereen langs kunnen komen. Je hebt gewoon geluk gehad.'

'Ik ken de familie De Vries al jaren! Waar gaat dit nu echt over? We hebben nog nooit ruzie gemaakt om een behandeling, Petra. Dit slaat nergens op.'

'Waar het om gaat, Isa, is dat iedereen hier ziet dat het tussen jou en Hugo nogal goed klikt en dat is jullie zaak. Maar als het hier de hele dag onderwerp van gesprek is en het ook tot voorkeursbehandelingen gaat leiden...'

'Er is niets tussen Hugo en mij!'

'Zei ik dat dan? Maar het zegt wel wat dat je het meteen ontkent.'

'Wat? Jij legt me woorden in de mond! Ik heb een vriend waar ik heel gek op ben, dat weet je. Mijn interesse in Hugo is puur beroepsmatig en ik begrijp niet waarom iedereen doet alsof er iets anders aan de gang is.'

'Als iedereen het zegt, zou er dan geen kern van waarheid in zitten?'

'Nee! En weet je? Ik hoef me niet te verantwoorden aan jou. Aan niemand hier. Maya is mijn patiëntje, ik heb de vorige hond van die familie jarenlang behandeld en ik doe nu geen stap terug. Als je daar problemen mee hebt, bespreek je ze maar met Hugo.'

'Je zou blij moeten zijn dat ik het met jou persoonlijk bespreek. De rest hier durft het alleen achter je rug te zeggen!' Petra draait zich om en loopt mijn kantoor uit. Ik ga zitten en nu, op dit moment, mis ik Stijn echt verschrikkelijk. Hij zou wel weten wat ik hiermee aanmoest. Ik haal even diep adem. Ik ga Ruben bellen!

De telefoon gaat lang over, maar soms hoort hij het niet meteen als hij de machines aan heeft staan. Ik laat de telefoon uitrinkelen, krijg zijn voicemail, druk die weg en bel meteen opnieuw. Ik moet hem spreken. Ik moet iemand spreken, want anders flip ik.

Vlak voor zijn voicemail neemt hij gelukkig op. 'Hé schatje, hoe is het?' vraagt hij lief. Alle boeken die beweren dat mannen niet invoelend kunnen zijn, hebben het mis, want hij klinkt alsof hij precies weet dat ik een luisterend oor nodig heb.

'Helemaal niet goed,' steek ik van wal. 'Ik heb net een enorme aanvaring met Petra gehad en iedereen blijkt hier over mij te roddelen.'

'Ik dacht dat je goed met Petra op kon schieten.'

'Dat dacht ik ook. Maar dat was vóór Hugo mij gevraagd had te assisteren bij de operatie van Maya en iedereen opeens vindt dat ik voorgetrokken word.'

'Isa, je trekt je veel te veel aan van wat anderen van je denken. Laat ze allemaal lekker kletsen en doe gewoon wat je altijd doet.'

'Ja. Dat probeer ik ook. Maar daarmee kom ik juist in de problemen, want alles wat ik doe of zeg wordt opgevat alsof ik het doe om Hugo te paaien. Ik verdiep me altijd in mijn patiënten, toch? En dit is technisch gezien echt een moeilijke ingreep. Is het nu zo raar dat ik mijn best doe om er wat vanaf te weten?'

'Nee, natuurlijk niet. Waarom maak je je zo druk?'

'Nou, gewoon. Ik vind het niet leuk. Jij zei laatst ook al dat je dacht dat ik Hugo zag zitten.'

'Dat is waar. Maar toen heb je toch ook meteen het tegendeel bewezen?'

'Ja, maar dat kan ik niet bij iedereen hier doen, toch?'

Ruben lacht. 'Liever niet, nee. Weet je, zolang je niet op je werk hebt rondgebazuind dat je hem zo lekker gespierd vindt, is het niet jouw schuld, oké?'

'Natuurlijk heb ik dat niet gedaan!' Zoiets zou ik alleen tegen Stijn zeggen.

'Goed. Laat ze dan maar lekker lullen. Oké?'

'Ja, oké.'

'Ik moet weer even verder. Ik zie je thuis.'

'Ja.' Eigenlijk heb ik geen zin om op te hangen. Kan ik niet gewoon met Ruben blijven kletsen tot ik naar huis mag? 'Hé, wat is dat voor geluid?'

'Welk geluid? Bo is hier aan het ravotten met een stuk touw.'

'Nee, dat bedoel ik niet. Het leek een gsm of zo.'

'O. Er lopen ook twee klanten rond.'

'Nou, ga er maar snel heen om ze wat te verkopen...' Ik houd abrupt mijn mond. Ik hoorde een stem. Ik hoorde heel duidelijk een vrouwenstem die haar gsm opnam en ze zei twee woorden: 'Met Marleen.'

'Ruben, is er verder nog iemand daar?'

'Nee. Hoezo?'

O god, waarom zegt hij nou niet gewoon de waarheid? Waarom moet hij het nu ontkennen? 'Ik dacht een bekende stem te horen.' En ik hoor haar nog steeds. Ik denk dat ze wegloopt, want het geluid zwakt af, maar ik ken de stem van Marleen. Ik kan haar nog horen gillen dat ik van Ruben af moet blijven.

'Nou, ik weet niet of jij ze kent, maar ik heb die mensen nooit eerder gezien. Maar ik moet nu echt ophangen, schatje. Tot straks en niet meer piekeren. Het waait vanzelf over.'

'Tot straks.' Ik krijg bijna geen geluid meer geproduceerd, maar Ruben merkt het niet en hangt op. Ik staar even naar het telefoontje in mijn hand. Marleen is dus bij Ruben. Nu, op dit moment. En dat wil niet zeggen dat er iets gebeurt wat niet door de beugel kan, dat besef ik heel goed, maar hij liegt erover. En liegen is gewoon... Dat kan niet. Ik merk dat ik helemaal sta te trillen. Alsof het tien graden vriest en ik in mijn blootje buiten sta.

De eerste paar seconden loop ik als een kip zonder kop heen en weer. Van het raam naar de deur en weer terug. En dan word ik opeens heel helder. Ik trek mijn witte jas uit, pak mijn tas en zoek mijn autosleutels.

'Hugo, ik moet dringend even weg,' meld ik als ik langs zijn kantoor loop.

'Is er iets aan de hand? Je bent lijkbleek. Voel je je wel goed?' Hij staat op van zijn bureaustoel, maar ik ben al bijna bij de zijuitgang als hij in de hal verschijnt.

'Niets ernstigs,' antwoord ik. Ik loop naar buiten. Nu maar hopen dat het ook echt zo is.

Eerst uitgekafferd worden door je collega en daarna voorgelogen door je vriendje is niet bepaald bevorderlijk voor je rijstijl. Maar als ik eenmaal in de auto zit en hem met knikkende knieën uit het parkeervak weet te manoeuvreren, denk ik dat ik het wel red.

Maar wat ga ik nu doen als ik daar aankom? Sluip ik naar binnen? Blijf ik buiten op de uitkijk staan? Wat verwacht ik eigenlijk

aan te treffen? Wil ik dit nu wel echt weten? Het liefst zou ik mijn
kop in het zand steken en naar huis gaan. Alle redenen opnoemen
waarom het onmogelijk is dat Ruben iets met een ander heeft. Marleen is toch onderhand wel een gepasseerd station voor hem? Aan de
andere kant was het ook onbespreekbaar voor hem om zijn oude
sportmedailles weg te doen. Wat als hij over alles nostalgisch is?

Alleen de auto van Ruben staat voor de zaak geparkeerd. Dat verbaast me op zich niets. Als Marleen niet betrapt wil worden, zet ze
de hare natuurlijk niet voor de deur. Ik ga naar binnen. De showroom is leeg, op Bo na, die in een hoekje ligt te tukken maar meteen
opspringt als hij mij ziet. Terwijl ik hem aai en vraag of hij alsjeblieft
aan mijn kant wil staan en wil verraden waar die trut zit, komt
Ruben uit de werkplaats gelopen.

'Isa!' Hij kijkt op zijn horloge. 'Wat doe jij hier?'

Ik loop naar hem toe. 'Je schrikt toch niet?'

'Eh... nee, maar moet je niet werken?'

'Dat zou je wel verwachten, hè?'

Ik loop langs hem heen naar de werkplaats. 'Waar is Robin?'

'Die moest iets afleveren. Kom je voor hem?'

Ik loop een rondje. Ze kan zich hier moeilijk verstoppen. Achter
een machine of onder een werkbank valt nogal op. Of ze moet in een
keukenkastje gekropen zijn, tussen het gereedschap. 'Dus je bent
hier helemaal alleen?'

'Yep.' Hij loopt naar me toe. Ik bekijk hem nauwkeurig. Staat zijn
gulp open? Heeft hij lippenstift op zijn gezicht of in zijn nek, misschien een verdwaalde lange, blonde haar op zijn shirt? Marleen is
hier of ze is hier geweest. Hij heeft alle gelegenheid gehad, alle gelegenheid om het te doen. Waarom zou hij het niet gedaan hebben?

'Ik snap het al,' zegt hij. 'Jij zit echt vol goede ideeën de laatste
tijd.' Hij legt zijn handen op mijn heupen en trekt me langzaam naar
zich toe. Hij kust me, terwijl ik weet dat hij net tegen me gelogen
heeft en het misschien nog steeds doet. Ik weet ook dat de kans bestaat dat hij me bedriegt. Het wordt zelfs steeds aannemelijker. Maar
hij kust me en een deel van mij kan het niet schelen als dat zo is. Als
hij maar bij me blijft. Als het maar altijd zo blijft.

Dus kus ik hem terug en sla ik mijn armen om zijn nek en probeer
ik er niet aan te denken. Maar dan is er nog dat andere deel van mij.

En dat deel kan hem niet delen met iemand anders. Ik duw hem van me weg.

'Wat is er?' vraagt hij met een sexy glimlachje. 'Ben je opeens bang dat er iemand binnenkomt? Het is altijd heel rustig rond deze tijd, hoor. Er komt geen kip meer. En als dat wel zo is, horen we Bo nog en hier hangt toch dat lampje? Dat gaat aan als de deur opengaat. Niet dat ik van plan ben me op dat lampje te blijven concentreren.' Hij buigt zich weer naar me toe.

Ik weer hem af. 'Dat is het niet, Ruben. Ik moet je iets vragen. Het is heel belangrijk en ik wil dat je eerlijk bent, hoe erg het antwoord ook is. Ook als je denkt dat het niet is wat ik wil horen, want als je eerlijk bent, kunnen we erover praten. Maar als je liegt... als ik er dan achter kom, Ruben, dan is het echt... dan is het...' Moet je nu horen! Ik kan niet eens zeggen dat het dan einde oefening is. Ik kan niet eens dreigen dat ik bij hem wegga. Die mogelijkheid bestaat niet eens in mijn brein.

'Isa, waar heb je het over?'

'Heb je iets met Marleen?' Daar! Het is eruit. Ik heb het gevraagd. En nu staart hij me aan alsof hij geen woord begrepen heeft van mijn vraag. Alsof ik plotseling Chinees ben gaan praten. Wat niet zo is. Daar ben ik vrij zeker van.

'Heb ik iets met Marleen? Jezus, Isa...'

Dat is geen antwoord! Dat is geen antwoord. O! Hij kan gedachtelezen. 'Dat is geen antwoord.'

'Nee! Het antwoord is nee. Ik heb niets met Marleen. Op geen enkele wijze heb ik iets met Marleen.'

'Waarom kijk je dan zo paniekerig?'

'Nou, de laatste keer dat je dat dacht, heb je me wekenlang genegeerd en wilde je niet meer naar me luisteren.'

'De laatste keer, Ruben... dácht ik toen alleen dat je iets met haar had of was je toen per ongeluk ook met haar naar bed geweest? Want in mijn optiek valt dat binnen de reikwijdte van "iets hebben met". En als dat nu weer zo is, dan moet je het zeggen en dan valt er misschien iets te redden, maar anders...' Ik kan niet meer uit mijn woorden komen en begin opeens voluit te janken.

Hij grijpt me bij mijn bovenarmen vast en rammelt me door elkaar. 'Ik heb niets met Marleen!'

'Zeg het nou eerlijk, alsjeblieft Ruben, ik hoorde haar toch? Ik hoorde haar stem.' Ik ben toch niet gek aan het worden? Ik heb het toch niet allemaal ingebeeld?

'Je hoorde een klant. Er was hier een klant. Een echtpaar, en zij nam haar telefoon op en je moet me geloven, Isa, als ik zeg dat ik níéts met Marleen heb. Nooit meer. Ik laat haar nooit meer tussen ons komen. Er is geen enkele manier waarop ze dat ooit nog kan, hoor je me?'

Ik kijk naar hem en hij ziet er zó eerlijk uit. Ik wil hem geloven. Misschien heette de vrouw die hier was toevallig ook Marleen en heeft ze een soortgelijk stemgeluid. Misschien heeft Stijn wat hij dacht te horen niet goed verstaan. Misschien zien we allebei spoken en dat zou ik heerlijk vinden, want ik wil Ruben geloven. Ik kíés ervoor om hem te geloven, want als ik dat niet doe... als ik dat nu niet zou doen, dan kan ik niet bij hem blijven en ik wil niet bij hem weg. Dat wil ik niet. Dat doe ik niet...

'Echt Iesje...'

... want hij noemt me Iesje. Niemand doet dat. Ik heb iemand nodig in mijn leven die me Iesje noemt.

'Je weet het toch wel? Er is niemand anders.'

'Beloof je dat? Zweer je dat?'

Hij kijkt me recht aan en trekt me naar zich toe. Hij neemt mijn gezicht tussen zijn handen en zijn voorhoofd rust tegen het mijne. 'Dat doe ik.'

Je moet toch in en in slecht zijn om op deze manier te kunnen liegen? En ik weet dat hij dat niet is. 'Oké. Dan geloof ik je.'

16

Ik weet niet of ik hem echt geloof. Ik heb me voorgenomen hem te geloven, maar daarmee is dat niet meteen ook werkelijk zo. En ik denk dat hij dat wel doorheeft. Eigenlijk gaat hij er ook met de minuut schuldiger uitzien. Toen we op de werkplaats waren, wist hij het zo te brengen dat ik meteen overtuigd was. De feiten kunnen dan voor zich spreken, maar ik kan toch zeker zelf wel beoordelen of mijn eigen vriendje de waarheid spreekt, of niet soms? Maar als ik dat nu zou moeten beoordelen, weet ik niet wat de uitkomst zou zijn.

We zijn al eventjes thuis en de stilte tussen ons wordt steeds ongemakkelijker. Het is heel anders dan de stiltes die normaal tussen ons vallen. Die waarin woorden overbodig zijn omdat we allebei volkomen op ons gemak zijn bij elkaar. Of in mijn geval: bijna volkomen op mijn gemak. Dit is niet zo'n stilte. Deze stilte schreeuwt in mijn gezicht dat er iets niet goed zit en ik moet me heel erg concentreren om het niet te horen. Dat wil natuurlijk niet lukken. Ik doe mijn best, met mijn studiemateriaal voor de PDAB voor mijn neus. Ik heb meestal geen moeite me te concentreren met geluiden om me heen. Tijdens mijn studie zat ik te leren in een overvolle kantine. Of thuis aan de eettafel terwijl mijn ouders visite hadden. Geen enkel probleem. Maar deze stilte is het hardste geluid dat ik ooit gehoord heb en ik neem geen woord van wat ik lees in me op. Het blijft gewoon niet hangen, want ik kan alleen maar denken aan wat Ruben tegen me zei terwijl ik er steeds meer van overtuigd raak dat ik echt gehoord heb wat ik denk gehoord te hebben. Ik beeld me niet zomaar in de stem van Marleen te horen en ik kan niet geloven dat hij doet alsof het gewoon een klant was die praatte. We weten allebei dat het niet zo is. Ik zie aan hem dat hij steeds meer moeite heeft om zich normaal te blijven gedragen. Nu bijvoorbeeld, heeft hij een denkrimpel op zijn voorhoofd die daar heus niet zit vanwege de intelligente programma's die hij op tv aan het volgen is.

Ruben ligt languit op de bank en hij zapt ongedurig van zender naar zender. Soms blijft hij even ergens hangen, maar nooit langer dan vijf minuten. Of hij zapt weer naar teletekst. Het stoort me enorm, maar het is nog altijd beter dan toen we een gesprekje probeerden gaande te houden om niet te laten merken dat we allebei aan het piekeren zijn. Hij heeft natuurlijk best in de gaten dat ik weet dat het niet in de haak is. Het is overduidelijk dat hij probeert in te schatten of hij het zo moet laten in de hoop dat het overwaait, of dat hij er toch op terug moet komen om zwakke punten in zijn verhaal geloofwaardiger te maken. Ik weet zelf ook niet wat ik liever heb. Kan ik het wel hierbij laten? Dat hij doet alsof ik gek ben? Ga je zo om met iemand van wie je zegt te houden?

'Isa...' zegt Ruben.

Ik schrik op, ook al zat ik maar een beetje voor me uit te staren.

'Ik... eh... Wil je iets drinken?'

Ik schud mijn hoofd en houd mijn blik strak op de papieren voor me gericht. Persisterende Ductus Arteriosus Botalli, Persisterende Ductus Arteriosus Botalli, Persisterende Ductus Arteriosus Botalli... Als ik me alleen focus op de cadans van deze woorden en niet nadenk, kan ik sterk blijven. Ik wil niet weer in tranen uitbarsten. Ik moet sterk genoeg zijn om niet omgeluld te worden als hij met nog een opzichtige leugen komt. Ik wil de moed hebben om tegen hem te zeggen dat ik weet dat hij liegt en dat ik het niet accepteer.

'Gaat het wel met je?' gaat hij voorzichtig verder. Vanuit mijn ooghoeken zie ik hem overeind komen, maar ik probeer niet op hem te letten. 'Je lijkt niet helemaal jezelf en... ik weet niet, vind je dat we nog moeten praten of zo?'

'Ik ben aan het studeren, Ruben. Vind jíj dat we nog moeten praten?'

'Ik weet het niet. Misschien. Misschien wel, ja.'

Ik laat mijn potlood vallen en staar nog steeds naar het tafelblad terwijl ik de tranen probeer weg te dringen. Ik wist het. Ik wist dat het waar was en nu komt het allemaal uit. Nu stort alles in en er is niets dat ik ertegen kan doen.

'Misschien is er iets dat ik je moet vertellen over Marleen, maar...' Ruben wordt onderbroken door de bel. Er gaat iets van opluchting door me heen bij de gedachte dat we dit nog even uit kunnen stellen, maar Ruben lijkt dat niet van plan te zijn. 'Je moet weten dat alles wat ik vanmiddag gezegd heb echt waar is…'

'De bel ging,' zeg ik. Terwijl ik opsta wordt er weer aangebeld.

'Nou en? Dit is even belangrijker.'

'Het is je broer. Zijn busje staat voor de deur. We kunnen Robin niet aan de deur laten staan.' Ik loop naar de voordeur, maar sta dan even stil. 'Dus ze was er wel, vanmiddag? Marleen was bij jou?'

'Isa,' zegt Ruben gefrustreerd, 'het is niet wat jij denkt dat het is en de enige reden dat ik er niet eerder iets over gezegd heb, is omdat ik bang was dat jij toch zou denken dat er iets anders gaande was en dat is niet zo, dat moet je geloven en daarom wil ik het toch uitleggen, maar dan moet jij ook echt luisteren naar wat ik zeg en niet allerlei conclusies trekken…'

Ik hoor hem praten, maar voor mij zijn het allemaal onsamenhangende woorden. Alsof ik stilsta en de rest van de wereld aan me voorbijraast zonder dat ik er deel van uitmaak. Ik probeer mijn gedachten te ordenen, maar kan maar tot één conclusie komen: ze was er dus wel. Dan gaat de bel weer en ik doe open. 'Hoi Robin, sorry dat het zo lang duurde.' Ik zet een stap opzij zodat hij erlangs kan.

Hij geeft me een kus op mijn wang in het voorbijgaan. 'Ik zou normaal gesproken niet zo opdringerig zijn, maar ik moet iets belangrijks bespreken met Ruben.'

'Jij ook al?' zeg ik vreugdeloos. 'Hij heeft het er maar druk mee.'

We lopen de huiskamer in, waar Ruben is opgestaan. 'Robin, hé, je komt eigenlijk een beetje ongelegen.'

'Ik ben zo weer weg,' antwoordt Robin. 'Als jij me hebt uitgelegd waar dit op slaat.' Hij wuift met een stapeltje papier dat in tweeën gescheurd is. 'Sinds wanneer neem jij dit soort beslissingen in je eentje, zonder zelfs maar met mij te overleggen? Weet je wel hoeveel geld je hiermee wegsmijt? Ik weet niet hoe het met jou zit, maar ik kan wel een meevallertje gebruiken!'

'We hebben dat niet nodig, Robin. We hebben opdrachten genoeg en we redden ons wel.'

'We hebben helemaal geen opdrachten genoeg. We hebben net genoeg om het te redden, maar het is geen vetpot, dat weet jij net zo goed als ik. We leven van het keukenkastje van mevrouw X naar het eettafeltje van meneer Y en we houden ons hoofd boven water, maar dit...' Hij wappert de papieren heen en weer. 'Dit zijn flinke bedragen, Ruben. Hiermee kunnen we een klapper maken als we het goed aanpakken en jij gooit het in de prullenbak nog voor ik het gezien heb?'

'Sinds wanneer snuffel jij door de prullenbakken?' vraagt Ruben. Hij werpt een zijdelingse, ietwat schichtige blik op mij. Alsof hij niet wil dat ik dit hoor. Blijkbaar heeft hij nog meer geheimen voor me.

Robin ziet het ook. 'Ik snap het al. Heb jij dit soms verboden, Isa? Snap je dan niet wat het ons kan opleveren?'

'Ze weet er niets van, Robin!' zegt Ruben. 'Ik heb niemand iets verteld, ik ben degene die het niet wil.'

Ik ben inmiddels totaal in de war. 'Kan iemand mij misschien uitleggen waar dit over gaat?'

'Dit...' zegt Robin terwijl hij de papieren weer de lucht in steekt, 'is onze grote kans. Het is een contract waarmee we tienduizenden euro's kunnen verdienen. We hoeven maar onze handtekening te zetten en we lopen binnen.'

'Het is lopendebandwerk,' antwoord Ruben. 'Juist wat we níét willen. Zij bepalen wat we moeten maken. Met duizenden exemplaren tegelijk.'

'Precies. En wij worden daar rijk van. Wat maakt het uit? Nu gehoorzamen we toch ook aan de grillen van de klant? Ditmaal is de klant een winkelketen. Ik wil daar best mijn creativiteit voor opzij zetten.'

'Ik ga naar niemands pijpen dansen,' snauwt Ruben. 'Zeker niet naar die van haar. Ik doe het niet, Robin. Sorry, we moeten maar op een andere manier rijk zien te worden.'

'Dit is vanwege Isa, nietwaar? Je bent bang dat zij er niet mee om kan gaan dat dit aanbod van Marleen afkomstig is.'

'Van Marleen?' herhaal ik.

Ruben zucht. 'Ze was vanmiddag op de zaak om dat stomme contract af te geven, Isa. Ze zeurt me er al wekenlang over aan mijn kop. Ze belt me de hele tijd, ze mailt me, ze doet alles om duidelijk te maken dat dit de kans van mijn leven is...'

'Wat ook zo is!' roept Robin. 'Heb je dit eigenlijk wel doorgelezen, man?'

'Dat hoef ik niet, want ik heb geen interesse.' Hij kijkt mij aan. 'Isa, het spijt me. Ik had het eerder moeten zeggen, maar ik dacht dat als ik haar af kon wimpelen, ik jou ook niet ongerust hoefde te maken.'

'Het ging om iets zakelijks?' vraag ik. 'Al die tijd ging het gewoon om iets zakelijks?'

Hij kijkt me verward aan. 'Al die tijd? Je wist het al langer?'

'Al die geheimzinnige telefoontjes, de sms'jes, de mailtjes die je wegklikte, dat zij vanmiddag bij je was... Dat ging allemaal over dat contract?'

Hij knikt.

Ik ben er helemaal duizelig van. Ik weet niet of ik opgelucht moet zijn of boos omdat hij me zo heeft laten lijden terwijl er niets aan de hand was. 'Weet je wel wat ik me allemaal in mijn hoofd gehaald heb?'

'Ik wist niet dat jij het wist, waarom heb je niet eerder iets gezegd?'

Robin komt tussenbeide. 'Isa, ik snap dat jij moeite hebt met Marleen, maar jij ziet toch zeker ook wel dat dit te mooi is om te laten schieten?'

'Ik snap niet hoe Marleen ineens in de positie is om jullie zo'n werelddeal te bieden,' antwoord ik.

'Ze leidt sinds kort de inkoopafdeling van een interieurwinkel,' legt Ruben uit.

'Niet zomaar een winkel,' vult Robin aan. 'Van DecoTrend.'

'Maar die zitten door het hele land!' roep ik vol verbazing uit.

Robin knikt. Zijn ogen fonkelen. 'Zie je nu hoe groot dit kan worden? Als dit aanslaat, worden we een hit. We zetten Zuidhof en Zonen landelijk op de kaart.'

'Robin, denk nu eens even na,' zegt Ruben. 'We moeten met z'n tweeën voor tientallen filialen een meubellijn produceren. Dat betekent massaproductie. Dat betekent onze naam op meubels die te snel geproduceerd worden, van waarschijnlijk twijfelachtig materiaal om de kosten te drukken. We kunnen nooit kwaliteit leveren zoals we dat nu doen. Wat gebeurt er met onze eigen visie als we dat gaan doen?'

'Is dat belangrijk als iedereen straks een Zuidhof en Zonen thuis heeft staan?'

'Een krakkemikkige Zuidhof en Zonen. En allemaal dezelfde? Kom op! Het wordt meuk!'

'Dat hoeft het niet te worden. We hebben zelf ook iets in te brengen. We vinden wel een middenweg. We moeten misschien nog even uitdenken hoe precies, maar dit gaat door, Ruben. Dat staat vast. Jij mag dan de oudste zijn, maar ik heb ook iets te zeggen. Zuidhof en Zonen bestaat uit meer dan één zoon! Isa, zeg jij eens wat!'

'Misschien moeten jullie met haar gaan praten,' zeg ik. 'Samen. Allebei. Tegelijk.'

Ruben kijkt me aan alsof ik hem vraag zijn ziel te verkopen. 'Robin, ik moet even met Isa praten.' Hij legt zijn hand onder aan mijn rug en duwt me richting de keuken. 'Wil je dat echt?' vraagt hij als hij de keukendeur achter ons heeft gesloten. 'Wil je dat ik met haar ga praten, dat ik in zee ga met haar, dat ik uren per dag met haar doorbreng om die meubellijn op te zetten, dat zij onderdeel wordt van ons dagelijks leven? Wil je dat echt, Isa?'

'Zo klinkt het niet echt aantrekkelijk, maar...'

'Geen maar! Het is een stom idee. Ik was van haar af en op deze manier krijgt ze weer macht over me!'

'Ruben, ben je soms bang dat je weer iets voor haar gaat voelen? Dat je de verleiding niet kunt weerstaan als je steeds bij haar in de buurt bent?'

'Nee, natuurlijk niet.'

'Wat is dan het probleem?'

Hij kijkt me met grote ogen aan. 'Heb je me niet gehoord net?'

'Afgezien van wat de deal inhoudelijk behelst, heeft Robin waarschijnlijk gelijk. Daar komen jullie wel uit en dit kan het bedrijf echt op de kaart zetten. Zie het als een opstap. Als het eenmaal loopt, hebben jullie DecoTrend helemaal niet meer nodig. Wat is het probleem dat je met Marleen hebt?'

Hij is even stil. 'Jij,' zegt hij daarna. 'Ik wil dat jij gelukkig bent. Ik wil niet dat je je de hele tijd afvraagt wat ik aan het doen ben en of zij daarbij is. Jij bent belangrijker voor mij dan al het geld in de wereld en ik zal je eerlijk zeggen dat ik bang ben om jou kwijt te raken als ik weer contact heb met haar. Daarom durfde ik je er niets over te vertellen. Ik was bang dat je elk woord, elke beweging verkeerd zou interpreteren.'

'Als jij eerlijk tegen mij bent, valt er niets verkeerd uit te leggen.'

'Dus jij gelooft mij als ik zeg dat ik niets meer met haar wil? En als ik straks met haar moet samenwerken, verandert dat niet?'

Ik denk daar even over na. 'Niet als er voor jou niets verandert. Je hebt zelf eens gezegd dat je een zwak voor haar hebt.'

'Had. Dat was voor ik jou kende.' Hij glimlacht. 'Isa, toen ik verliefd werd op jou, werd alles anders.' Hij neemt mijn handen in de zijne. 'Je geloofde toch niet echt dat ik iets met Marleen had?'

Ik schud mijn hoofd. 'Niet echt... maar ergens knaagde het wel en toen begon je ook nog te liegen.'

'Het spijt me. Dat zal ik nooit meer doen. En ik zal je nooit bedriegen. Je hoeft niet bang te zijn voor Marleen.' Hij drukt zijn lippen op de rug van mijn hand. 'Je hebt niets van haar te vrezen. Van niemand. Jij bent het voor mij en je moet naar me toe komen zodra je denkt dat het anders zit. Dan kan ik jou ervan overtuigen dat ik alleen jou wil, zoals jij dat bij mij gedaan hebt.' Hij trekt me dicht tegen zich aan en kust me zacht. Mijn knieën voelen zo slap dat ik me erover verbaas dat ik nog rechtop sta. Ik voel me trillerig over mijn hele lijf. Ik raak hem niet kwijt. Hij houdt nog steeds van mij. Het is echt waar. Ik moet vanavond meteen Stijn mailen om het hem uit te leggen. Maar eerst sla ik mijn armen om Rubens nek en kus ik hem vol overgave terug.

'Hé jongens,' zegt Robin terwijl hij in ons gezichtsveld komt staan. 'Hier ga ik niet op staan wachten, ik heb meer te doen. En zo te zien komen jullie er wel uit samen. Ik wilde even zeggen dat ik morgenvroeg, zodra ik mijn ogen open heb, Marleen ga bellen om dit recht te zetten.'

'Robin, wacht! Ik bel haar wel. Ik wil weten waar we mee akkoord gaan en ik wil dit eerst eens lezen.' Ruben wil het verscheurde contract afpakken, maar Robin houdt het stevig vast.

'Hoe weet ik dat je het niet weer gaat verpesten?'

'Dat doe ik niet. Ik wil precies weten hoe het zit en dan kom ik naar de zaak en beslissen we samen wat we doen. Oké?'

Robin laat de papieren los. 'Daar hou ik je aan.'

17

Ruben werkt samen met Marleen. Het is sinds een paar weken een feit. En ik heb daar totaal geen probleem mee. Geen enkel probleem. Nee, echt niet. Ik voel me volkomen zeker en veilig in mijn relatie. Het is me ontzettend meegevallen hoe het allemaal gegaan is. Ik weet natuurlijk best dat Marleen zal proberen hier haar voordeel mee te doen. Ik ben niet gek of zo. Natuurlijk zal ze deze nieuwe samenwerking gebruiken om zoveel mogelijk tijd met Ruben door te brengen. Om inbreuk te maken op mijn tijd met hem. Maar het punt is dat Ruben zich daar net zo bewust van is als ik en daardoor zal het haar niet lukken. Ik vertrouw hem en dat zal ik hem bewijzen. Bovendien: hij geeft me geen reden om ergens over in te zitten.

'Wat ben je aan het doen?' vraagt Floor.

Ik schrik even op uit mijn gedachten. We zijn onderweg naar een soort negenmaandenbeurs. Floor moet haar ogen op de weg houden, maar probeert toch een blik te werpen in mijn boek. Ik heb mijn werkboek voor een stabiele relatie op schoot en ben bezig een van de testjes in te vullen. Floor moet hardop lachen.

'Toevallig kun je hier heel nuttige informatie uithalen,' verweer ik me.

Floor lacht harder en Daphne buigt zich vanaf de achterbank over me heen om het boek van mijn schoot te grissen. 'Eens kijken,' mompelt ze terwijl ze wat heen en weer bladert. 'Ha! Moet je horen! Hier staat: *wat beschouw je als het meest waardevolle aspect in jullie relatie?* En we hebben de keuze uit drie antwoorden. Raad eens wat Isa gekozen heeft, Floor. Antwoord a: *de spanning en het onverwachte. We vervelen ons nooit samen en elke dag is een nieuw, groot avontuur.*'

'Nou, die in elk geval niet!' antwoordt Floor.

Ik kijk haar boos aan. 'Ik zit tenminste niet aan de bank vastgeroest, zoals iemand anders in deze auto.'

'Hallo! Ik ben wel zwanger, ja! Weet je wel hoeveel energie dat vreet?'

'Jongens!' roept Daphne. 'Antwoord b: *onze open communicatie. Alles is bespreekbaar en ik kan mijn intiemste gedachten met hem delen.*'

'Hmm,' zegt Floor.

'Wat nou, hmm?' vraag ik. Niet te geloven dat ze niet ziet dat dit het juiste antwoord is. 'Ik kan heus wel mijn intiemste gedachten met Ruben delen.'

'Ja, maar doe je dat ook?'

'We hebben antwoord c nog: *vriendschap: we zijn een onafscheidelijk team. Onze kracht ligt in een stabiele basis van gezamenlijke interesses en gelijkgezindheid.*'

Floor kijkt er afkeurend bij. 'Gatver, wat saai! Als je het mij vraagt staat het goede antwoord er niet bij.'

'O?' vraag ik. 'En wat is het antwoord dan volgens jou?'

'Antwoord d: seks! Ik vind hem zo aantrekkelijk dat ik nog geen tien minuten van hem af kan blijven als we a: spannende avonturen beleven; b: intieme gedachten delen of c: als een onafscheidelijk team onze gezamenlijke interesse genaamd bankhangen beoefenen.'

'Daar ben ik het helemaal mee eens!' antwoord Daphne terwijl ze het boek aan me teruggeeft. 'Als ik een relatie zou hebben, zou dat mijn antwoord zijn!'

'Echt?' vraagt Floor. 'Ik wist niet dat het zo goed ging tussen jou en Archie de trileend.' Ze werpt een grijns in het achteruitkijkspiegeltje. Ik kijk om en verwacht dat Daph haar tong uitsteekt of aanstalten zal maken om Floor een mep te verkopen. In plaats daarvan kijkt ze een moment lang bedenkelijk voor zich uit. Daarna steekt ze alsnog haar tong uit, maar nu is het te laat.

'Daph, jij vindt ook echt wel iemand om antwoord d mee te beleven.' Misschien zit ze nog steeds in over het voorval met Robin. Wat dat ook geweest mag zijn. 'Wel jammer dat het Robin niet was,' voeg ik er daarom voorzichtig aan toe.

'Alsjeblieft, Isa! Niet weer over hem beginnen! Zullen we het gezellig houden?'

'Wil je er nu nog steeds niets over zeggen?'

'Alleen dat het een… stom minkukel is!'

'Een minkukel?' herhaal ik. Ik vind het een belachelijk woord om Robin te omschrijven en ik zie dat Daph er zelf ook bijna om moet lachen. 'Luister Daph, ik vind het rot dat het zo gegaan is tussen jullie. Maar zolang jij niet uitlegt wat er precies zo stom is aan Robin, blijft hij voor mij de leuke broer van Ruben. We hebben al een keer ruzie gehad omdat ik jouw kant koos en hij die van Robin.'

'Echt? Dat moet je niet doen, hoor. Ik wil niet dat jullie ruzie maken over ons.'

'Ons?' roept Floor alsof ze iets op het spoor is. 'Er is een ons?'

'Nee!' ontkent Daph zo stellig als ze kan. 'Geen ons! Absoluut geen ons! Ik... ik haat hem.'

'Haat is een sterke emotie, Daph,' zeg ik.

'Net zo sterk als liefde,' valt Floor me bij. 'Het tegenovergestelde van liefde is onverschilligheid.'

'Goed! Dan "onverschillig" ik hem! Kunnen we ons weer op Isa concentreren? Zij is degene die belaagd wordt door de gemene ex van Ruben.'

'Helemaal niet! Het gaat hartstikke goed. Ik voel me niet bedreigd door haar. En dat komt mede door minkukel Robin. Hij neemt zoveel mogelijk van het contact met haar voor zijn rekening. Hij houdt haar wel uit de buurt van Ruben.'

'Goh,' zegt Daphne. 'Wat ontzettend... aardig van hem.' En je kan mij nog meer vertellen, maar nu lijkt ze toch echt bijna jaloers.

Het is een raar idee dat we nu een echte reden hebben om dit soort dingen te ondernemen. We lopen van de ene stand naar de andere, allerlei gadgets en informatieve flyers en folders verzamelend. Ik kan me nog niet echt voorstellen dat we over een paar maanden al deze spullen echt nodig zullen hebben. Een Tummy Tub, een Maxi Cosi, een Bug-a-Boo, speentjes, apparatuur om te kolven, flessenwarmers en al die lieve slabbetjes, rompertjes en kruippakjes. We hebben allemaal wel eens in een winkel bewonderend naar piepkleine babykleertjes staan kijken met in het achterhoofd de gedachte dat er ooit een tijd komt dat je al dat leuks echt mag kopen. En voor Floor is dat gewoon nu al! Floor wordt mama. Floor wordt nu echt volwassen. De tijd van flierefluiten en verzanden in je eigen persoonlijke drama's is binnenkort voorbij voor haar. Straks heeft ze een hoger doel.

Een klein wezentje om voor te zorgen. Zoals ik al zei: een raar idee.

'Hé Floor, kijk eens,' zeg ik als we langs een kraampje lopen waar het een drukte van belang is. Er hangen foto's van prachtig beschilderde hoogzwangere buiken en de kunstenares is bezig met een schildering op de buik van een zeker zes maanden zwangere vrouw. 'Wil je dat ook? Moet je zien hoe mooi ze dat doet.'

'Het lijkt wel een enorm paasei,' antwoordt Daphne.

Ik haal mijn schouders op. 'Daar zijn we toch dol op?'

'Maar mijn buik is nog niet zo groot als die van haar. Het is leuker als je echt kogelrond bent.'

Eigenlijk vind ik dat die buik van Floor al behoorlijk begint mee te tellen. Sinds we het weten, lijkt ze elke keer dat ik haar zie dikker. En het staat haar fantastisch. Het is ook alleen die buik die groeit. Als ik mezelf zwanger voorstel, heb ik angstige visioenen van mijn opgezwollen handen en gezicht. Met knieën die in een rechte lijn doorlopen naar mijn enkels en een buik die helemaal rondom zit. Floor is beeldig zwanger en ik vermoed dat dat zo blijft. Met een joekel van een buik die pontificaal naar voren steekt en grote, volle borsten waar elke man naar moet kijken.

'Ach, waarom ook niet,' besluit Floor als ze een map met voorbeelden heeft doorgenomen. 'Wie weet kom ik niet meer in de gelegenheid voor ik bevallen ben en dan heb ik spijt dat ik het nu niet gedaan heb.'

Gelukkig valt de rij wel mee. De meeste vrouwen staan alleen te kijken en hoeven niet zonodig zelf een schildering. Binnen twintig minuten mag Floor op de kruk plaatsnemen.

'Heb je al iets gevonden wat je mooi vindt?' vraagt de schilderes.

Floor laat een mooie tekening zien met bloemen en een lief babyhoofdje in het midden. 'Zoiets? Maar niet te kinderachtig. Mas moet het ook mooi vinden.'

'Je man?' vraagt ze.

Floor knikt trots. 'Nou ja, bijna dan. We trouwen over een paar maanden.'

'Heb je een foto van hem?' vraagt de vrouw. 'Ik ben goed in gezichten. Ik kan de baby een beetje op hem laten lijken.'

'Kun je dat?' vraag ik verbaasd. 'Ik dacht dat het meer een soort stripfiguurtje zou worden.'

'Dat kan ook, als je dat leuk vindt. Maar ik doe ook portretten. In die map daar zitten voorbeelden.'

Ondertussen duikelt Floor een foto op uit haar tas. Ik blader door de map en hoor de kunstenares tussen haar tanden fluiten als ze de foto van Mas onder ogen krijgt. 'Knappe vent,' luidt haar oordeel. Ik ben benieuwd wat ze over Ruben zou zeggen. Mas is ontzettend leuk, maar Ruben is nog leuker.

De portretten die ik bekijk, zijn echt mooi. Ze heeft er een aantal van bekende mensen gemaakt, zodat ik ook de gelijkenis kan beoordelen. Er zit er ook een bij van Paul Walker en dat is grappig, want ik heb altijd gevonden dat Ruben iets van hem wegheeft. Met donker haar dan. Op zich, bedenk ik opeens, kan ik best eens een keertje profiteren van het feit dat ik niet gezegend ben met een blokjesbuik. Mijn buik is dan niet dik meer, gelukkig, maar er is nog wel sprake van een lichte welving en als ik die iets meer aanzet, door bijvoorbeeld een wat meer ontspannen houding aan te nemen, kan ik die vrouw misschien wel van een beginnend zwangerschapje overtuigen.

Ze begint enthousiast een kleurenpaletje voor de buik van Floor samen te stellen. Daarna zet ze geconcentreerd wat lijnen die de basis voor de tekening vormen. De bloemetjes weet ze heel snel op te brengen en ondertussen babbelt ze gezellig met Floor. Voor het babyhoofdje heeft ze meer tijd nodig en ze kijkt de hele tijd heen en weer naar de foto van Mas. Ze is zo gefocust op haar werk dat ze geen woord meer zegt.

Floor begint verveeld te raken. 'Ik vind het knap van je, hoor, Ies. Dat je je helemaal niet druk maakt om Marleen en dat je hier zo ontspannen staat terwijl Ruben misschien wel de hele dag met haar doorbrengt.'

'Ach,' zeg ik.

'Dat zou vroeger wel anders geweest zijn,' zegt Daph.

'Dat komt natuurlijk doordat jullie zo "open gecommuniceerd" hebben.' Floor begint melig te lachen.

'Pas op,' waarschuwt de schilderes. 'Straks lijkt jullie baby op een freggle.'

'Die kans zit er toch al in,' antwoordt Daphne. 'Maar dat ligt niet aan uw kwaliteiten, hoor.'

Floor kijkt beteuterd. 'Ik krijg een prachtige baby met Mas. Let maar op.'

Ik loop naar wat tekeningen die verderop hangen. Wat zou Ruben ervan zeggen als ik zijn portret op mijn buik zou zetten? Dat zou toch een leuke verrassing zijn? Ik durf te wedden dat Marleen nooit zoiets gedaan heeft.

Daphne komt achter me staan. 'Ze is echt goed. Moet je zien hoe die baby op Mas lijkt.'

Ik kijk om en zie dat ze gelijk heeft. 'Zal ik een schildering van Ruben laten maken?' vraag ik op fluistertoon.

'Maar jij hebt geen paaseibuik.'

'Nou en? Het gaat om het principe. Denk je niet dat hij het leuk zal vinden als ik hem op mijn lichaam laat zetten? Ook al is het maar tijdelijk.'

Ze denkt even na. 'Ja. Welke man zou dat nu niet geweldig vinden?'

'Precies!' Ik loop terug naar Floor. Haar buik is al bijna af. 'Mevrouw? Heeft u zo meteen nog tijd om mij te beschilderen?'

Ze kijkt verbaasd op. 'Natuurlijk. Ik had helemaal niet gezien dat u ook in verwachting bent. Sorry.'

'Het is... heel pril.'

'Toch vind ik het niet leuk dat ze het geloofde,' zeg ik even later tegen Floor als we zijn neergeploft om een cappuccino te drinken.

'Alleen omdat jij vol bleef houden. Je had toch ook kunnen zeggen dat je het voor de lol deed?'

'Ja. Dat had ik moeten doen... Vind jij dat ik er zwanger uitzie? Eerlijk zeggen, want soms als ik voor de spiegel sta en mijn buikspieren een beetje loslaat, kijk zo...'

'Isa! Nu blaas je je buik gewoon op. Je ziet er prima uit en mensen denken alleen dat je in verwachting bent als je hun dat met een stalen gezicht vertelt. Wat had ze dan moeten zeggen? Sorry, mevrouw, maar hier geloof ik helemaal niets van, wilt u even over dit staafje plassen voor ik uw uitermate platte buik beschilder?'

'Nou ja, dat was wel beter geweest voor mijn zelfvertrouwen. Straks denkt Ruben nog dat ik dit doe om hem een nieuwtje te brengen.'

'Hou op! Waar blijft Daph trouwens, ze ging toch alleen even plassen?'

Ik knik. Ik weet dat ze ook stiekem een cadeautje voor Floor ging kopen, maar dit duurt wel lang. Ze is al bijna een halfuur weg. 'Zou ze verdwaald zijn?'

Floor haalt haar schouders op. 'Zal ik eens bellen?'

'Dat heeft weinig zin, denk ik,' antwoord ik wijzend op haar tas die ze bij ons achtergelaten heeft. 'Vind jij trouwens ook niet dat Daphne zich een beetje vreemd gedraagt de laatste tijd?'

'Hoe bedoel je?'

'Ze doet zo geheimzinnig over die date met Robin. Of weet jij daar soms meer van?'

'Nee, ik heb een bruiloft te organiseren en een baby op komst, dus om eerlijk te zijn, heb ik me ook niet al te belangstellend opgesteld. Dates mislukken weleens, toch? Zo gaan die dingen soms.'

'Ja, maar Robin is zo leuk! Ik kan me niet voorstellen dat het zo erg was dat ze niet meer met elkaar willen praten. Het zit me gewoon niet lekker. En ik vind het een slechte zaak dat Daph geen van ons beiden in vertrouwen durft te nemen.'

'Als ze echt ergens mee zou zitten, zou ze het ons heus wel vertellen. Volgens mij is het niet zo belangrijk. Anders zouden we het wel weten.'

'Ik snap het gewoon niet. Jullie weten alles van mij. En jij maakt gewoon baby's zonder dat te vertellen...'

'Nou, erg lang heb ik het niet geheim gehouden, Ies.'

'Alleen omdat je er niet meer onderuit kon. En Daph doet ook al zo geheimzinnig.'

'Maak je toch niet zo druk. Zullen we nog wat bestellen nu we toch op Daph moeten wachten?'

We zitten al aan ons tweede rondje als Daphne terugkomt met een groot pakket in haar armen. 'Verrassing!' roept ze, terwijl ze het cadeau bij Floor op schoot zet. 'Van mij en Isa en Ruben.'

'Wat lief! Maar dat hoeft toch helemaal niet?'

'Waarom zeggen mensen dat altijd terwijl ze staan te popelen om hun cadeau uit te pakken?' vraagt Daphne.

'Je hebt gelijk,' zegt Floor. 'Het hoeft wel, eigenlijk! Ik ben superblij.'

'Zou je het niet eerst openmaken?' stel ik voor. Ik weet haast wel zeker dat ze dit hebben wil, want ze heeft er vanochtend heel lang naar gekeken en toen besloten dat het toch wel duur was. En ze zou vast nog heel veel van die spullen tegenkomen en misschien was het wel een beetje vroeg om dit al aan te schaffen.

Verrukt begint Floor aan het papier te trekken. 'Het speelkleed! O wat mooi! Maar dit is hartstikke duur...'

'Nou en? We zijn met z'n drieën en de eerste baby in ons clubje verdient het beste van het beste,' antwoordt Daphne. 'En de volgende baby's ook, hoor Ies.'

'Je weet toch dat ik niet echt zwanger ben, hè?'

Ze lacht. 'Wat niet is, kan nog komen, toch?'

Floor knuffelt Daph en daarna mij. We drinken onze drankjes op en begeven ons dan naar de uitgang. 'Mevrouw!' hoor ik achter ons, als we langs de laatste kraampjes lopen.

We kijken alledrie om en ik zie dat het de vrouw van de buik-schilderingen is. Ze zwaait naar ons en we komen dichterbij.

Ze wappert een foto heen en weer. 'U bent de foto van uw vriend vergeten.'

'Nee hoor,' zegt Floor. 'Ik heb hem meteen weer in mijn porte-monnee gestoken.'

Ik weet ook zeker dat ik Rubens foto weer in mijn tas heb gedaan. Bovendien heeft Ruben een zwart shirt aan op de foto die ik ge-bruikt heb en geen rood, zoals de man op de foto die heen en weer gezwaaid wordt. Ik sta te ver weg om verder iets te onderscheiden, maar dat rood zie ik duidelijk.

'Ik bedoel u,' gaat de vrouw verder en het lijkt wel alsof ze het tegen Daph heeft.

Daphne kijkt verbaasd achter zich om te zien of daar iemand staat die toevallig een foto heeft laten liggen. Daarna wijst ze verward op zichzelf. 'Ik heb geen tekening laten maken, dat waren mijn vrien-dinnen.' Ze knikt heftig om haar woorden kracht bij te zetten.

De vrouw lijkt nu ook in de war. 'O. Dan... eh... dan vergis ik me zeker.'

Ik wil die foto wel eens van dichtbij bekijken, maar ze laat net haar arm zakken en de bedrukte kant landt op tafel.

'Ach, geeft niets. Er komen hier zoveel mensen,' antwoordt Daphne en ze pakt mijn arm vast. 'Maar de foto is niet van ons, in ieder geval.' Ze troont me weg bij het kraampje. 'Tot ziens!'

Ik laat me meetrekken, maar als ik nog eens omkijk, zie ik die verbaasde blik nog steeds op het gezicht van de kunstenares. Dan kijk ik naar Daphne, die vrolijk een gesprek begint over een nieuw tijdschrift voor jonge moeders dat Floor zeker moet aanschaffen.

Ik wil haar buik zien. 'Daph, doe je shirt eens omhoog.'

Ze kijkt me aan. 'Sorry?'

Ik kijk doordringend terug. Ze is lang genoeg weggeweest om ook een schildering te laten maken en die vrouw wilde haar een foto teruggeven. Zou ze een geheime minnaar hebben? Is het daarom mis tussen haar en Robin? Het zou een heleboel verklaren. Misschien heeft ze Robin gedumpt voor een ander en hebben ze daarom nu een hekel aan elkaar. Ik ben er steeds min of meer van uitgegaan dat Robin degene was op wie het stuk was gelopen, maar het kan natuurlijk net zo goed Daph geweest zijn. Maar waarom weten wij dan niets van die mysterieuze man? Zou hij getrouwd zijn? Ondertussen heeft Daphne er flink de pas in gezet naar de auto.

'Beweer je dat die vrouw jou zomaar verwart met iemand anders die daar een foto heeft laten liggen?'

Ze haalt haar schouders op. 'Wat anders?'

'Nou, misschien ben je wel teruggegaan. Je was lang genoeg weg en je zei tegen mij dat elke man het wel geweldig zou vinden om zichzelf op het lichaam van zijn vriendin te zien.'

Ze trekt haar wenkbrauwen op. 'Ik bedoelde Mas en Ruben. Voor wie zou ik zoiets moeten doen?'

'Dat is inderdaad de vraag.'

Ze lacht, maar het klinkt iets hoger dan normaal. Iets zenuwachtiger. Ze kijkt van mij naar Floor. 'Dit is belachelijk. Die vrouw doet de ene tekening na de andere. Niet gek dat ze mensen door elkaar haalt.'

'Doe je shirt dan omhoog.'

'Nee!'

'Dan heb je dus iets te verbergen.'

'Niet waar, je moet me gewoon op mijn woord geloven. Ik ga niet halfnaakt in deze menigte staan om iets te bewijzen.'

'Dan geloof ik je niet!' We staan nu bij de auto en Daphne staart me ongelovig aan. Daarna zoekt ze steun bij Floor.

'Geloof jij me ook niet?'

Floor ziet er ongelukkig uit. 'Je doet wel een beetje ontwijkend.'

'Niet te geloven!' roept Daphne verontwaardigd uit. 'Goed dan. Als jullie je beste vriendin niet kunnen vertrouwen, dan zal ik het laten zien.' Ze tilt haar truitje een stukje op, tot net boven haar navel. 'Zie je? Niks! Geloof je me nu?'

Er is inderdaad niets te zien, maar ik ben nog steeds niet overtuigd. 'Misschien heb je hem hoger laten zetten?'

Ze rolt met haar ogen en trekt haar truitje helemaal omhoog, tot aan haar beha. 'Wil je dat ik die ook nog uitdoe, midden op de parkeerplaats?' vraagt ze.

Ik schud mijn hoofd en voel me rot. 'Sorry, Daph. Ik dacht gewoon...'

'Tja, wat dacht je eigenlijk?' vraagt ze terwijl ze haar shirtje goed doet.

'Je doet ook de hele tijd zo geheimzinnig. Ik mag niet weten wat er met Robin gebeurd is en ik dacht dat je misschien een ander had en dat hij daarom boos op je is.'

'Hij is niet boos op mij. Ik ben boos op hem.'

'Nou, volgens mij is hij ook boos op jou, hoor. Kunnen jullie niet nog eens met elkaar praten?'

'Nee! Geen denken aan. Ik ben blij dat ik op tijd in de gaten had hoe hij is en ik ga daar geen tijd meer aan verspillen.'

'Maar Daphne, wat bedoel je daar dan mee?' vraagt Floor.

'Niks. Vergeet het toch gewoon, net als Robin. En ik.' Ze trekt het portier van de auto open. 'Zullen we nu gaan?'

We gaan nog even mee naar Floor. Ze wil met ons wat dingen voor haar bruiloft bespreken. Het mag dan kleinschalig worden, maar dat betekent niet dat het niet volmaakt moet zijn. Samen spitten we allerlei bladen over trouwen door en hier en daar scheuren we artikelen en plaatjes uit van dingen die Floor echt aanspreken. Ze plakt ze in een apart boek, dat haar persoonlijke trouwgids wordt. We zijn nog druk bezig als Mas belt om te zeggen dat hij bijna thuis is en hij biedt meteen aan onderweg iets te eten voor ons te halen bij het eetcafé vlakbij. Iedereen heeft zin in frietjes met saté en spareribs en dat soort verbodens, maar ik bestel de carpacciosalade met een bruin pistoletje, wat ik ook hartstikke lekker vind. Ik heb al met Ruben gesms't en ik weet dat hij nog druk aan het werk is, dus moet ik vooral gezellig bij Mas en Floor blijven hangen. Dat doe ik ook, tot halverwege de avond. Dan vind ik het wel mooi geweest en ga ik naar huis om op mijn vriendje te wachten. Ik weet dat ik hier aan zal moeten wennen de komende tijd. Hij zal nog wel vaker in de weekends door moeten werken, maar ik kan niet wachten om Ruben zijn cadeautje uit te laten pakken. Ik hoop niet dat hij me straks keihard uitlacht. Ik installeer me op de bank, zet de televisie aan en kijk een romantische komedie die niet zo heel grappig is.

Als ik opschrik van mijn gsm die overgaat, besef ik dat ik in slaap gevallen ben. Ik heb de ontknoping van de film gemist, waardoor ik voor niets een uur in een flauw verhaal heb geïnvesteerd. Ik ga op het geluid af, want ik ben vergeten waar ik mijn tas heb neergegooid toen ik thuiskwam. Als ik hem gevonden heb, ben ik net op tijd om op te pakken voor de voicemail het overneemt. 'Ruben!' zeg ik opgetogen. Ik weet dat ik hem vanochtend nog gezien heb, maar toch mis ik hem een beetje.

'Hoi Iesje, ik ben blij je stem even te horen. Was het leuk vandaag met je vriendinnen?'

'Ja,' antwoord ik, 'en hoe is het bij jou? Je klinkt moe.'

'Dat ben ik ook. Maar ik denk dat ik hier nog wel even bezig ben.'

'Nog lang?'

'Nou, we zijn nu bezig met een aantal ontwerpen. Het is nogal moeilijk om onze ideeën af te stemmen op wat realiseerbaar is binnen dit productieproces, snap je?'

'Niet echt. Als ze jullie meubels willen, bepalen jullie toch hoe ze eruitzien?'

Hij maakt een vermoeid geluidje. 'Daar probeer ik wel aan vast te houden, ja.'

Ik heb medelijden met hem. 'Nou, werk maar lekker door en als je thuiskomt, heb ik een verrassing voor je.'

'Een verrassing?' Hij klinkt al wat opgewekter. 'Wat dan?'

'Je moet niet te veel verwachten. Het is maar een kleinigheidje. Iets grappigs.'

'Nu ben ik benieuwd.'

Ik lach. 'Dan moet je je best doen om snel thuis te zijn.'

'Dat doe ik, maar dit moet wel echt af vandaag. Ik wilde net zeggen dat je niet op me hoeft te wachten.'

'O. Nou, dan moet je me maar wakker maken, mocht ik in slaap gevallen zijn.'

'Ik kom eraan!' roept hij ineens keihard, en daarna: 'Sorry Iesje, ik moet weer verder. Robin zit almaar te seinen, hij heeft me nodig volgens mij.'

'Oké, tot straks.'

'Tot straks en vergeet die verrassing niet, hè?'

Ik beloof hem dat ik dat niet zal vergeten en daarna hangen we op. Dit wordt misschien toch lastiger dan ik dacht.

'Wat is er?' hoor ik Ruben zeggen. Hij ligt naast me in bed en hij heeft me niet wakker gemaakt vannacht, want het is al ochtend. Ik draai me een beetje verward naar hem toe. 'Hé, je bent thuis... Je zou me wakker maken.'

'Heb ik ook gedaan,' antwoordt hij slaperig. 'Je viel meteen weer in slaap.'

'O. Sorry.'

Hij drukt een kusje tussen mijn haren. 'Waarom lig je zo te draaien?'

'Sorry,' mompel ik terwijl ik weer wegdommel. Geen idee waar hij het over heeft, maar hij lijkt ook alweer in slaap te vallen. Ik draai me terug op mijn zij. Gelukkig kunnen we nog even blijven liggen. Maar in plaats van dieper in slaap te vallen, lijk ik juist wakkerder te worden en word ik me bewust van een akelig, trekkerig gevoel. Ik wrijf met mijn hand over mijn buik, waar de jeuk lijkt te zitten. Dat heb ik net ook gedaan, herinner ik me. Volgens mij lag ik daarom niet stil; ik verga van de jeuk en nu ik dat besef, wordt het alleen maar erger. Wat is dat toch? Ik open mijn ogen en mijn blik valt op mijn hand, die eruitziet alsof ik een kleuter ben die voor het eerst viltstiften en waterverf heeft ontdekt. Ik kom een stukje overeind. Mijn witte slaapshirt heeft ook al alle kleuren van de regenboog! Wat heb ik... Shit! De buikschildering. Ik weet niet wat ermee gebeurd is, maar... Ik slinger mijn benen uit bed. In de badkamer trek ik mijn shirt omhoog en kan ik net een gil van afschuw onderdrukken. Heel de tekening is uitgeveegd en mijn huid is rood en opgezet. Ik moet wel een ontzettend allergische reactie op de verf hebben. En de beeltenis van Ruben kan niet eens meer doorgaan voor een freggle. Daar gaat mijn verrassing!

Ruben verschijnt in de deuropening van de badkamer. Hij kijkt me aan met een mengeling van irritatie omdat ik hem uit zijn slaap haal en bezorgdheid.

'Je verrassing is verpest,' breng ik mokkend uit. 'Floor heeft gisteren haar buik laten beschilderen op de beurs en ik wilde dat ook doen voor jou, maar...' Ik til mijn shirt een beetje op.

'Isa!' roept hij geschrokken uit als hij mijn buik ziet. 'Wat heb je in godsnaam gedaan?'

'Het is een allergische reactie op de verf, denk ik. Je had het gisteren moeten zien, Ruben. Het was zo goed gelukt.'

Hij komt dichterbij. 'Het is helemaal rood. Haal het er gauw vanaf!' Hij draait de kraan van de douche open. 'Het gaat er toch wel af?'

Ik knik. 'Met warm water en zeep.'

Hij dirigeert me naar de douche. 'Ik begrijp niet waarom je dacht dat ik dát leuk zou vinden.'

'Hoe bedoel je?' vraag ik verbouwereerd. 'Wat is daar niet leuk aan? Ik doorsta helse pijnen voor jou, hoor!'

Hij kijkt me aan met een schuin glimlachje rond zijn lippen. Houdt hij me nu voor de gek of zo? 'Ik vind het gewoon een beetje raar dat je Hugo hebt laten naschilderen, Ies. Kijk dan zelf! Die slappe kaaklijn, uitpuilende ogen, scheve neus en wat is dit? Een koortslip?' Hij trekt mijn shirt over mijn hoofd. 'Dit gaan we er meteen vanaf wassen.'

Na het douchen ontbijten we samen en daarna moet Ruben nog even terug naar de zaak, wat op zich niet zo erg is, want ik moet eigenlijk naar de wc en dat doe ik nog steeds niet waar hij bij is. Ik vind dat ik de laatste tijd al genoeg vorderingen heb gemaakt. Ik ga niet meer uit bed om mijn tanden te poetsen en mijn haar te doen als ik wakker word. Tenzij ik toevallig toch al eerder wakker ben en eruit moet om te plassen of zo, wat eigenlijk niet meetelt, vind ik, want dan gaat het in één moeite door.

En ik probeerde net niet eens mijn gehavende buik voor hem te verbergen! Sterker nog: ik liet het hem meteen, uit mezelf, zien. Hij hoefde me niet eerst klem te lopen in een hoekje van de badkamer om me daarna net zo lang onder druk te zetten tot ik toegaf. Ik deed het helemaal uit mezelf en ik ging daarna ook zomaar met hem samen onder de douche. Zomaar! In vol daglicht. Het is duidelijk dat ik vorderingen maak en dat ik echt wel mezelf durf te zijn. En dat kleinigheidje van naar de wc gaan, daar heb ik heel veel over gelezen en dat schijnt redelijk normaal te zijn. Er zijn blijkbaar massa's mensen die daar moeite mee hebben, en dat is toch ook terecht? Je kunt ook te vertrouwd met elkaar raken, hoor! En ik heb het prima onder controle, want als ik voor mijn werk even met een smoesje langs mijn ouders rijd, kan ik daar gewoon gaan. Maar daar heb ik vandaag even niet zo'n zin in, dus wacht ik geduldig tot Ruben naar zijn werk gaat. Bo blijft bij mij vandaag, dus kunnen we even gaan wandelen. Misschien lopen we straks nog even bij Ruben langs. Gewoon om te zien hoe het gaat met het nieuwe project.

Als Ruben weg is, ga ik naar boven om me aan te kleden, maar eerst loop ik even snel naar de badkamer voor dat andere. Ik ben al bijna klaar als ik opeens de voordeur hoor. Bo blaft opgewekt, zoals hij altijd doet als hij Ruben ziet, en ik raak in paniek. In plaats van haast te maken, verstijf ik bij het horen van Rubens voetstappen op de trap. Ik kan nog snel doortrekken voor hij de deur van de badkamer opentrekt, maar ik ben iets essentieels vergeten waardoor ik niet kan opstaan. 'Ruben!' gil ik. Waarom heb ik de deur niet op slot gedaan? Hoe stom ben ik? O god, ik ga dood. Dit overleef ik echt niet.

'Ik ben vergeten me te scheren,' zegt hij plompverloren. Heeft hij dan niet in de gaten dat ik op de wc zit? Op de wc! Je loopt toch niet binnen als...

'Ruben...' stamel ik, maar hij verdeelt gewoon een dot scheerschuim over zijn kaken en gaat rustig verder. Nu trek ik het echt niet meer. 'Ruben, ga weg!' schreeuw ik opeens zo hard dat het tegen alle muren van de badkamer opketst.

Hij draait zich naar me toe. 'Ik ben zo klaar, hoor. Waar maak je je druk om?'

Waar maak ik me druk om? Dat zei hij toch niet echt? 'Ik meen het, je moet nu weggaan! Ga weg, ga weg, ga weg...' Ik weet niet hoe vaak ik het nu al gezegd heb, maar hij trekt zich er totaal niets van aan. Ik verberg mijn gezicht in mijn handen. Ik zou mezelf door willen trekken. Ik wil gewoon verdwijnen. Letterlijk door de grond zakken. Dit is erger dan met een te kleine spijkerbroek in een pashokje staan terwijl de winkeljuffrouw het gordijn opentrekt in een overvolle winkel. En ik kan dit weten, want dat is me ook al een keer overkomen. 'Wil je alsjeblieft de badkamer uitgaan?' vraag ik haast zonder geluid. Ik ga nu bijna huilen van ellende.

Blijkbaar dringt dit beter tot hem door dan het schreeuwen. Hij veegt zijn gezicht schoon met een handdoek en gaat naast me op het randje van het bad zitten. Dit wordt steeds erger. 'Ik had al zo'n idee dat je hier moeite mee had,' zegt hij.

'Inderdaad!' bijt ik hem toe. 'Dat heb ik en het zou helpen als je niet naast me ging zitten, als ik... Kun je alsjeblieft weggaan?'

'Iedereen poept, Isa.'

'Dat weet ik, maar... o god ik kan niet geloven dat dit echt gebeurt.'

'Nou, het is gebeurd en gênanter kan het nooit worden voor je, dus voortaan kun je gewoon gaan zodra je moet. Hoef je ook niet speciaal langs je ouders...'

'Wat? Hoe weet je...?'

'Ik ben er een beetje op gaan letten sinds het laatste etentje bij je ouders. Ik weet best veel over jou, Isa. Dat je bang bent om jezelf te veel bloot te geven, bijvoorbeeld. Ik snap dat wel, maar soms ga je er best ver in en dan moet ik de boel een beetje forceren. Zoals nu. En ik hoop dat je vanaf nu gewoon naar de wc durft als ik er ook ben. Met een deur ertussen, dan.'

'Met de deur op slot!'

Hij geeft me een kusje op mijn haren. 'Ik hou van je, Ies. En je stinkt niet eens zo erg.' En dan gaat hij eindelijk, eindelijk, eindelijk weg. En dan dringt het eigenlijk pas tot me door dat hij voor het eerst letterlijk tegen me heeft gezegd dat hij van me houdt.

18

De ochtend is nog niet om of ik heb alweer een aanvaring met Petra achter de rug. Donna stond vanochtend weer op mijn agenda. Haar baasje Ellen was er niet gerust op omdat Donna's klachten verergerd zijn. Ze plast overal in huis, bijna om de tien minuten, en soms zit er ook bloed bij, wat natuurlijk altijd een beetje eng is.

Ellen vond dat ze de vorige keer niet serieus genomen werd. Omdat ze midden in een verhuizing zit, constateerde Petra een stressblaas, maar Ellen vindt dit te kort door de bocht, waardoor ik heb besloten Donna op te nemen voor nader onderzoek onder lichte narcose.

Ik weet bijna zeker dat Petra de juiste diagnose gesteld heeft en dit heb ik ook aan Ellen duidelijk gemaakt. Maar ik zag dat het haar niet lekker zat en om haar gerust te stellen (en omdat ik dan eindelijk een keertje de tondeuse in die weelderige kattenharen kan zetten), ga ik toch de testjes doen en een echo maken. Iedereen tevreden, dacht ik, maar nu heeft Petra weer het gevoel dat ik haar diagnose in twijfel trek. Ze werd echt laaiend toen ze Donna in de opname zag, maar wat had ik dan moeten doen? Ellen had Vivian uitdrukkelijk verzocht om een andere dierenarts en ze nam geen genoegen met het stressverhaal.

Soms vraag ik me af of Petra misschien zelf ook met stress te kampen heeft, want het is niets voor haar om zo snel op haar teentjes getrapt te zijn. Ik begin Stijn nu wel echt te missen, hier. Ik heb het gevoel dat er continu over mij gepraat wordt als ik er niet ben. Ik hoor de hele tijd gesprekken stilvallen als ik ergens binnenkom en Stijn had me daar zeker het fijne over kunnen vertellen. Het gekke is dat ik de afgelopen weken nog het fijnst met Hugo heb kunnen samenwerken. En juist dat verergert de boel, volgens mij. Maar hij is ook de enige die aardig tegen me doet.

Ik stuur dit hele verhaal via de mail naar Stijn in de hoop dat hij me ook op afstand kan helpen. Zijn mailtjes doen me altijd goed. Hij heeft me ook met een knipoog gevraagd om Bram een beetje voor hem in de gaten te houden. Ik moet maar weer eens naar de sportschool, denk ik.

'Alles goed hier?' vraagt Hugo terwijl hij mijn kamer binnenkomt. 'Ik hoorde Petra in de hal.'

Ik haal mijn schouders op. 'We hebben het uitgepraat. Min of meer. Ik weet niet wat haar allemaal dwarszit, hoor. Ik weet alleen dat het aan mij ligt.'

'Het ligt niet aan jou.'

'Nou, daar lijkt het anders wel op. Hoor jij haar tegen de anderen zo tekeergaan?'

'Trek het je niet aan, Isa. Ik zal met haar praten en dan kom ik er wel achter wat het probleem is. Misschien heeft ze moeite met de veranderingen in de kliniek en reageert ze het op jou af. Soms hebben mensen moeite met verandering.' Het klinkt alsof hij daar iemand in het bijzonder mee bedoelt.

'Heb jij er zelf moeite mee?' vraag ik.

'Ik niet. Sacha.'

'O. Nou, ik kan me best voorstellen dat het voor haar ook wennen is, hier.'

'Ze mist haar oude baan, haar vriendinnen. En ik heb niet genoeg tijd voor haar. Of misschien maak ik niet genoeg tijd. Ik ben hier gisteren ook driekwart dag aan het werk geweest na één oproep voor een spoedgeval. Ik bedenk dan honderd andere dingen die ik nog kan doen. En ondertussen verveelt zij zich.'

'Weet je, Hugo, misschien was het een beetje overdreven van ons om je zoveel weekenddiensten in de maag te splitsen. Het was eigenlijk bedoeld als grap. Even kijken hoe ver we konden gaan, maar jij pikte het allemaal.' Ik voel me een beetje schuldig nu hij er relatieproblemen door krijgt.

'Die oproepdiensten zijn niet zozeer het probleem. Ik heb nu eenmaal moeite om mijn werk los te laten. Als ik niet oproepbaar zou zijn, zou ik waarschijnlijk toch wel een reden bedenken om te komen werken. Dat was vroeger niet erg, want toen had Sacha zelf ook genoeg te doen. Nu is ze meer op mij aangewezen.'

'Kent ze hier dan helemaal niemand?' Ik herinner me levendig dat ze in ieder geval met één persoon op dezelfde golflengte zat in het damestoilet tijdens de afscheidsborrel.

'Jawel. Maar dat zijn allemaal mensen met wie ze omging voor we verhuisden. Ze zijn een beetje uit elkaar gegroeid in de afgelopen jaren. Het heeft gewoon wat tijd nodig voor het weer hetzelfde is. Dat komt allemaal wel goed.'

'Nou dat klinkt niet erg overtuigd,' merk ik op als Hugo met een diepe denkrimpel op zijn voorhoofd voor zich uit staart.

'Ik maak me eerder druk over haar en mij dan over haar op zich,' antwoordt hij voorzichtig. Alsof hij elk woord afweegt. 'En dat geeft me een rotgevoel, want ze heeft me altijd gevolgd. Eerst naar Duitsland en toen weer terug. Ze is er altijd voor me geweest, maar sinds we terug zijn, mis ik een bepaalde connectie met haar.' Hij schudt even met zijn hoofd en kijkt dan naar mij. 'Sorry, het was niet mijn bedoeling om mijn hart bij je uit te storten. Misschien heb ik zelf momenteel ook niet zoveel mensen in mijn directe omgeving bij wie ik dat kan doen.'

'Dat geeft niet, hoor. Ik hoop dat jullie er samen uitkomen.'

Hij knikt halfslachtig. 'Waar ik eigenlijk voor langskwam: hoe zit je in je tijd vandaag?'

'Ik zit redelijk volgepland. Moet ik iets van je overnemen?'

'Dat niet, maar ik heb gisteren met een oude kennis gesproken. Ik heb iets bijzonders kunnen regelen. Heb je na het werk een paar uurtjes tijd?'

'Waarvoor precies?'

'Die kennis van me doet iets in de wetenschappelijke hoek en hij heeft vaak kadavers tot zijn beschikking. Nu heb ik hem zo ver weten te krijgen om enkele hondenharten aan mij te verstrekken. Het klinkt een beetje luguber, maar er is geen betere manier om de anatomie te leren dan aan de hand van echte organen. Als je tijd hebt, kan ik je een lesje cardiologische anatomie geven. Ik wil je zoveel mogelijk bijbrengen voor de operatie van Maya... Tenzij je iets beters te doen hebt, natuurlijk.'

'Nee! Ik moet even bellen met Ruben, maar ik denk dat hij ook laat thuis is vandaag. Het is vast geen probleem en ik vind het heel interessant.'

Ruben werkt inderdaad ook over vandaag, dus hij vindt het niet erg dat ik later ben, al is het naar zijn mening wel ontzettend goor dat ik in dode harten ga snijden. Wat ook zo is, maar ik kan er zoveel van leren dat ik het ervoor overheb.

Ik loop een beetje uit met mijn behandelingen, zoals gewoonlijk. Als ik aan het einde van de middag klaar ben, ga ik naar de operatiekamer, waar Hugo de voorbereidingen al heeft getroffen. In het begin is het raar, dat dode weefsel. Ik probeer er niet aan te denken dat dit pas geleden allemaal nog levende honden waren en concentreer me op de uitleg van Hugo. Hij legt me uitgebreid uit waar alles zit en laat me de verschillende onderdelen daarna ook zelf lokaliseren. Ik ken de anatomie natuurlijk uit de boeken en ik herinner me een practicum tijdens mijn studie, maar ik heb het nog nooit zo goed en zo uitvoerig kunnen bestuderen als nu.

Hugo wijst een voor een alles aan. De rechter coronaire arterie, de linker dalende arterie, de vena cava, de aorta, longader en slagader. Alle klepjes, spieren en peesjes. We nemen het hele orgaan door, eerst aan de buitenkant en daarna aan de binnenkant. Ik neem het allemaal in me op en probeer het dan zelf te duiden bij een nieuw hart terwijl Hugo me allerlei instructies geeft die me straks moeten helpen bij het assisteren.

Hij vertelt me over het openen en sluiten van de thorax en het herstel van de onderdruk, het opzij houden van het pericard en expositie van de grote vaten. Hij is een goede docent, want hij vertelt veel, maar test ook mijn parate kennis door plotseling vragen te stellen over de werking van bepaalde onderdelen. Ik werd daar tijdens mijn opleiding altijd een beetje zenuwachtig van, maar Hugo weet me goed op mijn gemak te stellen. Hij prijst me als ik de juiste antwoorden geef, maar niet op een overdreven manier. En hij neemt uitgebreid de tijd om me de dingen uit te leggen die ik niet weet.

'Zijn jullie nog lang bezig?' vraagt Petra, die haar hoofd om het hoekje van de deur steekt. 'Ik ga nu naar huis.'

'Hé, ben je er ook nog? Wil je een hart ontleden?' vraag ik enthousiast.

'Nee, dank je, ik ga naar huis. Misschien kan ik mijn kinderen nog net instoppen. Ze zullen het niet waarderen als mama nog een uur wegblijft om zich te verdiepen in iets dat ze nooit zal hoeven toepassen. Maar ik wens jullie veel plezier. Tot morgen.'

'Tot morgen, Petra,' zegt Hugo. 'Doe je de deur achter je dicht?' Hij komt achter me staan. 'Aangezien een dergelijke ingreep hooguit tien keer per jaar plaatsvindt, is het me niet gelukt om een hart met een ductus te verkrijgen, maar je moet je voorstellen dat die extra verbinding van hier naar daar loopt.'

'Vind je het niet zinloos om mij dit te leren?' vraag ik. 'Het kost je uren van je eigen tijd die je beter met je verloofde zou kunnen doorbrengen. Petra heeft wel gelijk. De kans dat ik ooit deze operatie zal uitvoeren, is nihil.'

'Ten eerste is die kans niet nihil,' antwoordt hij rustig. 'En daarnaast is het nooit zinloos om iemand iets te leren. Zelfs als je geen enkele interesse hebt om je verder te specialiseren, dan nog heeft het nut. Je kunt betere diagnoses stellen, je kunt ECG's en echo's beter interpreteren. Je steekt er hoe dan ook iets van op. Jou iets leren is verre van tijdverspilling. Dat gezegd hebbende: kun je de pulmonalis nog eens voor me lokaliseren?'

Hij buigt zich over me heen om mijn bewegingen te volgen en ik doe mijn best om zo netjes en precies mogelijk te zijn.

'Heel goed, Isa,' zegt hij bemoedigend, en op dat moment zie ik een schaduw vanuit mijn ooghoek en maak ik een beweging die in geval van een echte ingreep onherstelbare schade zou hebben aangericht. 'Wat gebeurde er?' vraagt Hugo.

'Ik weet niet, zeg ik geschokt, 'ik schrok. Ik zag iets bewegen. Ik heb hem vermoord...'

'Rustig maar, Isa, hij is al dood.'

'Heb je soms een slecht geweten?' vraagt een vrouwenstem vanuit de donkere hal. Het is Sacha, die de operatieruimte binnenloopt.

'Sacha, hoe kom jíj binnen?' vraagt Hugo. Hij lijkt een beetje van zijn stuk gebracht en loopt bij mij en het beschadigde hart vandaan. Ik kan het gevoel dat ik essentieel weefsel heb beschadigd niet van me af zetten, ook al weet ik dat het geen gevolgen heeft.

'Petra liet me binnen.'

'Maar die is al tien minuten geleden vertrokken!'

'Inderdaad. Ik heb je luid en duidelijk horen uitleggen waarom je veel liever hier bent om haar les te geven in plaats van thuis bij mij.'

'Dat heb ik niet zo gezegd, Sacha,' antwoordt hij en al het geduld en de vriendelijkheid waarmee hij zojuist tegen mij praatte, sijpelt weg uit zijn stem. Hij klinkt kil en gereserveerd en misschien kan ik me beter uit de voeten maken. Ik leg mijn scalpel neer.

'Waarom sta je trouwens altijd tegen haar aan geplakt als ik je op het werk bezoek?' vraagt Sacha. Ze kijkt boos naar mij. 'Zijn dat je secundaire arbeidsvoorwaarden of zo?'

'Ik ga maar eens,' mompel ik.

Sacha richt haar aanval weer op Hugo. 'Of zijn het de jouwe?'

'Hou je eens een beetje in,' snauwt hij. 'Het is niet bepaald beleefd dit soort dingen in gezelschap te bespreken.'

'Het is ook niet beleefd om tegen je assistente op te rijden als je verloofd bent met een ander.'

'Isa is niet mijn assistente,' antwoordt hij, wat ik een beetje vreemd vind. Ik had liever gehad dat hij het tweede deel van die beschuldiging ontkend had.

'Ik ga nu,' zeg ik nogmaals, 'en ik wil even benadrukken dat we gewoon aan het werk waren en dat er absoluut geen sprake was van ongepast gedrag, op welke manier dan ook.' Dan maak ik me, vervuld van plaatsvervangende schaamte, uit de voeten. Ik weet niet hoe snel ik naar mijn kantoortje moet lopen om mijn spullen te pakken. Op de achtergrond groeit de woordenwisseling tussen Sacha en Hugo uit tot een ordinaire scheldpartij.

Als ik thuiskom, kan ik niet wachten om mijn verhaal aan Ruben te doen, maar helaas ben ik weer als eerste thuis. Ik besluit eerst maar onder de douche te springen. Het is altijd een dilemma wat ik daarna aan zal trekken, want mijn lekkere kleren om op de bank te hangen zijn meestal niet de outfits waarin ik me aantrekkelijk voel. Maar ik heb wel laatst een soepele relaxbroek gekocht van heel zachte, aaibare stof met een bijbehorend strak vestje. Als ik daar niets onder aan doe en de rits een beetje te ver open laten staan, vind Ruben het wel best, denk ik. Bovendien heeft hij laatst tijdens dat toiletbezoek al mijn grenzen grof geschonden, dus het dragen van een huispak staat nu in heel ander perspectief.

Ik wil net naar beneden lopen, als ik de deurbel hoor. Aangezien het al wat later op de avond is, loop ik eerst naar het raam aan de voorkant van het huis. Ik zie Hugo's auto aan de overkant van de straat geparkeerd staan, op de plek waar Ruben meestal zijn auto zet. Terwijl ik de trap af loop, twijfel ik even of ik wel open zal doen, maar ik besluit dat ik het niet kan maken om hem voor de deur te laten staan.

Ik doe open en Hugo staat met een gekwetste en licht verwilderde blik in zijn ogen tegen de deurpost geleund. Ik zou haast zeggen dat hij gedronken heeft, maar dat lijkt me eigenlijk onwaarschijnlijk. Zoveel tijd is er niet verstreken sinds ik naar huis ben gegaan.

'Mag ik even binnenkomen?' vraagt hij zonder de dubbele tong die ik min of meer toch verwachtte.

'Ik weet niet,' antwoord ik. 'Ik wilde net gaan slapen en ik ben alleen…'

'Wat?' vraagt hij lacherig. 'Ben je bang dat ik weer tegen je op ga rijden?' Hij laat zijn blik op de open rits van mijn vestje vallen.

Ik trek het dicht tot aan mijn kin. 'Nee.'

'Nou dan.'

Aarzelend zet ik een stapje opzij, waarna hij langs me heen loopt.

'Mooi huis. Ik moest even zoeken voor ik het gevonden had. Ik ken deze buurt niet goed, maar het ziet er leuk uit.'

'Wat kom je eigenlijk doen?' vraag ik.

'Ik wilde even mijn excuses maken voor het gedrag van mijn ver- loofde. Of ex-verloofde, moet ik nu eigenlijk zeggen.'

Even denk ik dat hij een grapje maakt. Zo snel verbreek je je ver- loving toch niet? Maar dan zie ik dat zijn gezicht bloedserieus staat. 'Je gaat me toch niet vertellen dat ze bij je weg is vanwege dat mis- verstand zojuist?'

'Nou, na tien minuten ruziën begon het een beetje onduidelijk te worden wie nu bij wie wegging, maar ik hou het erop dat ik uitein- delijk zelf de knoop doorgehakt heb.' Hij lacht schamper. 'En ik moet echt mijn contacten beter gaan onderhouden, want onderweg naar huis besefte ik dat er niemand was bij wie ik even mijn hart kon luchten, behalve jij dan. Wat tamelijk triest is, vind je niet?' Hij kijkt gelaten om zich heen en gaat dan in het midden van de bank zitten. 'En misschien was het ook wel geen misverstand.'

'Hoe bedoel je? Natuurlijk was het dat. We waren aan het werk.'

'Dat is ook zo, maar als ik nadenk over wat zij zei, dat ik liever bij jou was om je de anatomie van het hart te leren dan bij haar, dan moet ik toegeven dat ze misschien wel een punt had. Ik had ook geen zin om naar huis te gaan. Ik kan niet meer met haar praten zoals ik dat vroeger kon, zoals ik dat nu met jou kan, bijvoorbeeld.'

'Hugo, dat gebeurt soms in een relatie. Het gaat niet altijd vanzelf. Je moet ervoor werken, je moet je best doen voor haar. Als jij je openstelt, doet zij dat ook weer.' Niet te geloven dat ik dit advies geef.

'Je hoeft me geen relatieadvies te geven. Het is echt over met Sacha.'

'Dat hoeft niet zo te zijn. Iedereen heeft weleens ruzie. Jullie komen er wel uit.'

'Maar dat wil ik niet. Ik wil er niet uit komen met haar. Ik wil dat het voorbij is.'

'O.' Ik weet even niet wat ik moet zeggen of doen. Hij zit er nogal triest bij, maar ik voel er ook weinig voor om mijn arm om hem heen te slaan zodat hij kan uithuilen. Toch kijkt hij naar me alsof dat precies is wat hij wil dat ik doe.

'Je moet er gewoon eens rustig een nachtje over slapen,' zeg ik zo luchtig mogelijk. 'Misschien denk je er dan heel anders over. Je bent nu boos en dan is het moeilijk om rationele besluiten te nemen.'

'Liefde is nooit rationeel, Isa, weet je dat niet?'

'Ik weet wat liefde is.'

'Tja, jij en Gepetto hebben het prima voor elkaar hier. Heeft hij dit ook allemaal zelf gemaakt?' Hij veert een beetje op de bank op en neer. 'Stevig spul, hoor. Zo te zien heeft hij wel verstand van zaken.'

Ik probeer hem met mijn blik duidelijk te maken dat hij op moet houden. 'Ik snap dat je het moeilijk hebt, Hugo, maar ik vind het niet leuk als je Ruben belachelijk maakt.'

'Dat doe ik niet. Of misschien ook wel. Sorry. Ik ben momenteel een beetje sceptisch over de liefde, denk ik.'

'Oké, dat kan, maar laat ons erbuiten, goed?'

'Weet je, Isa, ik vind jou een fantastische vrouw. Echt. Dat meen ik.'

'Nou bedankt.' Ik zie koplampen door de gordijnen schijnen. 'Ik denk dat dat Ruben is,' zeg ik.

'Serieus, Isa. Ik vraag me weleens af hoe jij dat ziet. Hoe jij jezelf ziet, want soms kijk ik naar je en dan denk ik alleen maar: wauw.'

Nu weet ik bijna zeker dat hij gedronken heeft en het wordt tijd om die vraag te stellen. Helaas ben ik te verbouwereerd om een woord uit te brengen.

Ik hoor de sleutel in de voordeur en meteen daarna het getrappel van Bo in het halletje. 'Wie heeft die patserige bak op mijn plek gezet?' vraagt Ruben geërgerd nog voor hij binnenkomt. Hij blijft even verstard op de drempel staan als hij ziet wie er bij ons op de bank zit. Dan komt hij verder.

'Sorry, maat, dat ben ik,' zegt Hugo

'O,' antwoordt Ruben. 'Mooie auto.'

'Ik wist niet dat het jouw plekje was,' gaat Hugo verder. 'En ik heb ook al de hele avond beslag gelegd op je vriendinnetje.'

'Dat is niet zo mooi,' zegt Ruben met een blik op mij. Ik vind dat ik een statement moet maken en zet een stap in zijn richting. Ik kus hem vol op zijn mond en hij kust me wel terug, maar ik zie in zijn ogen dat dit hem niet lekker zit. Hij houdt zijn arm om me heen en Hugo staat langzaam op.

'Ik denk dat ik maar eens ga. Het is morgen weer vroeg dag.' Hij kijkt even naar Bo, die met zijn kop tegen me aanstoot om aangehaald te worden. 'Leuk hoor, echt huisje, boompje, beestje.' Hij loopt naar de voordeur. 'Tot morgen, Isa.'

'Tot morgen,' antwoord ik en ik loop mee om de deur achter hem te sluiten.

'Wat was dat?' vraagt Ruben als ik terug in de kamer kom.

'Niks. Hij is een beetje uit zijn doen, geloof ik. Het is uit met Sacha.'

'O. En nu?'

'Ik weet het niet, misschien is het morgen wel weer aan.'

'Denk je dat?'

'Ik weet het niet.'

'Ik denk het niet.' Ruben loopt de trap op. 'Ik weet wel zeker van niet.'

19

Daph en Floor zijn bij mij voor een ouderwets filmmiddagje. Het is superlang geleden dat we dat voor het laatst gedaan hebben, maar Ruben is weer eens een hele zondag aan het werk en Mas heeft een voetbalwedstrijd. Girls only dus vandaag.

Ik heb voor ladingen snoep- en snaaiwerk gezorgd. Chocola, chips, koekjes, popcorn: alles is in huis en de tafel staat er vol mee. Ik heb er vanochtend speciaal twee uur voor in de sportschool doorgebracht. Ter compensatie. Maar Bram was er niet, dus ik heb nog steeds geen idee hoe het met hem is. Ik ga morgenavond weer voor het geval de twee uur van vandaag niet genoeg compensatie zijn, dus ik hoop hem dan te zien. Misschien mist hij Stijn heel erg en beseft hij dat hij de ware voor hem is. Ik heb daar de hele tijd weinig vertrouwen in gehad, maar uit de mails van Stijn maak ik op dat hij dat vertrouwen wel heeft, dus misschien moet ik Bram het voordeel van de twijfel geven.

Ik verheug me heel erg op de twee films die we gaan kijken. *Confessions of a shopaholic* en *P.S. I love you*. De eerste heb ik net gekocht en de tweede heb ik al een keer gezien, maar Jeffrey Dean Morgan en Gerard Butler in één film maken het wel de moeite waard om nog een keer te kijken. En Daph en Floor kennen hem nog niet, wat het ultieme bewijs is dat we veel te weinig filmmiddagen gehad hebben de afgelopen tijd.

We hebben ons al helemaal geïnstalleerd. Floor en Daph zitten allebei in een andere hoek van de grote driezitter en ik heb de tweezitter voor mezelf alleen. Bo is vandaag bij ons gebleven en hij ligt aan onze voeten in de hoop dat we iets lekkers voor hem laten vallen. Ik heb al honderd keer gewaarschuwd voor de chocolade, dus ik hoop dat Daphne en Floor dat ter harte nemen. We hebben al een uur gekletst en een behoorlijk gat in de voorraad snacks geslagen voor er ook maar een film aan te pas komt, maar ook dat hoort erbij. Inmiddels heeft Floor alles verteld over haar zwangerschapskwaaltjes en zijn mijn vriendinnen op hun beurt weer op de hoogte van mijn allergische reactie op de buikschildering (waar Floor natuurlijk weer helemaal geen last van heeft gehad) en het vreselijke incident in de badkamer, waar ze nog steeds om de paar minuten van in de lach schieten. Ik had het ze niet willen vertellen, want zodra ik eraan terugdenk wil ik weer van de aardbodem verdwijnen. Maar op de een of andere manier kon ik het toch niet voor me houden. Misschien hoopte ik dat ik het beter achter me zou kunnen laten als ik het met Floor en Daph gedeeld had. Soms lijken dingen heel erg, tot het moment dat je ze aan iemand vertelt en merkt dat je er wel om kunt lachen. Nou, dat is hiermee dus niet het geval. Ik voel me er nog steeds ongemakkelijk over en bijna elke keer als ik Ruben zie, komt dat terug.

'Weet je waarom jou altijd dat soort dingen overkomt, Ies?' vraagt Daph. 'Juist omdat je er zo spastisch over doet. Je roept het over jezelf af. Mij is zoiets nog nooit gebeurd.'

'Jij woont niet samen!'

'Denk je soms dat er nooit iemand is blijven slapen?' Ze wriemelt een beetje heen en weer op de bank. 'Ik ben geen non, hoor.'

'Toch is dat anders.'

'Mij is het ook nooit overkomen,' zegt Floor. 'Daph heeft wel een beetje gelijk. Maar hij houdt van je, dus wat maakt het uit!'

'Maar ik was te overdonderd om het terug te zeggen,' antwoord ik.

'Heb je het nu nog steeds niet gezegd?' vraagt Daph terwijl ze met een verbaasd gezicht over haar schouder wrijft. 'Het is een week geleden!'

'Ja, dat weet ik, maar we hebben amper tijd samen gehad sindsdien. Ik wil het goede moment ervoor afwachten.'

'Nee, zíjn timing was echt geweldig,' zegt Floor spottend.

Daph moet lachen en probeert ondertussen een plekje op haar rug te bereiken waar ze moeilijk bij kan. 'Daar kun je niet aan tippen, Ies, wat je ook bedenkt. Zeg het hem nou maar gewoon.'

'Waar heb jij trouwens last van?' vraagt Floor aan Daph. 'Ik krijg er zelf ook jeuk van. Heeft die hond van jullie vlooien of zo?' Ze kijkt mij beschuldigend aan. Alsof ik er niets aan zou doen als Bo vlooien zou hebben!

'Het is dit truitje,' zegt Daph terwijl ze ook aan haar arm begint te krabben. 'Het is nieuw, maar ik kan niet goed tegen dat spul, denk ik.'

'Wil je iets van mij lenen?' vraag ik. Het voelt elke keer weer goed om dat te kunnen zeggen. Ik kan zelfs iets van hen lenen. Soms.

Daph schudt haar hoofd. 'Het gaat alweer. Maar wanneer wil je het dan zeggen? Het hoeft toch niet met luchtschrift of zo?'

'Natuurlijk niet. Maar er is elke keer iets waardoor het niet het juiste moment is. Of hij staat op het punt te vertrekken of ikzelf. Of ik zie aan hem dat hij moe en geïrriteerd is zoals die avond dat Hugo plotseling op de bank zat.'

'Hugo?' vragen ze allebei tegelijk.

'Heb ik dat niet verteld? Hugo was verloofd, maar hij heeft het uitgemaakt. Of zij, of allebei, dat weet ik niet precies. Maar daarna kwam hij naar mij om het van zich af te praten en Ruben was nog aan het werk, dus toen Ruben thuiskwam en Hugo aantrof, was hij niet echt blij.'

'Waarom komt Hugo bij jou zijn hart luchten?' vraagt Daphne.

Ik haal mijn schouders op. 'Hij is net verhuisd, toch? Volgens mij heeft hij het contact met zijn oude vrienden nog niet helemaal hersteld.'

'En nu is Ruben jaloers?' vraagt Floor.

'Hij mag hem gewoon niet zo.'

'Omdat jij hem wel mag?'

'Wie zegt dat ik hem mag?'

'Ik weet niet. Het is maar een vraag,' antwoordt Floor verontschuldigend.

'Hugo heeft een ingewikkelde gebruiksaanwijzing en het grootste gedeelte van de tijd weet ik echt niet wat ik van hem moet denken, maar ik kan veel van hem leren. Dat is het belangrijkste. Zullen we eens een film opzetten?'

'Is hij knap?' vraagt Daph.

'Niet zo knap als Ruben.' Ik pak de dvd en zet de dvd-speler aan.

'Maar wel knap?'

Ik ga weer zitten. 'Ik kijk niet op die manier naar hem.' Ik pak het bakje met chocoladerozijntjes, neem er een paar uit en geef het dan aan Floor.

Ze kijkt me even doordringend aan voor ze het van me aanneemt. 'Echt wel,' zegt ze dan. Ik zet het geluid harder.

Het is maandag en de werkdag zit er alweer bijna op. Ik zit nog wat testresultaten van vandaag in te voeren. We hebben inmiddels toch afwijkende waarden bij Pias kunnen ontdekken. We hadden hem al enkele weken niet teruggezien, maar de klachten bleken toch nog niet voorbij en vandaag heb ik opnieuw de nierfunctie getest. Ik ben blij dat we nu hebben kunnen achterhalen wat de oorzaak is. Zeker omdat het met medicijnen goed op te lossen is. Weer een patiëntje geholpen.

'Fijne avond, Isa!' roept Vivian op weg naar buiten. 'Ga je nog sporten vanavond?'

Ik heb tijdens de pauze met haar de honden uitgelaten en verteld dat ik me overdag altijd heilig voorneem om naar de sportschool te gaan, terwijl ik 's avonds nog voor ik de deur van de kliniek achter me dichttrek al weet dat er weer niets van zal komen. Zij zegt ook moeite te hebben zich nog te motiveren voor elke vorm van inspanning als ze een blik op haar bankstel heeft geworpen. 'Ik ben het nog steeds van plan,' antwoord ik. 'En ik heb mijn zusje al gebeld, dus eigenlijk kan ik er niet meer onderuit.'

'Jullie gaan altijd samen, hè?' vraagt Vivian.

'Zo vaak we kunnen, al is dat de laatste tijd wat minder vaak dan de bedoeling is.'

'Lijkt me fijn om een zus te hebben. Ik heb altijd ruzie met mijn broer.'

'Nou, wij konden er vroeger ook wat van, hoor. En soms kan ze er nog steeds dingen uitflappen die bij mij meteen in het verkeerde keelgat schieten, maar ik weet wat ik aan haar heb. Het is altijd goed bedoeld en vaak heeft ze nog gelijk ook. Eigenlijk is het wel fijn om iemand te hebben die altijd eerlijk tegen je is, toch?'

'Ook al wil je het soms niet horen,' zegt Vivian. 'Nou, succes met sporten en tot morgen dan maar!'

'Doei! En jij ook een fijne avond!' Ik richt me weer op Pias' patiëntenkaart en sluit daarna mijn computer af. Blij dat het vandaag weer min of meer gezellig was op het werk. Ik heb met Vivian geluncht en Petra deed ook normaal. Niet dat we weer ouderwets hebben zitten kletsen, maar ik ben al blij dat het stomme bekvechten is opgehouden. Misschien heeft Hugo al met haar gepraat, of ze heeft zelf ingezien hoe belachelijk haar ideeën waren. Ik hoop eigenlijk dat laatste.

Ik pak mijn tas, doe de lichten in mijn kantoor uit en loop de hal op. 'Tot morgen, Hugo!' roep ik.

Het blijft even stil en ik vraag me af of ik niet hard genoeg geroepen heb, maar dan verschijnt Hugo achter me. 'Het zal een belangrijke dag worden,' zeg hij.

'Voor Maya, bedoel je?' Ze heeft 's ochtends een consult om te bepalen hoe de medicatie aanslaat.

'Inderdaad. Morgen zullen we zien op welke termijn de operatie zal plaatsvinden. Bereid je maar voor op eind deze week of begin volgende week.'

'Zo snel al? Hoe weet je dat zonder haar gezien te hebben?'

Hij haalt zijn schouders op. 'Ervaring.' Hij staart naar een punt op de vloer ergens tussen zijn en mijn voeten. 'Dus... als er nog onduidelijkheden zijn, laat het dan snel weten. We hebben niet veel voorbereidingstijd meer.'

'Oké.' Ik loop naar de deur. 'Ga jij niet naar huis?'

'Zo meteen. Ik moet nog even wat afmaken. En er zit niemand thuis op me te wachten.' Hij draait zich om en loopt terug naar zijn kamer. 'Tot morgen, Isa,' roept hij als hij uit het zicht verdwenen is.

Ik stap in mijn auto en probeer het gevoel van medelijden van me af te schudden. Hugo is een volwassen man en hij kan prima voor zichzelf zorgen. Maar toch, als het over zou zijn tussen mij en Ruben, zou ik ook diep in de put zitten. Het is dat ik al met Tamara afgesproken heb, anders zou ik teruggaan om een praatje aan te knopen. Ik kan niet veel voor hem doen, maar ik kan hem op zijn minst een luisterend oor bieden. Toen hij de vorige keer plotseling bij mij thuis opdook, stond ik ook al niet bepaald open voor een goed gesprek. Misschien heeft hij nog bij niemand zijn hart kunnen luchten. Hugo is volgens mij niet het type man dat daarvoor bij zijn ouders aanklopt en als je je vrienden een tijdlang uit het oog verloren hebt, ga je ook niet meteen met je problemen naar hen toe, lijkt me.

Bij mijn ouders aangekomen pak ik mijn sporttas uit de kofferbak. Tamara wacht me in haar sportkleren bij de voordeur op. Ik kan meteen aanschuiven. We eten rijst met gegrilde groenten en vis en Tamara en ik hoeven niet mee te helpen met afruimen omdat mam het zielig voor ons vindt dat we na een lange werkdag nog de sportschool in moeten duiken. We protesteren geen van beiden en ik vertel Tamara dat ik Stijn beloofd heb om Bram in de gaten te houden, maar daar nog niet echt in geslaagd ben. We bedenken dat Tamara hem eens kan uithoren. Misschien is hij minder vijandig tegen haar. Een halfuurtje later is ons eten wat gezakt en ren ik naar boven om mijn sportkleding aan te trekken.

Zoals gewoonlijk is het druk in de sportschool. Bram is aanwezig, maar Tamara krijgt hem niet te pakken want hij heeft het druk met het begeleiden van een paar nieuwelingen. Ze aarzelen lang om hem aan te spreken tussen twee oefeningen in en ze dralen wat rond de cardioapparatuur zonder de moed op te brengen iets uit te proberen. Bram is zijn eeuwig motiverende zelf en roept de ene na de andere oneliner die vast ergens in een handboek voor macho sportleraren te vinden zijn. De nieuwe meisjes giechelen bij alles wat hij zegt en lopen onwennig rond als hij even met iets anders bezig is. Wat ben ik blij dat ik dat stadium voorbij ben.

Na onze eerste twintig minuten op de crosstrainer begeeft Bram zich naar de meet- en weegruimte, waar hij het eerstvolgende kwartier niet meer uitkomt. 'Hij gaat ons weer de hele avond ontlopen, let maar op,' zeg ik tegen Tamara.

'Hij heeft het gewoon druk, wacht nu maar af. Ik krijg hem nog wel te pakken.'

'Wil je soms tot sluitingstijd blijven hangen?'

'Als dat nodig is,' antwoordt ze.

Ondertussen zijn we drie kwartier op de crosstrainer bezig geweest en lopen we richting de apparaten voor onze buikspieren. We nemen naast elkaar op de trainingsbankjes plaats.

'Nu snap ik het,' zegt Tamara.

Ik ben al begonnen, maar zij zit nog rechtop.

'Wat?' pers ik er tussen twee crunches uit.

'Nou, waarom hij zo lang in dat hokje bleef. Hij hangt altijd bij de knapste vrouwen rond, maar wat mannen betreft weet hij ook wat lekker is, hoor.'

Ik heb geen zin om uit mijn ritme te raken en ga door met mijn oefeningen, maar Tamara is helemaal in de ban van wie het ook mag zijn die met Bram uit het hokje komt.

'Het werd wel eens tijd voor wat nieuw vlees, hier,' zegt ze terwijl ze haar staart losmaakt en haar blonde krullen losschudt. 'Dit lijkt me een mooi moment om eens even een gesprekje met Bram aan te knopen.' Ze staat op en met een charmant huppeltje loopt ze op Bram en haar andere doelwit af.

Ik zie vanaf hier alleen hun benen en telkens als ik omhoog kom, vang ik een glimp op van Tamara die haar bekende flirttechnieken uitvoert. Ik hoef het niet eens te zien om te weten wat ze doet. Het lachje, het achterovergooien van haar lange haren, het weer opnieuw vastbinden in een paardenstaart en die blik van onder haar wimpers. Het is helemaal geperfectioneerd en ik ken al haar trucjes tot in detail. Ik wou dat ik ermee weg kon komen, maar als ik zoiets bij Ruben probeer, voelt het alleen maar belachelijk. Sommige dingen zijn gewoon niet aan te leren.

Als ik eindelijk bij de honderd ben, laat ik me achterover zakken en ik blijf liggen tot het brandende gevoel langzaam uit mijn buikspieren trekt. Ik haal een paar keer diep adem en zoek op de tast naar mijn handdoek.

Vanuit mijn ooghoek zie ik de in een loszittende zwarte joggingbroek gestoken benen van Tamara's nieuwe project naast me verschijnen. Hij gaat zitten op het bankje dat net nog van haar was en even geloof ik niet dat ze zo snel beet heeft. Maar dan besef ik dat ik haar nog steeds met Bram hoor praten, enkele meters hier vandaan. Ik kom overeind en kijk Hugo aan, die mijn handdoek naar me uitgestoken houdt. 'Zoek je dit?'

Ik neem de handdoek aan, maar het duurt even voor ik hem kan plaatsen in deze omgeving. Net zoals ik daar ook moeite mee had toen hij bij me thuis langskwam. Het slaat nergens op, maar voor mij hoort Hugo in de kliniek. Daarbuiten komt hij me vreemd voor. Zeker als hij een mouwloos shirt draagt dat strak om zijn borstpieren spant. Hij buigt zich voorover om iets aan zijn schoenveter te doen en toont daarbij een gespierde schouder- en rugpartij. Echt, als je hem in zijn groene operatiehemdje ziet, verwacht je dit totaal niet. Ik dep mijn voorhoofd met mijn handdoek en Hugo leunt ontspannen iets voorover met zijn onderarmen op zijn bovenbenen. 'Hard gewerkt?' vraagt hij.

Ik neem een slok water uit mijn fles en knik alleen maar wat.

'Ik wist wel dat je dat lichaam niet zomaar had.'

Ik drink door, zodat ik niets terug hoef te zeggen, want ik ben sprakeloos door die opmerking. Dan bedenk ik dat het obsessief water drinken vast een idioot gezicht is en haal ik de fles van mijn mond. Iets te plotseling, want er loopt een straaltje water uit mijn mondhoek naar mijn kin.

Hugo dept het met mijn handdoek. 'Je morst wat.'

Ik sta op in een poging meer afstand te creëren, maar hij doet hetzelfde en de ruimte tussen de twee trainingsbankjes is niet groot genoeg. Zijn arm raakt de mijne en mijn heup schuift langs zijn been als ik hem probeer te passeren. Als hij maar niet denkt dat ik dat expres deed. Dat deed ik namelijk echt niet.

'Grappig dat ik je hier tegenkom,' zegt hij.

'Dat is niet grappig, hoor,' antwoord ik. 'Dat is bloedserieus. Als ik dit niet doe, word ik hartstikke dik. Echt, hoor. Niet gewoon een beetje stevig. Echt dik.'

'Meen je dat nou?' vraagt hij lachend.

Opeens denk ik aan Sacha. Zij is ook niet heel erg slank. Hij valt misschien wel op volle vrouwen. Ik wou dat ik niets gezegd had. Ik kijk achterom en zie dat Tamara haar gesprekje met Bram afrondt. Ze werpt over zijn schouder steeds een nieuwsgierige blik in mijn richting.

'Ik moet weer verder,' zeg ik. 'Ik ben hier met mijn zus, dus...'

Hij ziet me naar Tamara kijken. 'Is dat je zus?'

'Ik weet het, we lijken voor geen meter op elkaar.'

'Niet? Ik vind van wel. Dezelfde oogopslag. Dezelfde lach.'

Normaal zou ik misschien blij zijn dat te horen, maar Tamara staat nog steeds in haar flirthouding en ik weiger te geloven dat ik zo naar Hugo kijk. Of lach. Of wat dan ook. Als ik het überhaupt al voor elkaar zou krijgen om zo'n blik in mijn ogen te toveren, dan zou het voor Ruben bestemd zijn en voor niemand anders. 'Nou, ik ga nu, hoor. Veel succes met sporten verder.' Ik wil me omdraaien.

'Ik wilde je net vragen of je me een beetje wegwijs wilde maken.'

'Ik? Daar is hij voor.' Ik knik naar Bram. 'En hij is er echt heel goed in. Je hoeft maar een kik te geven en hij staat voor je klaar. Of dat meisje daar. Sylvie!' Ik zwaai naar haar, maar ze ziet het niet. Of doet alsof. Als sportleraren ergens goed in zijn, is het verdwijnen als je ze nodig hebt en verschijnen als je ze niet kunt gebruiken.

Bram loopt nu ook de zaal in en Tamara komt naast me staan. 'Hoi.' Ze kijkt vragend van mij naar Hugo en weer terug. Ze vraagt zich waarschijnlijk af of het toeval is dat ik met hem in gesprek ben geraakt of dat ik hem ken.

Ik zucht. 'Tamara, dit is Hugo. Mijn collega.'

Hij steekt zijn hand naar haar uit en ze sluit haar vingers langzaam om de zijne terwijl ze bevallig lacht. Echt flirtfactor tien. Of twintig. Op een schaal van tien. 'Dus jij bent Hugo? Ik heb al zoveel over je gehoord.'

'Is dat zo?' vraagt hij gevleid.

Ze knikt, terwijl ik toch amper over hem gesproken heb. Alleen dat ene verhaal over die schijnzwangere hond. Nu doet ze net of ik het thuis voortdurend over hem heb. 'Jij bent toch de dr. Burke van dierenland?'

Ik kan het niet laten met mijn ogen te rollen, wat Tamara doorheeft. Ik voel haar elleboog tussen mijn ribben.

'Dr. Burke?' herhaalt hij verward. 'Ik geloof niet dat die naam me iets zegt.'

'Dat meen je niet! Hij is alleen maar de beste cardioloog van de hele wereld, hoor!' antwoordt Tamara.

'In een tv-serie,' leg ik uit. 'Volgens mij kent Hugo *Grey's Anatomy* niet, Tamaar.'

'Jammer,' zegt ze. 'Nu begrijp je niet hoe groot dat compliment was.'

Hugo lacht. Hij is onder de indruk van mijn zusje, dat is overduidelijk. 'Nou, ik ben niet de beste van de wereld, ben ik bang. Ik betwijfel zelfs of ik de top van Nederland haal.'

Dat is niet waar. Hij weet best dat hij daarbij hoort. Hij wil natuurlijk dat ik dat bevestig, maar ik heb daar geen zin in.

'Ik zal jullie niet langer ophouden,' gaat Hugo verder. 'Ik probeerde Isa te strikken als personal trainer, maar ik zal het zelf moeten doen, denk ik. Het is altijd even wennen als je een nieuwe sportschool bezoekt. Deze is ook wat kleiner dan die waar ik in Duitsland lid van was. Daar had niemand het door als je nieuw was, maar hier valt het wel op.'

'Je mag gerust met ons op sleeptouw, hoor,' stelt Tamara tot mijn ontsteltenis voor. 'We helpen je wel op weg.'

'Echt?' vraagt hij met een blik op mij. 'Ik geloof dat...'

Tamara kijkt me nu ook aan. 'Het is echt geen enkel probleem. Toch, Isa?'

Ik glimlach, maar ik meen er niks van.

Ik heb Tamara en Hugo lekker aan hun lot overgelaten. Ik zit al aan de bar en zie dat Tamara geen moment van zijn zijde wijkt. Ze hebben alles samen gedaan en nu zijn ze aan een cooling down op de fietsen begonnen. Al heb ik het idee dat Tamara helemaal niet bezig is met afkoelen. En Hugo ook niet, voor zover ik dat kan inschatten. Ze maken grapjes en lachen hardop. Ik werk al een paar maanden met Hugo, maar ik heb nog niet één keer zo hard hoeven lachen als Tamara om de twee minuten doet. Hij moet wel denken dat ze hem helemaal het einde vindt.

'En dan te bedenken dat zij nog de meest subtiele van jullie twee is,' zegt Bram terwijl hij naast me op een kruk gaat zitten.

'Wat bedoel je?'

'Nou, ik kan me herinneren dat ik jou een keer tijdens het uitgaan ben tegengekomen...'

'Ja hoor, natuurlijk. Alsof ik ooit zo tegen jou gedaan heb,' mompel ik. Ik heb geen zin in de flauwe grappen van Bram.

'Zoals ik al zei: daarmee vergeleken is dit subtiel.' Hij staat op en dat is net op tijd, want ik wilde hem een flinke por geven. Hij loopt naar de andere kant van de bar. 'Drankje?'

Ik schud mijn hoofd. 'Ik wacht tot zij eindelijk klaar is.'

'Ze is wel wispelturig. Een uurtje geleden probeerde ze mij nog te versieren. Dat vond ik wel apart, want ik probeer dat al met haar sinds de dag dat ze zich hier heeft ingeschreven. Nooit gelukt, natuurlijk. En daarstraks begon ze opeens met haar haren te spelen, zoals ze nu bij hem daar doet.'

Tamara is van haar fiets gestapt en draait een plukje haar rond haar vinger terwijl ze een beetje van het ene been op het andere wiegt.

'Daar zat jij zeker achter?' vraagt Bram direct.

'Hoezo? Ik stuur mijn eigen zus niet op pad om foute mannen aan de haak te slaan, hoor.'

'Geef het nu maar toe, Isa. Tamara sport hier al jaren en ze heeft nog nooit gevraagd of ik na het werk nog iets te doen had.'

Ik moet een beetje lachen. 'Vroeg ze dat?' Ik wist niet dat ze het zo zou spelen. Het is in ieder geval niet wat ik onder uithoren versta.

'Wil je weten wat ik gezegd heb?'

Ik knik. 'En je hoeft me niets op de mouw te spelden, want zij vertelt me toch de waarheid wel.'

'Ik heb gezegd dat ik vanavond ga skypen met mijn vriendje.'

Ik kijk om me heen. Het is best druk in de bar en de muziek staat redelijk hard, maar hij praat ook met genoeg volume om duidelijk hoorbaar te zijn voor iedereen die het horen wil. 'Meen je dat?' vraag ik zachtjes.

Hij buigt zich wat voorover. 'Ik heb een beetje lullig tegen je gedaan over hem. Ik meende het niet zo, maar je moet begrijpen dat ik het toen ook voor mezelf nog niet allemaal op een rijtje had.'

'En nu wel?' vraag ik hoopvol.

'Ik doe mijn best.'

'Sorry,' zeg ik. 'Ik had je misschien het voordeel van de twijfel moeten geven.'

'Inderdaad!' roept hij overtuigd van zijn eigen gelijk. 'Maar ik snap jou ook.'

'Ja?'

'Soms ben ik een lul. En mijn reputatie spreekt ook niet altijd in mijn voordeel. Maar dat wil niet zeggen dat ik het leuk vind om mensen pijn te doen. Zeker niet als ze belangrijk voor me zijn.' Hij gaat zachter praten. 'Het is alleen dat dit, met hem, nieuw is voor mij en... ik moet eraan wennen. Goed?'

Ik heb opeens zin om hem een knuffel te geven of zo. Gelukkig weet ik me in te houden. Ik geef hem alleen een bemoedigend kneepje in zijn onderarm. 'Goed.'

'Wil je dan ophouden me het boze oog te geven als ik in je gezichtsveld kom?'

Ik knik. 'Deal.'

Hij legt zijn hand even op de mijne en gaat dan weer verder met zijn werk. Ik kijk de zaal in en zie Tamara met Hugo onder aan de trap staan. Zijn hand rust op haar bovenarm en het lijkt alsof hij haar aait. Dan loopt hij de trap op naar de kleedkamers en draait zij zich om, om naar de bar te komen.

'Hé Bram, mag ik er zo één?' vraagt ze wijzend naar een flesje in de koeling achter de bar.

'Natuurlijk schatje,' zegt hij. Hij plant het drankje voor haar neer.

'En? Klaar voor onze date zo meteen?'

'Tja, ik wel, maar jij zit met je gedachten bij een ander, toch? Ik ben er zo kapot van dat ik troost heb gezocht bij Hugo.'

'... en gevonden,' maak ik met een sarcastisch ondertoontje in mijn stem af.

Tamara mist die toon volledig en keert zich naar mij toe. 'Hij is leuk, Ies! Waarom heb je hem niet meteen aan mij voorgesteld?'

'Omdat hij veel te oud voor je is, bijvoorbeeld. Je bent pas drieëntwintig.'

'Ja? En? Hoe oud is hij dan?'

'Ik weet niet precies hoe oud hij is, Tamaar. Maar toch zeker halverwege de dertig. Dat moet wel gezien zijn opleiding en werkervaring.'

'Nou, dat vind ik niet te oud. Hij is tenminste volwassen. Hij praat heel anders dan de jongens waar ik meestal mee omga. Ik moet er de hele tijd om lachen. Hij zegt van die slimme dingen, vind je ook niet?' Ze neemt een slokje. 'En hij geeft heel hoog op over jou. Hij mag je echt heel graag. Dat bedoel ik dus. Mijn laatste vriendje, Björn, daar heb ik je toch over verteld? Hij zou gewoon zeggen: ik vind haar een toffe meid. Maar Hugo zegt: ik mag haar erg graag. Of: ik ben erg op haar gesteld.' Ze lacht hardop. 'Hij is echt leuk.'

'Tamara, alsjeblieft, richt je nou niet meteen op hem.' Dat is zo typisch mijn zus. Ze gaat er meteen helemaal voor. Ik wil niet dat ze haar zinnen op Hugo zet.

'Waarom niet? Ben ik te min voor hem? Je schaamt je zeker voor me? Omdat ik maar een dom winkelmiepje ben en jij en Hugo samen van die superintelligente dingen doen?'

'Helemaal niet, doe niet zo raar. Ik vind Hugo gewoon een beetje onpeilbaar en ik wil niet dat jij daar de dupe van wordt.'

'Oh. O,' mompelt Bram van een afstandje. 'Hugo gaat het moeilijk krijgen.'

'Hé, kun je op z'n minst doen alsof je niet meeluistert?' vraag ik. 'Tamara, luister nou. Hij heeft net een lange relatie beëindigd...'

'Ik ook!' zegt ze. 'Dat hebben we al gemeen.'

'Drie weken met Björn is geen langdurige relatie, Tamaar.'

'Het waren vijf weken en toevallig was het mijn op twee na langste relatie ooit.'

Ik kijk haar serieus aan. Meent ze dit nou of zit ze te dollen?

'Isa, doe eens een beetje relaxed. Wat is er mis mee als ik Hugo wat beter wil leren kennen?'

Alles! Daar is alles mis mee, ik kan alleen niet duidelijk maken waarom precies. 'Nou, drink dat flesje op, dan gaan we naar huis.'

'Wil je nu al gaan? Ik heb Hugo gezegd dat we nog wat zouden drinken.'

'Nou en? Ik zeg hem morgen wel dat er iets tussenkwam. Kom op, Tamara, ik wil naar huis.'

'Ga dan maar alleen,' zegt ze nukkig. 'Ik kom wel thuis.'

'Ik laat je hier niet zitten.'

'Isa, nu moet je eens goed naar me luisteren. Toen jij Ruben hier tegenkwam en jullie hier voor het eerst samen een drankje wilden drinken, heb ik me ook heel discreet teruggetrokken. Waarom kun je nu niet hetzelfde voor mij doen? Ik ben volwassen, hoor.'

'Dus je wilt Hugo leren kennen? Van alle mannen op de wereld? Van alle mannen hier op de sportschool, wil jij uitgerekend met Hugo een drankje drinken?'

Ze knikt.

'Hugo die het leuk vindt om in dode harten te snijden?' ga ik verder. Ze ging bijna over haar nek toen ik vertelde dat we dat gedaan hebben. 'Hugo die regelmatig ondergebraakt wordt, Hugo die graag met zijn handen in buikholtes van zieke dieren wroet, Hugo die testjes uitvoert met uitwerpselen?' Ik weet dat Tamara de details van mijn werk walgelijk vindt. Het idee van dieren redden vindt ze prachtig, net als de meeste mensen, maar de dagelijkse praktijk staat haar enorm tegen. 'Die Hugo?' vraag ik nog eens.

'Ik vroeg me al af waarom mijn oren zo suisden,' hoor ik dan achter me, waar Hugo opeens is verschenen. 'Zitten de meisjes lekker over mij te roddelen?'

'Isa vertelde me net over de boeiende aspecten van jullie werk,' antwoordt Tamara. 'Heel intrigerend. Daar wil ik graag meer over horen.'

Wat een trut is het toch ook. Nu gaat ze sowieso werk van hem maken, al is het maar om mij te pesten.

'Ik vertel je alles wat je maar weten wilt,' zegt Hugo terwijl hij er een kruk bij pakt. Hij is fris gedoucht en heeft een lekker muskus-achtig geurtje opgespoten. Zijn natte haar geeft hem een nonchalan-te uitstraling die hij op het werk niet heeft. Dat en de spijkerbroek en het poloshirtje die hij draagt. Ik zie Tamara naar zijn spierballen kijken en weet zeker dat het beeld dat ik zojuist van Hugo schetste niet bij haar is blijven hangen.

Ruben is thuis! Ik zie het meteen als ik de straat in kom rijden. Zijn auto staat voor de deur en er brandt licht in ons huis. Ik gris mijn tas van de achterbank en ren naar binnen. 'Ruben!' roep ik als ik binnenkom. Ik doe de deur achter me dicht en begroet Bo, die me voor in de huiskamer staat op te wachten. Hij loopt kwispelend rondjes om mijn benen, alsof hij heel erg blij is om me te zien. Hij maakt nu natuurlijk ook lange dagen, aangezien Ruben hem meestal meeneemt als hij gaat werken. 'Ruben?' roep ik nog eens. Bo geeft me niet de kans verder te lopen, zo enthousiast is hij.

'Hé, ben je er eindelijk!' antwoordt hij vanuit de keuken. Ik hoor een kastdeurtje dichtgaan en dan komt hij de kamer in met een bo-terham in zijn hand die al voor de helft op is.

Ik knik. 'Wat ben je vroeg!'

'Ja, ik wilde voor de verandering eens een avondje met jou door-brengen. Maar ik merk dat ik een afspraak had moeten maken.' Hij loopt naar me toe en wil me zoenen, maar ik deins een beetje terug.

'Niet doen, ik ben vies, hoor. Ik ben gaan sporten. Ik stink naar zweet.'

Hij lacht. 'Ik kom net uit de zagerij, dus dat zal bij mij niet anders zijn.' Hij slaat zijn armen om me heen en trekt me naar zich toe.

'Lekker,' zeg ik als ik zijn kus beantwoord. 'Pindakaas.'

'Wil je ook?' Hij houdt me de boterham voor en ik neem er een hapje van. Hij neemt ook nog een grote hap en omhelst me weer, waarbij hij zijn arm iets te veel laat zakken. Bo gaat er met het laat-ste stukje van de boterham vandoor. Voor deze keer gun ik hem zijn lolletje. Ik heb het te druk met dat van mezelf: Ruben zoenen. Ik sla mijn armen stevig om zijn nek en voel zijn grip om mijn middel verstevigen terwijl hij me een stukje optilt. 'Samen douchen?' vraagt hij. Ik maak een instemmend geluidje en laat me door hem meevoeren naar de trap. Hij begint alvast mijn vestje open te ritsen en sjort daarna mijn shirtje over mijn hoofd. Daar sta ik dan in mijn oncharmante sportbeha en ik kan een giechel niet onderdrukken.

'Lach je me uit?' vraagt Ruben terwijl hij me de badkamer in loodst.

Ik schud mijn hoofd, dat hij stil probeert te houden zodat hij me weer kan kussen. 'Ik bedenk net dat we wel heel snel geëvolueerd zijn van het ideale stelletje dat ik vond dat we moesten zijn...'

'Zijn we dat niet meer dan?' vraagt hij terwijl hij de kleren die hij bij mij uitgetrokken heeft in de wasmand gooit en zijn eigen shirt erachter aan.

Ik zet de kraan van de douche open. 'We lijken eerder op Shrek en Fiona, stinkend naar zweet en pindakaas.'

Hij lacht. 'Eigenlijk... is Fiona gewoon een lekker wijf.' Hij gooit zijn broek bij de vuile was en ik kijk naar zijn schitterende, naakte lijf. 'Gaat dit nog een keertje uit?' vraagt hij terwijl hij aan de koortjes van mijn sportbroek trekt. 'Of moet ik je even helpen?'

Ik maak het haakje van mijn beha los en laat mijn broek op de grond zakken. Het kost me moeite om uit de prop rond mijn voeten te ontsnappen en het geworstel is verre van geraffineerd, maar Ruben pakt mijn hand vast en een paar tellen later loopt het warme water over mijn lichaam en voel ik de handen van Ruben die mijn haren achterover strijken. Hij drukt korte kusjes op mijn voorhoofd, mijn wenkbrauwen, oogleden, wangen en neus. Dan vindt zijn mond die van mij.

We zoenen en soms smaakt het naar shampoo, dan naar douchegel, maar vooral smaakt het de hele tijd naar hem. Wat heerlijk is. Echt heerlijk. Net als zijn glimmende, sterke lichaam. De waterdruppeltjes glinsteren tussen de donkere haartjes op zijn armen. Ik laat mijn handen over zijn schouders gaan en zie hoe het schuim langs zijn gespierde ledematen naar beneden glijdt.

Hij komt achter me staan en helpt me de conditioner uit mijn haar te spoelen. Zijn vingertoppen masseren mijn hoofdhuid. Hij streelt mijn haar uit de weg en zijn lippen volgen het pad dat zijn vingers uitzetten. Hij kust de achterkant van mijn nek, langs mijn haargrens, naar het plekje achter mijn oor, langs mijn hals, naar mijn schouder. Met mijn ogen dicht leun ik tegen hem aan. Ik voel een hand op mijn borst, op mijn buik, mijn heup, mijn dij...

·Ik draai me naar hem om. Ik voel me week. Vloeibaar. Alsof ik zo door het doucheputje kan verdwijnen. Zijn handen glijden langs mijn rug naar beneden, waar ze mijn billen omvatten. Hij zakt iets door zijn knieën en ik zou zeker door de mijne gegaan zijn als zijn sterke lijf me niet had opgevangen. Hij neemt mijn lichaam van me over, ondersteunt het met dat van hem. Hij laat me langzaam op zich neerkomen. Een hand zoekt steun tegen het muurtje achter me, vlak naast mijn gezicht. Zijn blik, donker en warm, fixeert me.

'Ruben,' zeg ik. Hij zegt niets, hij doet niets. Hij kijkt alleen. Hij kijkt naar mij. Ik leg mijn hand op zijn onderarm, sluit mijn vingers om zijn pols. 'Ik hou van jou.'

Het klinkt zacht. Veel zachter dan een fluister, maar hij hoort het wel. Hij buigt zich langzaam naar me toe. Zijn lippen op de mijne, een ongekende zachtheid die, zonder woorden, precies hetzelfde zegt.

20

Ruben staat gelijk aan vuurwerk. Dat was altijd al zo, maar nu meer dan ooit. We vrijen lang en hartstochtelijk. Zoals we dat nog niet eerder gedaan hebben. Elke keer is anders en op een bepaalde manier nieuw, maar wat ik nu voel, gaat nog verder dan dat. Het is zo warm en liefdevol dat het me raakt op een niveau waar ik nog nooit geraakt ben. En Ruben ervaart het net zo. Dat zie ik. Dat weet ik. Dat voel ik.

Na afloop liggen we dicht tegen elkaar aan. Ik hoor aan zijn ademhaling dat hij moe is. Hij slaapt nog niet, maar hij is er ook niet ver vandaan. Ik denk dat hij wakker is omdat zijn vingers nog zachtjes over mijn arm kriebelen. Al gaat dat ook steeds langzamer. Maar ik vind het niet erg. Hij heeft zijn rust verdiend en ik vind het prima om zo samen in slaap te vallen. Ook al ben ik zelf niet echt moe. Ik ben klaarwakker. Ik voel zoveel dat ik me afvraag of ik ooit nog kan slapen. Ik had nooit durven hopen dat het zou zijn zoals nu. Het is bijna te mooi om waar te zijn, zoals bijna alles tussen ons. Vanaf het eerste ogenblik leek het onmogelijk dat hij op mij zou kunnen vallen. En toen gebeurde het toch. Ik kon het nauwelijks geloven en nog steeds lijkt het soms alsof ik het allemaal maar droom. En steeds als ik denk dat het niet nog beter kan worden, blijkt dat toch te kunnen. Ik heb nu het gevoel dat we alles aankunnen. Zelfs het samenwerken met Marleen stoort me niet meer. Zij kan nooit met hem gehad hebben wat ik nu met hem heb. Ik ben zo gelukkig dat ik haast ontplof.

Ik draai me op mijn zij, zodat ik hem kan aankijken en geef hem een paar kusjes op zijn wang. Zijn ogen blijven gesloten, maar er breekt een lief glimlachje op zijn gezicht door. Ik probeer me in te prenten hoe hij er nu uitziet. Ik wil alles van deze avond in mijn geheugen griffen. Ik mag geen detail vergeten, want dit is wat het betekent om echt gelukkig te zijn.

Ik weet niet hoe lang ik zo naar hem blijf kijken, maar na een tijdje voel ik me bijna schuldig door hoe goed ik me voel. Ik heb Ruben. Zou Floor net zo gelukkig zijn met Mas? Ik denk het wel. De chemie tussen hen is er duidelijk en ze straalt helemaal als ze het over hun kindje heeft of over hun bruiloft.

En zou het standhouden tussen Stijn en Bram? Ik heb een goed gevoel overgehouden aan het gesprekje met Bram. Ik besef opeens dat ik dat nog niet aan Ruben heb verteld. Ik zeg zacht zijn naam om hem niet te laten schrikken.

Het duurt even, maar dan maakt hij een geluidje dat van heel ver lijkt te komen, waaruit blijkt dat hij me hoort.

'Ik denk dat het wel goed komt tussen Stijn en Bram. Ik heb even met Bram gepraat in de sportschool en hij deed heel anders. Hij was serieus en gevoelig. Ik denk dat hij het meent. Fijn hè?'

'Heel fijn,' zegt hij slaperig.

'Sorry.' Ik streel met mijn vingertoppen over zijn wenkbrauw. 'Ik klets te veel en jij wilt slapen.'

'Ik vind het niet erg als je kletst... Ik ben alleen een beetje moe.'

'Ik gun het Stijn ook zo om net zo gelukkig te zijn als wij. En Daph. Ik had zo gehoopt dat het zou lukken met Robin. En Tamara... Waarom gaat ze altijd achter de verkeerde mannen aan?'

'Het lukt hen ook wel,' zegt Ruben terwijl hij iets gaat verliggen en mij weer in zijn armen trekt. 'Wij hebben elkaar toch ook gevonden?'

'Ze kan echt iedere man krijgen, toch?' zeg ik met mijn gedachten nog steeds bij mijn zusje. 'Waarom moet het dan per se Hugo zijn? Je had ze moeten zien tijdens het sporten.'

Ik voel Rubens lijf achter me verstrakken. 'Was Hugo erbij vanavond?'

'Hij blijkt ook lid geworden te zijn en hij kwam halverwege de avond ineens binnen. Je kent Tamara. Ze was niet bij hem weg te slaan en hij ging daar maar wat graag op in. Het lag er zo dik bovenop, Ruben. Hoe hij haar aanraakte en om haar grapjes lachte. Uiteindelijk bood hij zelfs aan om haar thuis te brengen en zij stemde meteen in. Toen kon ik er weinig meer aan doen, natuurlijk. Ze is tenslotte volwassen, maar het zit me wel dwars.'

'Dat hoor ik, ja.' Hij klinkt afgemeten en dat is zo'n levensgroot verschil met de vertrouwelijkheid die er een moment geleden nog tussen ons was, dat ik ervan schrik. Ik wil me naar hem omdraaien, maar hij geeft me weinig ruimte om te bewegen. We liggen nog hetzelfde als een minuut geleden, maar het voelt heel anders. Alsof de intimiteit vervlogen is op het moment dat ik de naam Hugo liet vallen en dat had ik natuurlijk kunnen weten. Waarom heb ik dat gedaan? Het ging helemaal niet om Hugo. Het ging om Tamara. Ik wil Ruben aankijken en het allemaal uitleggen, maar ik ben bang het met elk woord erger te maken dan het nu al is.

'Ruben?' probeer ik voorzichtig na een paar seconden.

'Het is al best laat, Isa,' antwoordt hij. 'Zullen we gaan slapen?' Er belandt een kusje in mijn haar en hij verstevigt een fractie van een seconde zijn omhelzing voor hij me loslaat en zich op zijn andere zij rolt.

Als ik vlak daarna nog eens probeer met hem te praten, reageert hij niet.

Ik ben vroeg op het werk. Ik wil op tijd zijn voor de controle van Maya. Eigenlijk was ik zo vroeg op omdat ik amper geslapen heb vannacht en omdat ik hoopte nog even met Ruben te kunnen praten voor het werk, maar hij bleef liggen en zei dat hij later kon beginnen vandaag. Toen ben ik maar weggegaan, zodat ik in ieder geval op tijd opgestart ben.

Vroeger was ik vaak als eerste in de kliniek aanwezig, maar je moet wel erg fanatiek zijn, wil je Hugo vóór zijn, heb ik de afgelopen tijd ontdekt. Daarom vind ik het een beetje vreemd om zijn kantoor nog donker en verlaten aan te treffen als ik door de lange hal naar de dierenvertrekken achterin loop. Ik vond het altijd best fijn om mijn dag zo rustig te beginnen. Alleen met de enkele zielenpoot die de nacht in de kliniek had moeten doorbrengen. Ik breng een paar minuten door in de opname met een kat die aan het infuus ligt. Hij is al aan de beterende hand, merk ik, en misschien kunnen we straks zijn baasje bellen om hem op te halen. Maar dat zal ik aan Petra overlaten, aangezien hij haar patiëntje is.

Terug in mijn kantoor neem ik nogmaals de punten voor de afspraak van Maya door. Daarna kijk ik wat de rest van de dag in petto heeft. Ondertussen komen Vivian en Petra vlak na elkaar binnen. Vivian begint meteen met het opruimen van de gereinigde instrumenten en haar klusjes in de dierenopvang, zodat ze op tijd aan de balie zit als de klanten binnenkomen. Petra neemt een kijkje bij haar kat en schenkt zichzelf daarna een mok koffie in.

'Het gaat goed met je patiënt, hè?' zeg ik als ik thee voor mezelf ga halen.

'Precies volgens het boekje, zo zien we het graag.' Ze neemt een slok. 'Is Hugo er nog niet?'

Ik schud mijn hoofd.

'Dat is dan ook nieuw. Ik begon me af te vragen of hij überhaupt wel naar huis ging 's avonds. Hadden jullie vandaag niet dat hondje van de PDAB op de agenda staan?'

Ik knik. 'Waarschijnlijk de laatste controle voor de ingreep. Hugo mag wel opschieten, want mevrouw De Vries kan hier elk moment zijn.'

'Niks voor hem om zo laat te zijn,' zegt Petra terwijl ze het keukentje uitloopt. 'Het was nog hartstikke rustig op de weg ook.'

Ik neem mijn thee mee naar mijn kantoor en zie in het voorbijgaan dat mevrouw De Vries al met Maya aan de balie staat. Ik blijf even tegen mijn bureau geleund staan. Ik merk pas dat ik op mijn lip sta te kauwen als ik opeens te hard doorbijt. Met een pijnlijk gezicht zuig ik erop terwijl ik mijn thee neerzet en mijn gsm uit mijn tas opduikel. Wat zit ik nu allemaal moeilijk te doen? Ik kan toch gewoon even Tamara bellen? Ze is vast nog thuis, want de winkel waar ze werkt gaat pas over dik een uur open. Het is vast toeval dat Hugo te laat is net nu ik hem gisteravond met Tamara in de sportschool achtergelaten heb. Ze is heus niet zomaar met hem mee naar huis gegaan. Tamara kan best impulsief zijn op dat gebied, maar toch niet met iemand die ze amper kent? Ik kies haar nummer en krijg meteen de voicemail, waarna ik haar een kort bericht stuur met de vraag waar ze uithangt.

Tien minuten later is Hugo er nog niet. Mevrouw De Vries was hier ruim op tijd en ik vind het niet correct om haar zo lang te laten wachten, terwijl ik hier zit te niksen. Maar ik heb Hugo nodig voor het ECG. Ik heb de vorige keer goed opgelet toen hij het onderzoek deed en ik ben er vrij zeker van dat ik het ook kan uitvoeren, maar om de schermbeelden juist te interpreteren is een grondige kennis van de anatomie van het hart nodig. Ik wacht nog maar even. Na vijf minuten ga ik op zoek naar het mobiele nummer van Hugo. Dit kan gewoon niet. Tien minuten later heb ik na enige aarzeling de mededeling ingesproken dat ik zelf ga beginnen als hij niet snel komt opdagen en dat ik dan ook maar meteen de ductus in mijn eentje af zal binden. Na een kwartier heb ik nog niets van hem gehoord, maar ondertussen zit mevrouw De Vries al meer dan een halfuur in de wachtkamer. Ik sta op en ga haar halen.

'Zo, dokter Verstraten, ik zie dat ik hier al helemaal overbodig ben,' zegt Hugo met een joviale glimlach op zijn gezicht als hij de onderzoeksruimte binnenkomt waar ik Maya onder een roesje heb gebracht om de echo uit te voeren. Hij geeft mevrouw De Vries een hand. 'Sorry dat ik verlaat ben, pech met mijn auto.'

'Wat vervelend,' antwoordt ze. 'Maar Isa heeft u prima vervangen.'

Hugo werpt een blik op de beelden die ik op het scherm getoverd heb. 'Mooi werk.' Ik wil opstaan om hem erbij te laten, zodat hij het over kan nemen, maar hij legt zijn hand op mijn schouder. 'Ga maar verder. Je doet het heel goed.'

Ik heb nog geen woord tegen hem gezegd en hoop dat ik dat zo kan houden. Ik dacht dat hij zijn werk in de kliniek serieus nam, maar blijkbaar gaat dat alleen op zolang hij niets interessanters om handen heeft. Zoals mijn zusje.

'Isa...' zegt hij op zijn rustige docententoon, die ik normaal gesproken aangenaam en vertrouwenwekkend vind. Nu ben ik te boos om iets aan hem te kunnen waarderen. 'Wat maak jij op uit de beelden?'

Ik schraap mijn keel om mijn rust te herwinnen, zodat niet heel de kliniek hoort hoe woedend ik ben. 'Mevrouw De Vries heeft al een tijdje moeten wachten, Hugo. Het lijkt me beter als jij zelf de diagnose stelt, zodat het niet nog langer gaat duren.'

'O, het geeft niet, Isa,' antwoordt ze vlug. 'Neem gerust je tijd. Als jij hier nog iets van kunt leren, is het toch goed?'

Ik glimlach. 'Ik wil uw tijd niet verspillen.'

Ze maakt een gebaar met haar hand dat ze er geen enkel bezwaar tegen heeft en ik concentreer me op het scherm. 'Ik denk dat...'

'Neem de tijd om rustig te kijken, Isa. Het is vrij ingewikkeld. Het is niet erg als je ernaast zit. Kun je de linkerboezem onderscheiden?'

'Die is duidelijk vergroot,' zeg ik, 'maar ik keek naar de longslagader. Ik heb de resultaten van de vorige echo bestudeerd en volgens
mij is de bloedsnelheid heel wat gestegen.'

Hugo fluit tussen zijn tanden. 'Raak! Dat heb je helemaal goed gezien. Het hart is zich al aan het aanpassen aan de situatie, wat betekent dat snel ingrijpen noodzakelijk is om onnodige en onherstelbare schade te voorkomen. Ik stel voor de ingreep binnen enkele dagen
uit te voeren.'

'Dat moet geen probleem zijn,' antwoord ik. 'De bloeddrukverlagende medicijnen hebben hun werk gedaan en ze is goed gegroeid.
Ze weegt bijna vier kilo.'

'Goed genoeg,' zegt Hugo,' we maken zo meteen een afspraak
voor later deze week. Maakt u zich geen zorgen, mevrouw De Vries,
we hebben alles grondig voorbereid. Het hele team staat voor Maya
klaar en Isa heeft de touwtjes strak in handen. Als het moet krijgt ze
het in haar eentje voor elkaar.'

'Echt Isa, ik moet je mijn complimenten maken,' gaat Hugo verder
als mevrouw De Vries de behandelruimte heeft verlaten. 'Dat heb je
heel goed gedaan. Ik sta echt versteld. Ik weet het, ik weet het, ik zou
ondertussen moeten weten wat je waard bent, maar je blijft me verbazen. Steeds opnieuw. Ik denk dat je zelf niet beseft hoe moeilijk
het is wat je doet.'

Ondertussen maak ik Maya los van de apparatuur. Ik geef haar zo
meteen een antimiddel tegen het roesje en dan mag ze mee naar huis
en ik heb geen zin om mevrouw De Vries weer een eeuwigheid te
laten wachten tot haar hondje mobiel is. Daarom ga ik niet in op
wat Hugo allemaal zegt, want als ik nu zou beginnen…

'Waarschijnlijk zou je het echt kunnen. Het onderbinden van de
ductus, bedoel ik. Het is jammer dat je het niet kunt oefenen. Als ik
dode harten had kunnen vinden met een open ductus waar je op had
kunnen oefenen, dan had ik het met je aangedurfd.'

Ik rol met mijn ogen, wat hij niet ziet omdat ik met mijn rug naar
hem toe sta. Wat hij wel meekrijgt, is mijn hardnekkige zwijgen.

'Je bent boos,' constateert hij. Ik ben dus niet de enige die briljan-
te waarnemingen doet. 'Ik geef je het grootste compliment dat ik je
geven kan, Isa Verstraten. Kan er geen bedankje meer vanaf?'

Ik draai me om. 'Hou je complimenten maar voor je. En je geslijm ook. Ik hoef ze niet.'

'Je bent heel erg boos. Allemaal omdat ik een klein beetje te laat was?'

'Je weet hoe belangrijk dit voor me is. Trouwens, laat mij er maar buiten: deze operatie is voor heel onze praktijk gigantisch. En ik weet dat het allemaal maar routine is voor jou, maar ik zou het onverteerbaar vinden als je dat laat merken aan de klant. Zeker aan deze klant, die zich zorgen maakt om haar hondje en een fortuin gaat neertellen om het te helpen. Hoor je me?'

Mijn handen trillen een beetje als ik de opheffende injectie aan Maya geef. Ik kriebel achter haar oortje terwijl ze langzaam wakker wordt.

'Een mooie les beroepsethiek, Isa,' zegt Hugo terwijl hij vlak achter me komt staan. 'Jammer dat het je daar niet echt om te doen is.'

Nu ben ik pas echt woedend. Ik draai me om en het liefst zou ik hem slaan. Midden in dat zelfvoldane gezicht.

'Denk jij maar eens na over waarom je echt boos op mij bent,' zegt hij op gedempte toon. Hij zet een stapje achteruit en het is goed dat hij dat doet, want anders zou ik hem geduwd hebben.

Hugo begeeft zich naar de deur, waar Petra net binnenkomt. 'Alles goed hier?' vraagt ze.

'Prima,' antwoord ik.

'Prima,' beaamt Hugo. 'Zorg dat die afspraak gepland wordt.'

'Gaat het echt wel goed?' vraagt Petra als Hugo weg is.

Ik knik terwijl ik de tranen probeer terug te dringen.

'Zo zie je er niet uit.'

'Het gaat alweer,' zeg ik. 'Maar misschien ben ik toch iets te betrokken bij Maya. Wil jij assisteren bij de PDAB?'

'Natuurlijk wil ik dat,' antwoordt Petra, 'maar je gaat het gewoon zelf doen. Je hebt er keihard voor gewerkt en je zou er eeuwig spijt van hebben als je het uit handen gaf.' Ze geeft me een klopje op mijn rug. 'Laat je niet van de wijs brengen. Je kunt het best.'

Ik had de afspraak met mevrouw De Vries ruim ingepland en zelfs nu het uitgelopen is, heb ik nog tijd over om me in mijn kantoor terug te trekken en een lange, lange mail aan Stijn te typen. Ik begin vrolijk over mijn gesprek met Bram en dat hij zich geen zorgen hoeft te maken, maar al snel gaat het weer over Hugo en over Ruben die juist daar zo boos over is.

Zodra ik mijn mail verstuurd heb, bel ik Ruben, maar zijn gsm gaat eindeloos over en ik krijg steeds zijn voicemail. Ik probeer het een paar keer opnieuw. Ik spreek dan in dat het me spijt en ik wil zeggen dat ik van hem hou, maar ik wil die woorden niet uitputten. Dus hang ik na een aarzeling van twee seconden maar gewoon op.

Ik drink een glas water in het keukentje, ga terug naar mijn bureau en staar naar mijn gsm. Dan bel ik Ruben weer en ik schrik als er meteen opgenomen wordt, maar het is niet Ruben zelf die 'Met het toestel van Ruben Zuidhof,' zegt. Het is Marleen.

Ik ben even stil en vraag me af waarom ze zo formeel opneemt. Ze ziet toch mijn naam in het display staan? 'Met Isa,' zeg ik toch maar, 'is Ruben er?'

'Hij is bezig,' antwoordt ze. 'Net als de vorige tien keer dat je belde, maar aangezien je niet opgeeft, heb ik maar even opgenomen. Ik hoop dat je het geen probleem vindt.'

'Nee. Maar kun je hem roepen? Ik wil hem even spreken.'

'Ik zal zeggen dat hij je terug moet bellen. Hij heeft nu zijn handen vol. Hebben jullie ruzie of zo?'

Ik weet even niet wat ik daar op moet zeggen. Dat gaat haar toch niets aan? Heeft ze soms mijn bericht afgeluisterd? Ik zie haar er zo voor aan. 'Nee,' antwoord ik, 'waarom denk je dat?'

'Gewoon. Omdat hij niet te genieten is. En het werd alleen maar erger toen ik vertelde dat ik je gisteren nog in de sportschool heb gezien.'

'O? Ik heb jou anders niet gezien.'

'Nee, dat kan kloppen. Je had het nogal druk met een of andere kerel bij de buikspierapparaten. Ik wilde je nog gedag zeggen, maar het is er niet van gekomen. Sorry.'

'Wil je vragen of Ruben me terugbelt?'

'Ja, hoor. Ik hoop dat het niet erg is dat ik het verteld heb van die man? Ik zag er geen kwaad in.'

'Geen probleem,' antwoord ik dapperder dan ik me voel. Ik speel de scène opnieuw af in mijn hoofd en vraag me af hoe het eruit gezien moet hebben in de ogen van Marleen. En zij heeft het natuurlijk weer enorm aangedikt toen ze het tegen Ruben vertelde, waardoor ik in zijn beleving waarschijnlijk midden in de sportschool bijna ben vreemdgegaan. Ik wil ophangen en Stijn een P.S. sturen, maar voor ik dat doe, hoor ik de stem van Ruben op de achtergrond. 'Is dat Ruben?' vraag ik, maar Marleen geeft geen antwoord. Ze praat tegen hem en giechelt.

'O, dit is voor jou,' hoor ik haar zeggen, 'je vriendinnetje.'

'Ies?' zegt Ruben.

'Ja... hoi...' Nu heb ik hem eindelijk aan de telefoon en weet ik niet meer wat ik zeggen wil.

'Sorry,' zegt hij, 'hiervoor.'

'Wat? Voor Marleen?'

'Ja, ik was buiten aan het lossen en had mijn telefoon hier laten liggen. Dus vandaar.'

'Geeft niet. Ik hoorde dat ze gisteren ook in de sportschool was...'

'Ja. Klopt. Maar weet je, daar hebben we het later wel over.'

'Ben je boos?'

'Moet dat dan?'

'Nee.' Ik hoor de achtergrondgeluiden veranderen. Er sluit een deur. Ik denk dat hij nu buiten staat.

'Marleen is de laatste van wie ik iets aanneem wat ons betreft.'

'Echt?' vraag ik opgelucht.

'Dus we praten thuis wel en dan zien we wel verder.'

'Hoe bedoel je "dan zien we wel verder"?'

'Nou, gewoon. Laten we eerst maar praten.'

'Ruben, kun je niet gewoon denken aan hoe het gisteravond was voor ik die naam liet vallen? Het spijt me dat ik dat gedaan heb, maar ik zat gewoon in over Tamara en verder deed het er echt niet toe. Ik wou dat ik het terug kon nemen en ik heb er de hele nacht van wakker gelegen en ik voel me er rot over en ik wil me niet rot voelen over iets dat zo perfect was...'

'Ies,' zegt hij zacht, 'we hebben het er straks over.'

Ik ben stil. Ik wil 'goed' antwoorden, maar ik doe het niet, want ik vind het niet goed. Ik vind het klote. Dus zeg ik niets en wacht ik op de klik.

21

Ik kan niet meer werken vandaag. Ik kan niet eten en niet stilzitten. Ik kan eigenlijk niets anders dan me afvragen wat Ruben bedoelde met 'dan zien we wel verder'. Hij doet alsof er een moeilijk besluit genomen moet worden, terwijl ik alleen maar wil uitleggen dat er niets valt uit te leggen. Het lijkt alleen meer waar te worden na elke keer dat ik het ontken.

Ik verwacht Ruben aan te treffen als ik, vroeger dan normaal, thuiskom. Maar hij is er nog niet. Ik ga alvast douchen en kan niet voorkomen dat ik huil als ik aan gisteravond denk. Hoe kunnen dingen zo snel veranderen?

Ik ga weer naar beneden, zit in kleermakerszit in het midden van de bank en wacht op Ruben. Twee uur en achtenveertig minuten later gaat eindelijk de voordeur open. Ik hang inmiddels in een hoekje van de bank en voel me uitgeput. Met moeite hijs ik mezelf overeind en omhels ik Bo, die me begroet. Ruben kijkt ernaar alsof hij zich verraden voelt. Alsof ze met elkaar afgesproken hadden dat Bo koeltjes langs me heen zou lopen en hij nu toch zijn eigen zin doet.

Ik kijk Ruben verwachtingsvol aan.

'Ik ben doodop, Ies,' zegt hij al bij voorbaat. Alsof hij het hele voornemen om het uit te praten het liefst overboord wil gooien. 'Ik ga douchen.'

'Ruben!' roep ik als hij zich omdraait. 'Wacht nou even.'

'Ik heb ook de hele nacht wakker gelegen. Ik wil gewoon douchen en slapen.'

De gedachte om nog een nacht op deze manier door te brengen ontneemt me alle moed. 'Je wilde toch praten?' vraag ik met overslaande stem die een op komst zijnde huilbui verraadt. 'Wat zit je nou dwars?'

'Dat is heel simpel, Isa. Hugo. Hugo zit me dwars. Hij komt me de keel uit. Zelfs zo erg dat ik niet weet wat ik doe als ik hem per ongeluk tegenkom, want ik ben hem echt helemaal, compleet beu!'

Ik zit hem zwijgend aan te kijken. Ik geloof niet dat ik hem ooit zo gezien heb en ik durf niets meer te zeggen.

'Vanaf dag één heb ik al een slecht gevoel bij die kerel, maar de laatste tijd is hij overal waar ik kijk. Hij zit hier op de bank als ik thuiskom, zijn naam valt verdomme in elk gesprek dat we hebben, hij is de hele dag al bij je in de buurt en nu duikt hij weer in de sportschool op, waar hij als ik Marleen mag geloven nogal indruk op iedereen weet te maken, inclusief jou. En nu klink ik misschien als een jaloerse gek, maar ik weet het wanneer een ander achter mijn vrouw aan zit en als ik er nu naast zit, dan... dan... is Bo een naaktkat.'

Ik moet bijna lachen om de slechte vergelijking, maar Ruben kijkt zo serieus dat ik het niet waag.

'En wat me nog het meest zorgen baart, Isa, is dat jij het glad niet doorhebt. Jij gaat op in je werk en die rare ader die afgesloten moet worden en ik snap dat wel. Echt, ik snap dat het belangrijk voor je is en dat je dingen van hem kunt leren en dat je opkijkt tegen hem om wat hij allemaal kan en gedaan heeft. Ik weet echt wel dat hij een soort godfather van de hartchirurgie is in de dierenwereld en ik wil jou niet tegenhouden in je werk. Maar ik heb hem door en dat wil ik hem graag vertellen.'

'Ik denk niet dat Hugo iets van me wil...' begin ik, maar Ruben snoert me de mond met een handgebaar.

'Dat bedoel ik dus.'

'Dat denk ik écht niet. Je hebt hem niet gezien met Tamara. Hij ging in één rechte lijn op haar af.'

'Hij wil je jaloers maken.'

'Ik denk dat je het effect van Tamara op de meeste mannen onderschat.'

'En ik denk dat je het misschien best leuk vindt dat Hugo op je valt. En ik denk ook dat dat misschien de reden is dat je zo heftig reageert op het feit dat Tamara hem leuk vindt. En het is zeker verontrustend dat ik de beste seks van mijn leven gehad heb... nadat jij eerst uren zwetend met Hugo doorgebracht hebt. Het is nog niet zo lang geleden dat wij elkaar daar opwarmden. Ik weet wat werkt voor jou, Isa. Ik weet hoe je naar mij keek als ik daar bezig was en ik heb nu geen tijd meer om daar te zijn. Als hij dat wel heeft, ben ik de pineut.'

'Wat moet ik doen?' vraag ik. 'Alles wat ik zeg, lijkt het alleen maar erger te maken, dus zeg jij maar wat ik kan doen.'

'Ontslag nemen. Verhuizen. Jezelf opsluiten in huis en nooit meer met een andere man praten.' Hij lacht verontschuldigend. 'Ik weet het ook niet, Ies. Misschien ligt het ook allemaal wel aan mij, maar ik kan hem niet uitstaan.'

Ik sta op en loop naar hem toe. 'Ik moet met hem werken, daar kan ik niets aan doen. Maar als die PDAB achter de rug is, beperk ik het contact met hem tot het hoogst noodzakelijke. Geen extra uren, geen gedoe. Ik zal afstand houden, strikt zakelijk zijn. Hoe klinkt dat?'

'Als een goed plan,' antwoordt hij.

Ik laat mijn hand in de zijne glijden. 'Dus... dat was de beste seks van je leven, gisteren?'

Hij glimlacht. 'Tot nu toe.'

Ik besluit het afstand houden en strikt zakelijk zijn meteen in te voeren. Helaas betekent dat ook dat ik me niet meer mag bemoeien met Tamara en Hugo en dat valt me best zwaar. Ik moet me heel erg inhouden om niet te reageren op de lyrische sms'jes die Tamara me stuurt over hoe leuk ze hem vindt. Op de mailtjes die ze me stuurt met de vraag hoe ze hem het beste kan verrassen, wat voor soort hobby's hij heeft, wat zijn favoriete muziek is en zijn lievelingseten, antwoord ik alleen dat ik hem niet goed genoeg ken om dat te weten. Ik raad haar niet aan met hem te kappen en ik probeer niet uit te zoeken hoe hun relatie zich ontwikkelt. Ik vraag ook niet door over de ochtend na hun ontmoeting toen hij veel te laat op het werk kwam. Het is de langste week van mijn leven.

Met Ruben is het gelukkig uitgepraat, maar ik heb wel het gevoel dat er maar één klein dingetje hoeft te gebeuren om alles weer op te rakelen. Daarom houd ik me op het werk zoveel mogelijk afzijdig. Ik stort me op de laatste voorbereidingen voor de PDAB. Ik besluit niet meer één op één met Hugo te oefenen. Ik hoef alleen te assisteren. Er zal me misschien gevraagd worden een aantal anatomische onderdelen te duiden, maar er vallen geen gewonden als ik het antwoord niet weet. Verder moet ik alleen wat instrumenten vasthouden en opletten. Ik ben grondig voorbereid. Ik heb meer gedaan dan nodig is. Véél meer. Ik ben er klaar voor.

'Isa, zal ik je een verrekijker brengen of kom je hier staan?' Het is vrijdagochtend en Maya is zojuist door de anesthesieassistent met wie Hugo vaker gewerkt heeft onder narcose gebracht. Zij zal gedurende de hele ingreep goed in de gaten houden wat het effect van de narcose is op Maya. Hugo heeft net de thorax geopend en een stuk van de linkerlong naar achteren geklapt, zodat het hart zichtbaar is.

'Ik wil niet in de weg staan,' antwoord ik.

'Wat is dit? Koudwatervrees?'

'Nee, ik...'

'Als ik had geweten dat ik niets aan je zou hebben, had ik niet zoveel tijd in je gestoken. Kom hier staan. Ik bijt niet.' Hij maakt een grapje tegen zijn oud-collega, waar ik geen acht op sla. Ik neem mijn plaats tegenover hem in, waar Vivian normaal staat.

'Hier Isa,' zegt hij, 'ik heb je naast me nodig. Anders zie ik niet wat jij ziet. Jij mag de vliesjes die om het hart en de bloedvaten zitten wegprepareren.'

Ik kijk naar het kloppende hart dat zichtbaar is in het operatieveld dat met een ribbenspreider tot ongeveer zes centimeter is opgerekt. Net groot genoeg om met mijn instrumenten bij het hart en de bloedvaten te komen. Vanaf dat moment ben ik in opperste concentratie. Ik sluit mezelf af voor alles wat met mij persoonlijk te maken heeft. Ik ben alleen een dierenarts die bezig is met een zeer ingewikkelde ingreep. En Hugo is de hartchirurg die met precisie een tunneltje onder de ductus graaft, tussen de kloppende aorta en longslagader door. Zijn bewegingen zijn vakkundig en doelgericht. Hij is alleen bezig met zijn specialisme. Ik besta niet momenteel en dat is prettig, want daardoor kan ik alle dingen doen die hij me toestaat te doen. Het meest cruciale deel van de operatie, het onderbinden van de ductus, doet hij natuurlijk zelf. 'Let op de aorta,' zegt Hugo als we via het tunneltje de hechtingen hebben aangebracht. Hij houdt de draadjes even op spanning, waardoor we kunnen zien wat er gebeurt als we de ductus afbinden. Mocht er iets misgaan, dan kunnen we meteen ingrijpen en de oude situatie herstellen. 'Merk je dat, Isa?'

De ruis was tijdens de hele procedure duidelijk voelbaar, maar nu Hugo het hechtdraad aanspant, houdt het meteen op. 'Het werkt.'

'Precies zoals het hoort,' antwoordt Hugo.

Maya blijft stabiel. Er gebeuren geen gekke dingen, dus het dichtbinden van de ductus kan nu definitief gebeuren. Eerst aan de kant van de aorta, daarna bij de longslagader.

'Nu komt het erop aan,' zegt Hugo. 'Als de draad in het bloedvat snijdt, hebben we een bloeding die in de meeste gevallen fataal is.'

'Je hoeft het niet nog spannender te maken dan het al is,' antwoord ik.

Hij glimlacht. 'Rustig maar, Isa. Het is me nog nooit overkomen en ik ben van plan dat zo te houden.'

Ik houd mijn adem in terwijl Hugo de draad knoopt. Heel voorzichtig, heel langzaam.

'Een gelukt, nog een te gaan,' zegt hij, terwijl hij met de volgende draad begint. Vier paar ogen zijn gericht op de handelingen die Hugo verricht. Als hij er al last van heeft dat we op zijn vingers kijken, laat hij het niet merken. Hij is trefzeker als altijd. Geen aarzeling, een vaste hand die geen enkele blijk geeft van twijfel. Hij doet het. De ductus is gesloten. Het hart functioneert normaal. Maya is gered. Ik durf eindelijk weer adem te halen.

'Wat?' vraagt Hugo als hij mijn zucht hoort. 'Dacht je soms dat ik het zou verpesten?'

Ik schud mijn hoofd.

Hugo stapt opzij. 'De long mag terug op zijn plaats, de borstholte moet worden gespoeld, de ribspreider verwijderd, de ribben aan elkaar gehecht en we laten de komende vierentwintig uur een drain ter plaatse waarlangs we lucht kunnen laten ontsnappen...' Hij maakt een weids handgebaar. 'Uw patiënt, dokter Verstraten. Ik sta hier als u me nodig heeft.'

Het is goed dat we de rest van de dag geen afspraken hebben, want ik ben door mijn laatste restje concentratievermogen heen als ik Maya onder de warmtelamp installeer om bij te komen. Ik ben uitgeput en tegelijk licht euforisch. Ik kan niets anders opbrengen dan naast haar zitten en wachten tot ze wakker wordt.

'Knap werk, Isa,' zegt Hugo.

'Jij hebt het moeilijkste gedeelte gedaan.'

'Waarom kun jij nooit eens gewoon een compliment in ontvangst nemen?'

'Misschien kan ik dat wel als ik ze verdien.'

'Ik geef nooit onverdiende complimenten. Misschien heb je het niet in de gaten, maar ik geef haast nooit complimenten.'

Ik haal mijn schouders op.

'Wat was dat trouwens daarnet, bij het begin van de operatie? Was je zenuwachtig of gewoon arrogant?'

Ik kijk op. 'Arrogant?'

'Je hebt talent. Je hebt de gedrevenheid. Je werkt er hard voor. Als je dan de kans krijgt om iets unieks te leren, dan grijp je die kans. Besef je wel dat ik je handelingen heb laten uitvoeren die ikzelf als specialist in opleiding pas na twee jaar heb mogen doen?'

'Wat bedoel je? Dat het niet verantwoord was?'

'Als ik dat ook maar één seconde gedacht had, was je niet in de buurt van mijn operatietafel gekomen. Denk je dat ik dat risico zou hebben genomen?'

'Waarom heb je het dan gedaan?'

'Omdat ik wist dat je het kon. Omdat ik wil dat je ervoor gaat. En ik kan heel erg boos worden als ik dan zie dat je dingen uit de weg gaat om wat voor persoonlijke reden dan ook. Dingen waar jij hard voor hebt gewerkt en ik met jou. Moet je zien wat we zojuist gedaan hebben samen. Dat is ook jouw verdienste, Isa, dat die pup een normaal leven tegemoet gaat met een gezond hart. Wil je dat laten schieten? De kans om dat te doen? Wil je terug naar entingen en antivlooienbehandelingen? Of wil je werkelijk leren verschil te maken?' Hij gooit een foldertje op mijn schoot. 'Kijk hier naar. Het is pas over drie weken, maar ik heb maandag antwoord nodig.'

's Avonds heb ik met Floor en Daphne afgesproken bij SKAI Lite. Ik heb hun de folder die ik van Hugo heb gekregen laten zien.

'Ga je erheen?' vraagt Floor. 'Mij zegt het niet zoveel, maar als ik dit zo lees, is het best een belangrijk evenement, of niet?'

'Er zijn lezingen van specialisten die over de hele wereld bekend zijn,' leg ik uit. 'Ik moet me uiterlijk maandag inschrijven als ik wil deelnemen, maar ik heb net aan Ruben beloofd dat het na de PDAB afgelopen zou zijn met de extra activiteiten met Hugo.'

'Weet je zeker dat hij ook gaat?' vraagt Daphne.

'Dat heeft hij niet gezegd, maar het is in Berlijn, dus kan hij al zijn

223

vrienden weer eens zien en de seminars zijn ook helemaal in zijn straatje. De kans lijkt me vrij groot.'

'Dus dan ben je twee dagen met hem op pad...'

'Ik ga niet. Ik doe het niet.' Ik gooi de folder achteloos op tafel.

'Maar waarom niet, eigenlijk?' vraagt Daphne. 'Je bent er toch zelf bij? Stel dat Hugo bijbedoelingen heeft, dan heb je toch nog steeds zelf de regie? Het is ook een beetje raar dat je plotseling bepaalde dingen niet meer mag...'

'Het is niet dat ik het niet mag, Daph, maar als ik weet dat Ruben zich er rot door voelt, wil ik daar wel rekening mee houden. Ik ben zelf ook niet zo blij dat hij Marleen de hele tijd in zijn buurt heeft.'

'Daar zit wat in, maar er is wel een verschil. Jij hebt nooit iets met Hugo gehad. Wat vind jij er nou van, Floor? Laat jij Mas ook dit soort dingen bepalen? Ik vind het echt niet van deze tijd. Als ik hem zie, zal ik het hem zeggen ook.'

Ik heb een beetje spijt dat ik mijn vriendinnen hierbij betrokken heb. 'Hij zou het me heus niet verbieden. Het is alleen dat ik weet dat hij er moeite mee zou hebben. En ik vind het niet leuk dat jullie nu slecht over hem denken.'

'Ik denk niet slecht over hem. Ik vind hem gewoon ouderwets en een beetje bazig.'

'Laat nou, Daph,' zegt Floor. 'Ik zou het ook niet doen als Mas er problemen mee had.'

'Daar gaat het feminisme dan,' zegt ze verontwaardigd.

'Jongens, ik heb een helse week achter de rug. Kunnen we niet gewoon wat drinken en het over iets leuks hebben? Baby's, bruiloften?' Ik kijk naar Floor. Normaal betekenen die twee woorden meteen een spraakwaterval, maar nu natuurlijk weer net niet. 'Ik ga nog wat drankjes halen en als ik terugkom, wil ik hier een gezellig gesprek binnenvallen.'

Ik loop naar de bar en kijk naar buiten terwijl Kai mijn bestelling maakt. 'Ik kom het wel brengen, hoor,' zegt hij als hij merkt dat ik blijf wachten.

'Hé Kai, jij kent mijn zusje toch nog wel?'

'Tamara? Ja, hoor. Ze komt hier ook regelmatig met haar vriendinnen. Ze is moeilijk over het hoofd te zien, hè?'

'En? Vind je dat leuk?'

'Of ik haar leuk vind?' Hij zet twee glazen rosé op een dienblad en schenkt daarna een verse jus voor Floor in. 'Heeft ze me ergens van beschuldigd?'

'Ik heb haar wel eens met je zien flirten...'

'Ik dacht dat ze dat met iedereen deed. Is dat niet gewoon haar lievelingsspelletje?'

'Ja, maar het probleem is dat ze meestal de verkeerde mannen uitkiest om het spel te spelen en toen zag ik haar met jou en ik weet dat ze je een knappe vent vindt... Laat ook maar. Ik moet me er niet bemoeien. De vorige keer probeerde ik Daphne aan Robin te koppelen en toen ging het ook mis, dus vergeet wat ik gezegd heb, oké?'

'Oké.' Hij zet het dienblad voor me neer en kijkt me aan. Er speelt en glimlach om zijn lippen. 'Maar wil je het antwoord nog weten? Of ik haar leuk vind?'

Ik knik gretig.

'Heel leuk,' zegt hij. 'Ik zal haar eens in de gaten houden als ze weer hier is.'

'Wat kijk jij blij!' zegt Floor als ik terugkom met de drankjes.

'Ben ik ook,' antwoord ik, maar mijn gezicht betrekt meteen als ik Bram het café binnen zie komen met een hippe brunette aan zijn zij.

22

'Heeft hij ons gezien, denk je?' Ik heb mezelf ervan kunnen weer-houden meteen op hem af te stappen. Ik ben gaan zitten, zodat ik hem stiekem kan observeren. Ze hebben een klein tafeltje aan de rand uit-gekozen. Ze zijn geanimeerd in gesprek, maar raken elkaar niet aan. Misschien is het een eerste date. Het lijkt erop dat ze nog in de fase van het aftasten zijn. Maar ik weet dat Bram daar altijd zo doorheen is. Niet te geloven dat ik hem geloofde met zijn mooie praatjes. En nu heb ik Stijn net gemaild dat hij zich geen zorgen hoeft te maken.

'Als hij jou gezien zou hebben, zou hij vast omgedraaid zijn,' zegt Floor.

'Ik ga de confrontatie aan,' besluit ik. 'Ik ga er iets van zeggen. Daar heb ik toch het recht toe?'

'Nou,' zegt Floor aarzelend, 'jij hebt toch niets met Bram? Hij is jou in principe geen verantwoording schuldig.'

'Maar hij heeft tegen me gelogen. Hij heeft me gewoon wat op de mouw gespeld. Moet ik dat accepteren?'

'Ik weet het niet, maar om nu naar dat tafeltje te stormen om een scène te schoppen...'

Ik sla mijn armen over elkaar. Als een mokkend kind. 'Ik geloof-de hem. Hoe stom ben ik?'

'Wil je echt antwoord op die vraag?' vraagt Floor met een grijns.

'Laat ze toch,' zegt Daph. 'Je hoeft niet het liefdesleven van ieder-een die je kent te besturen. Concentreer je toch op dat van jezelf. Ha! Nu ik dat zeg: kijk eens wie daar binnenkomt.'

Ik kijk naar de deur en zie dat het Ruben is. Hij had al gezegd dat hij langs zou komen als het niet te laat werd.

'Hij komt zeker kijken of je je nog niet op andere mannen gestort hebt,' zegt Daphne en ik hoor aan haar stem dat het een grapje is, maar het steekt me toch. Ik heb het gevoel dat ik Ruben op een of andere manier als een jaloers monster heb afgeschilderd, terwijl hij alleen maar eerlijk is geweest over hoe hij zich voelt.

'Hé dames,' zegt hij terwijl hij zich over me heen buigt en mijn wang kust. 'Ik zie dat ik net op tijd ben. Allemaal lege glazen.'

'We wachten op een knappe man die ons trakteert,' antwoordt Floor met een knipoog. 'Interesse?'

'Vooruit maar,' zegt Ruben. Hij neemt de bestelling op en loopt naar de bar, waar hij Kai begroet. Hij gaat op een kruk op het hoekje zitten en ik kijk naar hem terwijl hij met Kai praat. Hij ziet er een beetje moe uit, maar zijn lach is ontspannen en oprecht. Ik zie aan zijn handgebaren dat hij probeert uit te leggen waar hij aan werkt. Ik vraag me af wat het is. Mijn hart maakt een sprongetje als hij even mijn kant opkijkt en mijn blik vangt. Als hij zich weer op Kai richt, zie ik vanuit mijn ooghoek dat Bram met zijn date naar buiten loopt. 'Ze gaan weg!'

'Ja, nou en?' zegt Daphne. 'Je kunt dat niet tegenhouden, Ies.'

'Ik had iets moeten doen. Ik durf te wedden dat hij ervandoor gaat omdat hij Ruben gezien heeft. Hij heeft een slecht geweten. Dat kan niet anders.'

Ik probeer het van me af te zetten en te genieten van deze avond. We drinken op het succes van de operatie (voor de zekerheid ben ik overgegaan op jus omdat ik helder moet blijven voor het geval er toch iets met Maya is) en kletsen uiteindelijk over babynamen, kinderkamers en huwelijksreizen. Daarna kan Daphne het niet laten om Ruben de folder over het seminar in Berlijn onder zijn neus te duwen. Ik zie dat het hem overvalt en ik vind het stom dat ik het niet eerst met hem besproken heb. Nu wordt hij onder druk gezet door Daph en Floor en hij is zich van geen kwaad bewust. Gelukkig weet hij zich goed te weren en hij benadrukt dat ik natuurlijk helemaal vrij ben om te doen wat ik zelf wil, waarop ik mijn hand op de zijne leg en zeg dat ik niet ga.

We maken het niet al te laat. Floor is sneller moe tegenwoordig en Daph krijgt een sms waarna ze opeens ook haast heeft om weg te gaan. Ze vertrekt op het moment dat Robin binnenkomt en na een kort moment waarop ze elkaar passeren en aankijken, begeeft hij zich naar de bar en zij naar buiten. Hij komt met een biertje in zijn hand bij ons staan, maar geeft dan toe dat hij Ruben eigenlijk wel beu is na een werkdag van twaalf uur. Dus gaan wij ook maar.

'Kun je nog even langs de kliniek rijden?' vraag ik Ruben als we buiten zijn. 'Ik wil nog even bij Maya kijken.'

'Ja, hoor.'

'Als je liever naar huis wilt, mag het ook. Dan rij ik er zelf even heen.'

'Ik ga wel even mee, ik vind het niet erg.' Zijn vingers verstrengelen zich met de mijne en we wandelen naar de auto.

Op het waaklicht na is het donker op het parkeerterrein van de kliniek. Ruben parkeert vlak bij de zijingang. Het doet me denken aan onze eerste ontmoeting toen Bo met spoed opgenomen moest worden. Ik toets de alarmcode in en wacht op het piepsignaal dat aangeeft dat we door kunnen lopen.

'Ik ben blij dat ik nu geen doodzieke hond in mijn armen heb,' zegt Ruben.

'Ik ook,' zeg ik helemaal gelukkig dat we allebei aan hetzelfde dachten. 'En ik ben blij dat ik dit nu durf te doen.' Ik trek hem aan het boordje van zijn shirt een stukje naar me toe. Ik kus hem. Geen vluchtig zoentje voor tussendoor, maar zacht en langzaam. Zoals een eerste kus hoort te zijn.

Hij kijkt me aan. 'Dat had je ook meteen mogen doen.'

'Ja, vast,' antwoord ik lachend. Ik ga hem voor de hal in en doe hier en daar het licht aan.

'Nou, goed, misschien niet terwijl ik Bo nog hulpeloos in mijn armen had, maar daarna... toen je hem gered had... toen we hier op hem pasten en slechte koffie dronken en de finalisten van X-factor bespraken... toen had je het zeker mogen doen.' Hij blijft in de deuropening van de dierenopvang staan. Maya begroet ons met geblaf, waar ik blij om ben, maar ik kan mijn ogen niet van Ruben houden zoals hij daar staat.

Ik herinner me elk detail nog van die nacht. Ik viel meer en meer voor hem na elke minuut die we samen doorbrachten. Maar hij... Het was pas veel later dat hij mij zag staan. In ieder geval niet toen in mijn oude sportbroek en met verfomfaaid haar... zonder make-up... vijftien kilo zwaarder dan nu.

'Wat?' vraagt hij.

'Ik... ik weet niet. Ik ben verbaasd dat je nog weet waar we het over hadden en over wat je net zei, dat ik je best had mogen zoenen. Ik zag er niet echt op mijn best uit.'

'Ik vond je geweldig. Je had mijn hond gered.'

'Ja, maar dat wil niet zeggen... Waarom kuste je mij dan niet?'

Hij maakt zich los van de deurpost en komt verder. 'Ik heb twee keer op het punt gestaan.'

'Twee keer? Jij?' Ik denk nu werkelijk dat hij me voor de gek houdt.

Hij knikt. 'Maar ik durfde niet. Ik dacht: ze ziet me aankomen. Zijn hond is doodziek en hij denkt te kunnen scoren.'

'Nou, het is maar dat je het weet, je had zeker kunnen scoren.'

Hij lacht. 'Had ik dat toen maar geweten... Moeten we niet naar het hondje kijken?'

Maya! Ze zit geduldig in haar bench naar ons te kijken. Ik geef Ruben een duwtje als ik langs hem loop. 'Je leidt me af...'

Ik open de deur en Maya komt voorzichtig naar me toe. Ze snuffelt aan mijn hand en zet haar voorpootjes op mijn knieën. Ik pak haar op en neem haar mee naar de onderzoekstafel zodat ik haar even kan controleren. Ze hapt speels naar mijn stethoscoop als ik haar ademhaling wil beluisteren.

'Is alles goed?' vraagt Ruben.

'Ze ademt wat zwaar... Haar long is lange tijd naar achteren geklapt geweest... Waarschijnlijk zit er nog wat vrije lucht in de borstkas waardoor de long niet volledig kan uitzetten. Daarom hebben we die drain erin gelaten. Wil jij haar even vasthouden?'

'Leuk hondje,' zegt hij terwijl hij zijn hand over Maya's rug laat gaan. Hij bekijkt de operatiewond. 'Jullie hebben haar behoorlijk toegetakeld.'

'We hebben het zo'n stuk open gehad.' Ik geef met mijn vingers de afmeting aan van de opening waardoor we geopereerd hebben.

'Je hebt een hart geopereerd...' constateert hij alsof hij dat nu pas beseft. 'Een levend, kloppend hart. Dat is heftig.'

Ik knik.

'Vertel eens hoe het was.'

'Dat heb ik toch gedaan?'

'Je hebt verteld hoe het afgelopen is, maar hoe was het precies?'

En dan vertel ik hem precies wat ik gedaan heb. Ruben stelt de ene vraag na de andere en ik beantwoord ze allemaal. Ondertussen zuig ik de drain af en Maya ademt meteen gemakkelijker.

'Zo,' zeg ik als ik klaar ben, 'nu kun je tenminste lekker slapen vannacht. Na alles wat je afgezien hebt vandaag. Je hebt het goed gedaan, hoor.'

Maya begint te kwispelen. Ze doet het nog een beetje bedacht-zaam, maar ik heb het gevoel dat het helemaal goed gaat komen. Ze duwt haar neusje tegen mijn hand en kruipt onder mijn arm, dicht tegen me aan.

'Ben je zo zielig?' vraag ik op een toontje waardoor ze meteen nog zieliger gaat kijken. 'Kom maar even hier, hoor. Je gaat dadelijk lek-ker slapen en dan mag je morgen naar huis. Hoe vind je dat? Zullen we dat afspreken?'

'Ies,' zegt Ruben.

Opeens besef ik dat ik nogal dom sta te kletsen tegen een hond. 'Sorry,' mompel ik, 'dit doe ik meestal alleen als er niemand in de buurt is.'

'Even over dat seminar. Ik vind dat je toch maar moet gaan.'

Ik kijk hem aan. 'We hadden toch iets afgesproken?'

'Dat weet ik, maar... dit is je werk. En je bent er goed in. Niet zo-maar goed... echt heel erg goed. Ik was misschien een beetje verge-ten hoe belangrijk het is wat je doet.'

'Het is gewoon mijn werk.'

'Het is niet zomaar werk. Isa, dit is wie jij bent. Jij doet extra din-gen. Zoals dit. Laat op de avond naar een hondje gaan kijken dat net geopereerd is. Of er midden in onze eerste vrijpartij vandoor gaan omdat iemand je nodig heeft. Huilen als je een dier moet laten inslapen.'

'Dat doe ik niet altijd!'

Hij lacht. 'Waar het om gaat is dat jij je hart erin legt. En dat moet je blijven doen. Ik wil niet dat je verandert. Als jij naar dat seminar wil gaan, dan moet je dat doen.'

'Heeft dit te maken met wat Daph tegen je gezegd heeft? Want dat waren niet mijn woorden.'

'Ze heeft gelijk. Als je van iemand houdt, leg je diegene geen be-perkingen op. En ik heb het gevoel dat ik dat doe als ik je dwing alles uit de weg te gaan wat Hugo op je pad brengt.'

Ik knik. 'Dus je vindt het oké als ik twee dagen met hem wegga?'

Hij zucht. 'Als jij zeker weet dat jouw interesse in hem puur be-roepsmatig is... dan sla ik me er wel doorheen.'

'Tja,' zeg ik terwijl ik Maya voorzichtig optil, 'dan hoef ik dus alleen maar te bedenken of ik jou alleen durf te laten met Marleen?'

Hij loopt met me mee. 'Ieder zijn risico.'

Ik hurk neer voor de bench. 'Ik doe alsof ik dat niet gehoord heb, goed?' Maya begint klaaglijk te piepen als ik haar terugzet. Het kost me moeite de deur te sluiten als ze me zo aankijkt. Ze voelt mijn aarzeling meteen en probeert naar buiten te glippen. 'Ze is niet gewend alleen te zijn. Normaal staan er vijf mensen in de rij om haar te vertroetelen. Ze voelt zich vast eenzaam.'

'Dan nemen we haar toch mee naar huis? Ze hoeft toch niet aan speciale apparatuur of zo?'

'Ze ligt hier alleen nog voor de drain. Zodra alle vrije lucht weg is en er verder geen gekke dingen met haar zijn, mag ze naar huis.'

'Dat kun je juist beter in de gaten houden als ze met ons meegaat.'

'Je vindt haar echt leuk, hè? Je weet toch wel dat we haar niet kunnen houden?'

'Ik geef haar heus wel weer terug, maar het is eigenlijk nog maar een baby en ze heeft een openhartoperatie gehad. Ik vind haar zielig.'

'Oké.' Ik haal Maya uit het hok en geef haar aan Ruben. 'Hou jij haar vast, dan haal ik een schone deken uit de kast. Nu maar hopen dat Bo niet jaloers wordt.'

Maya verdwijnt bijna helemaal in de sterke armen van Ruben. 'Daar staat Bo echt wel boven. Net als ik, weet je nog?'

'Net als jij?' herhaal ik. 'Dan stem ik ervoor haar naar boven te smokkelen.'

'Vergeet dit niet in te vullen,' zegt Ruben terwijl hij iets uit zijn achterzak haalt. Het is het foldertje over het seminar. 'Dat heb ik maar even voor je van tafel gegrist voor we weggingen bij Kai.'

Ik pak het van hem aan. Ik hield al van hem, maar nu hij met een pup in zijn armen een onbaatzuchtig gebaar maakt, kan hij helemaal niet meer stuk.

Maya slaapt die nacht op een deken in een hoekje van onze slaapkamer. Af en toe hoor ik haar een beetje draaien, maar ze blijft mooi op haar plaats. Tot ik de volgende ochtend wakker word en zie dat het dekentje er verlaten bij ligt. 'Ruben, Maya is weg,' zeg ik terwijl ik hem wakker schud.

'Ze kan niet weg zijn,' mompelt hij slaperig, 'ze is vast beneden gaan kijken.'

Ik sta op en loop naar de trap. De tussendeur beneden staat een stukje open. Ik ga de kamer in.

'Kijk,' zegt Ruben die achter me is verschenen. 'Daar. Niks aan de hand, zie je wel?'

Hij wijst naar de mand van Bo. Normaal ligt hij daar helemaal uitgestrekt in, maar nu heeft hij zich netjes opgerold om een plaatsje te maken voor de kleine Maya, die tegen hem aan genesteld ligt. 'Misschien moeten we haar toch houden.'

'Helaas, Ruben, na het ontbijt gaat ze terug.' Ik maak nog wel snel een foto van het tafereeltje, die ik meteen naar mijn werk e-mail. Dat vinden ze vast leuk en misschien wil mevrouw De Vries ook wel zien hoe goed onze Bo voor haar hondje zorgt.

Als Maya wakker wordt, is het meteen een wereld van verschil met voor de operatie. Ze heeft energie voor tien en eet wat van de speciale brokjes die ik uit de kliniek heb meegenomen. Daarna maak ik met een schaar een extra gaatje in een oude hondenriem van Bo zodat ze mee naar buiten kan. We lopen expres een klein blokje, maar ze stuitert van enthousiasme. De riem staat de hele tijd gespannen en ze daagt Bo uit om met haar te spelen. We moeten haar gewoon afremmen, want zelf lijkt ze compleet vergeten te zijn dat ze gisteren een zware operatie gehad heeft.

Na het uitlaten rijden we terug naar de kliniek, waar Hugo ons al staat op te wachten, met de telefoon in zijn hand. Hij barst meteen los, zonder op Ruben en Bo te letten. 'Ik stond op het punt om je te bellen. Ik kom hier vanochtend binnen en die hond is weg!'

'Ze was een beetje zielig gisteren,' antwoord ik terwijl ik langs hem heen naar binnen loop. 'We hebben haar bij ons thuis laten logeren. Ik heb nog wat lucht uit de drain gezogen. We moeten dat nog een keer doen, al denk ik dat ze nu in orde is. Volgens mij voelt ze zich beter dan ooit. Waarom ben jij hier eigenlijk? Ik zou toch de controles doen?'

'Ik hoef niet te verantwoorden wat ik in mijn eigen kliniek doe, Isa,' antwoordt hij chagrijnig.

'Nou zeg, het is maar een vraag.'

'Ik wil haar nog even nakijken voor je die mensen opbelt om haar te komen halen... Ik snap echt niet hoe je het in je hoofd gehaald hebt om haar mee naar huis te nemen.'

'Het was mijn idee,' zegt Ruben.

Hugo kijkt even zijn kant op en richt zich dan weer tot mij. 'Dat verklaart een hoop.'

'Het was niet alleen jouw idee, Ruben. Ik wilde haar ook niet alleen laten. En kijk niet zo chagrijnig, Hugo, onder sommige omstandigheden is het aan te bevelen een dier 's nachts te blijven observeren en als dat thuis kan, is het onzinnig om er hier overuren voor te draaien.'

'Wat als er iets gebeurd was? Ze had kunnen ontsnappen, ze had vermorzeld kunnen worden door jullie eigen hond.'

'Hoezo?' vraagt Ruben. 'Labradors zijn toch watjes?'

Ik moet lachen, maar Hugo kan het grapje niet waarderen.

'Hugo,' zeg ik, 'er is niets gebeurd, Maya lijkt gezonder dan ooit en ze is dikke vriendjes met Bo, dus zullen we haar gewoon nog even onderzoeken en daarna haar familie bellen zodat ze naar huis kan?'

'Nou graag, ik heb meer te doen. Ik vond trouwens je aanmelding voor de lezingen in Berlijn op mijn bureau. Het wordt dus toch niet een leven lang enten?'

'Dat zien we nog wel. Ik ben dol op enten. Ik denk niet dat ik er zonder kan.'

'Geen grapjes nu, Isa. Ik heb een slechte bui en dat wil ik graag zo houden.' Hij loopt naar de behandelkamer.

'Ik wacht hier wel,' zegt Ruben. 'Misschien ga ik nog even met Bo op de parkeerplaats spelen.'

'Het duurt niet lang, denk ik. Ik durf te wedden dat haar baasjes nu bij de telefoon zitten te wachten. Ze wonen vlakbij, dus ze zijn hier zo.'

Hij kriebelt Maya achter haar oortje. 'Dag kleintje. Let maar niet op die enge man daarbinnen. Isa beschermt je wel.' Hij kijkt me aan. 'En als ik jou moet beschermen, hoor ik het wel.'

'Isa!' roept Hugo ongeduldig. 'Ik heb niet de hele dag de tijd!'

Gelukkig zijn we snel klaar. Maya doet het supergoed, de drain geeft geen lucht meer en kan verwijderd worden en ze is zo levendig als maar kan. Ik bel mevrouw De Vries om dat te vertellen en binnen twintig minuten staan ze met vier man sterk in de kliniek. Alleen de oudste zoon is er niet bij. Dochter Maaike was de laatste keer dat ik haar zag nog een meisje en nu al een jonge vrouw, en de kleine Tom is inmiddels groter dan ik. Ze zijn dolblij met hun bijna weer herstelde pup en Maya stuitert van blijdschap.

Hugo vindt het mooi geweest en gaat naar huis. Ik ben nog in gesprek met de familie over de operatie en het herstel. Ik denk dat ze nu een heel nieuwe Maya gaan leren kennen. Er zit heel wat energie, ondeugendheid en speelsheid in het beestje die er door haar hartafwijking niet eerder uit hebben kunnen komen. Daarna komt de oude lieve Boomer ook weer even ter sprake. Zo zijn we zeker een kwartier verder als ik de familie uitlaat en zelf langs de zijingang naar buiten ga. Daar zie ik Hugo net in zijn auto stappen en achteruitrijden.

'Wat deed hij hier nog?' vraag ik Ruben, die Bo met een fluitsignaal terugroept uit de bosjes aan de zijkant van het gebouw.

'Niks bijzonders. We raakten even aan de praat.'

'Waarover?'

'Wat denk je?' Hij slaat zijn arm om me heen. 'Ga je mee?'

'Wil je me vertellen wat er gezegd is?'

'Nee.'

23

Ik heb veel te doen in de week voor ik naar Berlijn ga. In de eerste plaats ben ik ontzettend achter geraakt met mijn huishoudelijke klusjes. Er ligt zoveel schoon wasgoed dat nog gestreken moet worden dat ik de moed niet kan opbrengen om eraan te beginnen. Ik kan me ook niet meer herinneren wanneer ik voor het laatst de tijd heb genomen om de badkamer van onder tot boven schoon te maken. Datzelfde geldt voor de keuken. Ik ben de afgelopen weken voornamelijk bezig geweest om het huis leefbaar te houden. Verder dan een stofzuiger erdoor en een doekje hier en daar overheen ben ik niet gekomen. Ruben heeft het misschien nog wel drukker dan ik. Ik verwacht niet van hem dat hij nog flink gaat schoonmaken als hij na tien uur 's avonds uit zijn werk komt. Ik ben al blij als hij het nog op kan brengen om een kwartiertje met me bij te kletsen voor hij in slaap valt. We zijn ook nog geen stap verder met het plannen van een vakantie, terwijl ik weet dat we daar allebei hard aan toe zijn.

Verder heb ik het druk met de bruiloft van Floor. We moeten nog een cadeau bedenken en ik ga met haar en Daph een jurk uitzoeken. Het was eerst niet de bedoeling dat er een echte trouwjurk zou komen, maar in al die gidsen staat zoveel moois – ook voor zwangere bruiden – dat we gek zouden zijn als we niet een dagje gingen passen.

Ik heb ook dat gedoe met Bram nog aan mijn hoofd, maar omdat ik Hugo zoveel mogelijk uit de weg ga, geldt dat ook voor de sportschool. Als ik Tamara moet geloven, is hij super fanatiek, dus de kans dat ik hem daar tegenkom, is behoorlijk groot. Met haar heb ik ook wat te stellen. Ze klopt de hele tijd bij me aan voor advies. Dat ben ik absoluut niet van haar gewend. Meestal vraag ik haar om raad wat mannen betreft. Vanmiddag op het werk sms'te ze al of ik zin had om met haar te eten vanavond. Ik heb nu met haar afgesproken in een eetcafé in de buurt van de winkel waar ze werkt, maar ze is hartstikke laat, waardoor ik alleen maar zit te bedenken wat ik allemaal voor nuttigs had kunnen doen als ik hier niet zat te wachten. Het is bijna een halfuur later dan we hadden afgesproken als ze eindelijk komt opdagen. 'Sorry dat ik zo laat ben. Die lastige klanten altijd! En het zijn ook altijd dezelfde die moeilijk doen.' Ze geeft me twee kussen en gaat dan tegenover me zitten. 'Ik stond op het punt om dicht te gaan en toen kwam die Simone weer op de valreep binnenvallen. Zij denkt echt dat de hele zaak om haar draait. Deze keer had ze dringend iets nieuws nodig voor een sollicitatiegesprek morgenvroeg. Ze kwam rechtstreeks uit haar werk. Haar huidige baas weet van niks en morgen gaat ze om acht uur al op gesprek, dus of ik nog heel even vijf minuutjes voor haar had. Maar ja, jij weet ook dat zij nog nooit binnen vijf minuten iets besloten heeft. Maar ik kon haar ook niet laten staan, toch? Of vind jij dat ik dat had moeten doen?'

'Nee, natuurlijk niet.' Ik schuif de menukaart in haar richting. Ik heb al vaker verhalen over Simone gehoord. Zij is waarschijnlijk voor Tamara wat meneer Hufter voor mij is. Ik snap ook best dat Tamara niet de deur voor haar neus kon dichtgooien, maar het zou wel fijn zijn als we nu snel konden bestellen om zo de verloren tijd wat in te halen.

Tamara slaat de kaart open, maar kijkt er niet in. 'Hoe was het op je werk?'

'Goed. Neem jij trouwens een voorgerecht? Ik namelijk liever niet.'

'Prima, dan bestel ik gewoon iets met veel frietjes en een extra salade. Maar... eh... Heb je het druk gehad vandaag?'

'Niet alleen vandaag. En dan heb ik dit weekend ook nog dat seminar in Berlijn.'

'Ga je naar Berlijn? Dan moet je vragen of Hugo je wat adresjes kan geven. Hij weet vast alle leuke restaurantjes en winkels te vinden.'

'Hugo gaat ook. Er zijn lezingen van allerlei specialisten in de cardiologie. Heeft hij dat niet verteld?'

Ze schudt haar hoofd. 'Ik heb de afgelopen week eigenlijk maar heel weinig van hem gehoord. Hij heeft nog ge-sms't dat hij me zou bellen, maar dat is al dagen geleden en ik hoor niets van hem. Ik weet dat hij het druk heeft en zo...'

'Tamara, hoe serieus is het nu eigenlijk met jou en Hugo?'

Ze volgt met haar vinger een patroontje op haar servet. 'Wist ik het maar. Ik dacht dat het best serieus was. Dat hij me echt leuk vond, maar ik merk dat hij de laatste week erg lauw reageert. Daarom wilde ik met je afspreken. Jij weet toch wel een beetje hoe hij is? Heeft hij het wel eens over mij?'

Ik ontwijk haar ogen, die me hoopvol aankijken. 'Ik heb hem ook niet veel gesproken de laatste tijd.'

'Misschien is hij op me uitgekeken,' concludeert ze triest.

'Tamara, als dat zo is, verdient hij je niet eens. Ik heb toch al mijn bedenkingen over jullie als stelletje...'

'Ik weet het. Jij vindt dat ik niet bij hem pas. Maar ik vind het juist leuk dat hij zo anders is. Al die jongens die steeds maar komen en gaan, ik word er doodmoe van. Ik wil ook eens iemand voor de lange termijn. Hugo is zo iemand. Toch? Hij is volwassen, slim, knap en sexy.'

'Vind je hem sexy?'

'Kom op, Isa, het feit dat je een relatie hebt, betekent toch niet dat je je ogen in je zak hebt zitten? Hij is hartstikke sexy. Als hij iets uitlegt, dan praat hij heel... langzaam... en... weloverwogen...' Ze imiteert zijn stemgeluid en schuift naar voren op haar stoel. 'En dan kijkt hij je heel doordringend aan en dan krijg ik echt slappe knieën. Heb jij dat niet?'

'Eh... nee, dat niet...'

'Ik dacht dat hij me wel zag zitten. Zoals hij met me praat en me aankijkt en lacht als ik iets grappigs zeg. Het voelde speciaal.'

'Misschien was het dat dan ook. Ik bedoel, als je dat zo voelt...'

'Ik weet het niet, Isa. Waarom heeft hij dan niets gezegd over Berlijn? Ik had toch ook mee kunnen gaan? Dat zou heel romantisch zijn.'

'Misschien is hij nog niet over zijn vorige relatie heen. Die is nog niet zo lang voorbij en hij heeft jaren met haar in die stad gewoond. Misschien komt het te dichtbij om daar nu met jou te zijn.'

'Maar hij gaat er wel met jou heen.'

'Het is anders om gewoon met een collega te gaan, vind je niet?'

Ze slaat een blad in haar menukaart om, maar ik weet haast zeker dat ze niets leest. 'Toch zit het me niet lekker. Kun jij me niet helpen, Ies? Je kunt toch met hem praten? Een beetje onopvallend natuurlijk. Ik wil gewoon weten hoe hij echt over me denkt, want als ik alleen mijn tijd verspil met hem, weet ik dat liever nu.'

'Sorry, Tamara, maar ik wil me er liever niet in mengen.'

'Waarom niet? Ik zou dat wel voor jou doen. Ik zou alles voor je doen.'

'Ik doe ook alles voor jou, dat weet je toch wel? Maar dit is gewoon iets waar ik beter buiten kan blijven.'

'Ik snap het niet. Je bent al tegen ons vanaf het eerste moment. Soms denk ik dat je gewoon niet wilt dat Hugo en ik een stel worden.'

'Er zijn zoveel mannen op de wereld, Tamara, waarom moet het per se Hugo zijn?'

'Weet ik veel. Waarom wil jij per se Ruben?'

'Is hij echt voor jou wat Ruben voor mij is? Meen je dat?'

'Misschien. Wie weet. Hij zou het kunnen zijn.'

'Dus je weet het niet zeker? Hugo komt in aanmerking, maar iemand anders ook? Stel dat hier ergens een man rondloopt, een hele leuke man die misschien nog wel knapper is dan Hugo en meer van jouw leeftijd is, of ietsje ouder dan jij. Iemand met een eigen zaak, gevoel voor humor, iemand die heel sociaal is en leuke vrienden heeft...'

'Waarom zou zo iemand nog vrijgezel zijn?'

'Stel dat hij dat zou zijn, Tamara, was je dan geïnteresseerd?'

Ze schudt haar hoofd. 'Ik wil Hugo.'

Ik zucht. 'Goed, dan praat ik wel met hem,' geef ik met tegenzin toe.

Ze klapt in haar handen van blijdschap. 'Dank je, Isa, je bent de beste zus ter wereld.'

'Wel jammer voor Kai dat je hem niet ziet zitten,' mompel ik dan.

Als ik mijn zusje een beetje ken, werkt dit beter dan elk zinnig argument dat ik kan bedenken waarom ze niets met Hugo zou moeten beginnen. De rest van ons etentje probeert ze meer informatie uit me los te krijgen, maar ik vertel haar alleen dat ik van hemzelf gehoord heb dat hij haar meer dan leuk vindt, maar dat het er nu niet meer toe doet. Dat laatste blijf ik herhalen, zodat het er voor haar steeds meer toe gaat doen. Na een tijdje vraag ik haar of ze zich bedacht heeft en ik in plaats van met Hugo maar met Kai moet gaan praten, maar dat ontkent ze stellig. Ze hoopt echt op een kans met Hugo en ze drukt me op het hart dat ik echt met hem moet praten zoals ik beloofd heb. Maar ik weet zeker dat ze nu haar opties openhoudt. Als Kai een beetje moeite doet, is Hugo zo uit beeld.

Na het eten maak ik een omweg langs de meubelmakerij om te zien of Ruben daar nog is. Zo te zien zijn ze nog volop aan het werk. Het staat vol met auto's en overal brandt nog licht. Als ik uitstap, hoor ik meerdere stemmen door elkaar praten. Blijkbaar is er een heftige discussie gaande en zo te zien is Bo blij eraan te kunnen ontsnappen. Hij steekt zijn kop door de zware deur naar buiten en komt blij kwispelend naar buiten zodra hij ziet dat ik het ben. Hij blijft bij mijn auto staan alsof hij niet kan wachten om in te stappen. 'Wat is er?' vraag ik. 'Heb je er genoeg van? Kom je niet mee naar binnen?' Hij volgt me wel, al lijkt hij een beetje teleurgesteld dat ik hem niet meteen mee naar huis neem.

'Dat maakt allemaal niets uit, dit is niet acceptabel!' zegt Ruben op het moment dat ik binnenkom. Ik hoor aan zijn stem dat hij ergens niet blij mee is en als hij zo praat, is hij niet van plan zijn mening bij te stellen.

'Het is een prototype, Ruben!' brengt Marleen ertegenin. 'We kunnen er nog van alles aan veranderen. Daar is deze fase juist voor bedoeld. Ga nu niet meteen na één blik overal een streep door zetten.'

'Dat doe ik wel als het eindresultaat ook maar iets weg heeft van deze rommel. Wat is dit? Spaanplaat? Moet je zien, ik kan dit met één vinger slopen. Wil je dit bij mensen thuis zetten? Hier komt onze naam niet op, dat kan ik je wel vertellen.'

'Robin, praat met hem, alsjeblieft. We hebben het hierover gehad.'

'Ruben,' zegt Robin vermoeid, 'kunnen we even rustig bekijken hoe we er iets van kunnen maken waar we wel onze naam op durven zetten?'

'En over die naam moeten we het ook hebben...' zegt Marleen prompt.

'Zuidhof en Zonen is een degelijke naam die staat voor kwaliteit. Ik zou niet weten wat daar mis mee is,' antwoordt Rubens vader. Ik had hem nog niet gezien. Hij zit achteraf in een hoekje van de ruimte, maar komt er nu ook bij staan. 'Zo heet het al sinds mijn vader bij mijn opa in de zaak kwam. Moet dat nu opeens veranderen?'

'Het klinkt hopeloos gedateerd, meneer Zuidhof. En internationaal kunnen we er helemaal niets mee.'

'Waarom zou dat moeten?' vraagt hij nukkig.

Ze negeert hem en richt zich weer op Ruben. 'We hebben toch niet zo hard gewerkt om het nu stuk te laten lopen op een prototype dat een heel klein beetje tegenvalt?'

Hij kijkt haar meewarig aan. 'Een heel klein beetje? Weet je wat dit is, Marleen? Rotzooi! Brandhout! Hier maak je de kachel mee aan. Waarom wil je per se ons hierin betrekken als je toch doet wat je zelf wilt?'

'Geloof me nou, Ruben, jouw stempel komt hierop. Daar gaat het me juist om. De uitstraling van jouw meubels, zoals bij SKAI en SKAI Lite, bij de mensen thuis. Hip, modern, glamour en vakmanschap ineen, maar het moet ook geproduceerd kunnen worden, snap je? Het kan niet allemaal massief en met de hand afgewerkt zijn zoals bij SKAI. Ik weet dat je dat wilt, maar dat gaat gewoon niet.' Ze legt haar hand op zijn arm. 'Vertrouw erop dat ik weet wat ik doe.'

'Marleen, als dit het resultaat is...'

'Ik zorg dat het beter wordt. Oké?'

'Nou, als je dit nog weet te redden, dan...'

'Wat dan? Pas op met wat je zegt, want je weet dat ik het kan, hè?' Ze lacht erbij op een manier die waarschijnlijk altijd werkt in een ruimte met drie mannen. Ze zijn dan ook allemaal stil.

De vader van Ruben is als eerste uit zijn trance. 'Hé Isa, wat doe jij hier nog zo laat, meid?'

'Ik was benieuwd hoe het hier is.'

Ruben komt naar me toe. 'Niet helemaal zoals het moet. Maar dat had je misschien al begrepen.'

'Het komt allemaal goed!' antwoordt Marleen voor ik iets kan zeggen. Ze zoekt wat papieren bij elkaar en stopt ze in haar tas, die ze onder een tafel vandaan haalt. 'Ik ga er morgen meteen mee verder.'

'Jullie hoeven voor mij niet te stoppen,' zeg ik.

'Ik ben er wel klaar mee voor vandaag, Ies,' zegt Ruben. 'We komen er toch niet uit.'

Marleen zwiept haar haren achterover en gooit haar tas over haar schouder. 'Ik doe je wat als je dat nog eens zegt.' Ze geeft hem een plagerig duwtje als ze langs hem loopt. 'Wat zit je haar leuk, Isa, echt een hele verbetering met eerst.'

Ik glimlach zonder er iets van te menen. Mijn haar zit namelijk helemaal niet leuk vandaag. Ik heb er vanochtend gefrustreerd een staart van gemaakt omdat er niets mee te beginnen was.

'Dus... we houden ermee op?' vraagt Robin hoopvol als Marleen verdwenen is.

'Als het even kan,' antwoordt Ruben. Hij begint meteen als een tornado dingen op te ruimen en hij schopt iets wat op het frame van een stoel lijkt aan de kant, waardoor er een stuk afbreekt. 'Vind jij nog steeds dat het ermee door kan?' vraagt hij met een blik op zijn broer.

Robin houdt wijselijk zijn mond en doet hier en daar de lichten uit. Hij gaat naar huis terwijl Ruben wacht tot zijn vader uitgerommeld is in de werkplaats.

Ik ga bij hem staan. 'Zware dag gehad?'

'Valt wel mee,' antwoordt hij. Ik voel zijn armen rond mijn middel en hij houdt me even tegen zich aan terwijl zijn hoofd op mijn schouder rust. Ik laat mijn vingers door de haartjes op zijn achterhoofd gaan. 'Ik vind het zielig voor mijn vader,' gaat hij verder. 'Volgens mij vindt hij het maar niks. Het is toch zijn bedrijf waar ik mee sol.'

'Het is ook jouw bedrijf. En ik zou het geen sollen willen noemen. Je weet heel goed wat je doet.'

Hij aait even over mijn heup en geeft me een kus op mijn wang. Daarna laat hij me los. 'Mijn moeder vroeg trouwens of we donderdag komen eten.'

'Donderdag? Ik moet vrijdag al weg. Ik wilde eigenlijk iets met z'n tweeën doen.'

'O. Ik heb al ja gezegd.' Hij ziet blijkbaar hoe geweldig ik dat vind. 'Ik zeg het wel af.'

'Dat hoeft niet.'

'Weet je het zeker?'

Ik knik.

Ruben loopt naar de werkplaats. 'Moet ik je nog ergens mee helpen, pa?'

Als we donderdagavond aan tafel zitten bij Rubens ouders kom ik meer details te weten over de meubeldeal dan in al de weken hiervoor. Ruben heeft het met zijn vader over heel andere dingen dan met mij. Als ik vraag hoe het gaat, geeft hij meestal heel kort antwoord, maar nu besef ik pas waar hij allemaal mee bezig is. Er zijn allerlei milieueisen en blijkbaar kost het heel veel moeite om de productie uit te besteden en toch aan al die eisen te voldoen. En dan heb ik het nog niet over de eisen die Ruben zelf stelt aan de uitwerking van zijn ideeën. Ik wist ook niet dat er zoveel discussie was over de naam van de lijn. Marleen heeft allerlei uitbundige suggesties die Ruben niet ziet zitten, maar ondertussen overweegt hij toch akkoord te gaan. Als het dan een flop blijkt te zijn, wordt het tenminste niet met de zaak geassocieerd.

Ergens tussen het afruimen en de koffie komt opeens een meubelbeurs ter sprake waar ik niets van weet. Rubens ouders weten er daarentegen genoeg van. Ze vinden allebei dat hij er met Marleen naartoe moet gaan. Als ik eindelijk durf te vragen over wat voor beurs ze het precies hebben, hoor ik zelf de verwijtende ondertoon in mijn stem, terwijl ik het toch echt nonchalant probeerde te vragen.

'Het is gewoon een meubelbeurs,' antwoordt Ruben alsof het de moeite van het uitleggen niet waard is. Maar zijn moeder barst los over de details. Het is in Milaan en iedereen die iets voorstelt in het vak is aanwezig en netwerken is nu al van het grootste belang. Misschien staat Ruben er volgend jaar zelf ook met een revolutionair ontwerp. En misschien kan Marleen met haar vlotte babbel wel internationale interesse wekken voor de meubellijn.

Ik probeer er net zo enthousiast over te doen, maar het komt totaal niet oprecht over. 'Waarom heb je me dat niet verteld?' vraag ik zo onopvallend mogelijk als we terug naar de zithoek gaan. Zijn ouders doen alsof ze druk zijn in de keuken, waarschijnlijk omdat ze doorhebben dat Ruben en ik iets met elkaar te bespreken hebben. Ik ben zo verbolgen dat het niet eens in me opgekomen is om mijn hulp bij het opruimen aan te bieden.

'Het is erbij ingeschoten,' zegt Ruben, terwijl hij gaat zitten.

'Deed je daarom zo begripvol over mijn seminar? Zodat ik niet kan zeuren over jouw uitje met Marleen?' Mijn ingetogen fluistertoon wordt steeds duidelijker hoorbaar.

'Helemaal niet. Ik had er al niet meer aan gedacht. Het is een hele tijd geleden een keer ter sprake gekomen en daarna ben ik het vergeten, tot ze er deze week weer over begon.'

Ik ga naast hem zitten en probeer mijn stem onder controle te krijgen voor ik verder praat. 'Je had het me toch meteen kunnen vertellen?'

'Sorry, Isa, dat had ik moeten doen. Maar jij had ook bepaald niet veel tijd om mijn verhalen aan te horen.'

'Waar slaat dat op? Daar maak ik toch tijd voor?'

'Je had het nogal druk met Hugo de afgelopen weken.'

'Tuurlijk. Het gaat weer over Hugo.' Ik sta op.

'Wat ga je doen?' vraagt hij verbaasd. 'Weglopen bij mijn ouders thuis?'

'Ik ga alleen even naar de wc en probeer daarmee te voorkomen dat we slaande ruzie krijgen. Oké?'

Als ik de wc-deur achter me dichtdoe, probeer ik weer rustig te worden. Waarom word ik ook altijd zo emotioneel bij een kleine woordenwisseling? Ik knipper de tranen weg en slik een paar keer voor ik weer naar buiten ga. Als ik in de hal voorbij het dressoir loop, controleer ik in de spiegel of mijn mascara niet per ongeluk toch vochtig geworden is door een opkomende traan. Ik leun iets te ver naar voren en stoot tegen een van de foto's, die met een hoop kabaal omvalt.

'Alles goed daar, Isa?' vraagt Rubens moeder.

Ik zet vlug de foto terug op zijn plaats. 'Alles goed,' antwoord ik terwijl ik weer naar de huiskamer ga.

Thuisgekomen begin ik in een sneltreinvaart dingen op te ruimen. Toen ik zei dat we op tijd naar huis moesten omdat ik nog zoveel te doen had, bood Rubens moeder onmiddellijk aan dit weekend langs te komen om het huis op orde te brengen. Ik heb geprobeerd haar van het idee af te brengen, maar ze wilde er niet van weten. Ze zei dat wij lekker van de avond moesten genieten en dat ik morgen onbezorgd weg kan gaan omdat zij alles zou regelen. Ik weet dat ze wil helpen en dat vind ik ook echt hartstikke lief, maar het punt is dat ik nu drie keer zo hard mijn best moet doen, zodat zij niet denkt dat ik een waardeloze huisvrouw ben.

Rubens moeder is zo'n type dat een heel schema heeft zodat elk hoekje in huis één keer in de week aan bod komt. Ze neemt bijvoorbeeld elke week de deuren af! Terwijl ik er vorige week pas achter kwam dat zich op de bovenkant van de binnendeuren nogal wat stof verzameld had...

Ik ben al blij als ik elke week in ieder geval de belangrijkste dingen gedaan heb. Als ik ook nog alle kastjes moet uitsoppen en de matrassen van de boxspring moet omkeren en weet ik veel wat zij allemaal nog meer doet, dan kom ik gewoon nergens anders meer aan toe. En daarom wil ik niet dat zijn moeder hier komt helpen, want zij ziet die dingen en ze denkt vast dat haar zoon aan de grootste sloddervos ter wereld vastzit.

Daarom stort ik me als een bezetene op de strijk. Ik doe het niet zo netjes als gewoonlijk. Als het maar in de kasten ligt vanavond, dan ben ik tevreden. Dan kan ik daarna misschien nog even snel de badkamer doen. Ik schaam me dood als ik het zo achter moet laten. En ik moet mijn spullen nog pakken. We vertrekken heel vroeg morgenochtend want het is zeven uur rijden! Ik heb nog voorgesteld te gaan vliegen, maar Hugo is ervan overtuigd dat het – met de reistijd naar het vliegveld en de wachttijd daar meegerekend – amper tijdwinst oplevert. En hij zal het wel weten, want hij heeft het vaker gedaan. Toch zie ik er tegenop.

'Isa, kom je ook nog naar bed?' vraagt Ruben als ik mijn trolley die ik altijd gebruik voor een weekendje weg van de zolder naar beneden sleep.

'Ik moet nog pakken.' Ik zet mijn koffer geopend in mijn kleedkamer en open mijn kast.

Ruben verschijnt op de drempel. 'Ik dacht dat je dat net gedaan had.'

'Nee, net heb ik gestreken en de badkamer schoongemaakt.' En ik begrijp niet hoe hem dat kon ontgaan, want ik deed het behoorlijk demonstratief in de hoop dat hij even mee ging helpen. Wat dus geen enkel effect bleek te hebben.

'Waar heb je dat voor nodig?' vraagt hij als ik een zomerjurkje van de kapstok haal.

'Ik weet niet. Er is een tuin bij het hotel, met een zwembad. Misschien kan ik aan het einde van de dag nog even buiten zitten.'

'En dan trek je dat aan?'

'Volgens Hugo is het mooi weer daar. We hebben hier toch ook al een paar warme dagen gehad?'

'Het gaat me niet om het weer, Isa. Het gaat om die jurk. En om Hugo. En wat hij denkt als hij jou erin ziet.'

'Waar heb je het over?' Ik laat het jurkje over de leuning van de stoel vallen. 'Het is een oud, verwassen, flodderig ding!'

'Dat ziet hij niet. Hij ziet tieten en benen. Meer niet.'

Ik kijk hem aan om te zien of hij een geintje maakt, maar hij ziet er toch echt serieus uit. 'Wat moet ik dan? In een coltrui aan het zwembad gaan zitten?' Ik leg een witte jeans, twee shirtjes en wat ondergoed in mijn koffer.

Hij pakt mijn beha weer op. 'En dat moet ook mee?'

'Ik kan ook geen ondergoed dragen.'

Hij legt het meteen terug. 'Kun je niet gewoon iets degelijks inpakken? Iets huidkleurigs of zo?'

Ik lach. 'Heb je Bridget Jones wel eens gezien? Sommige mannen vinden omaonderbroeken heel aantrekkelijk.'

Bij Ruben kan er geen lachje vanaf. 'Wat doe je als hij iets probeert?'

'Dat doet hij niet, Ruben. We zijn gewoon collega's, snap dat nou eens. Je hebt zelf gezegd dat ik kon gaan en nu begin je hier weer over. Ik weet niet wat ik ermee moet, echt niet.'

'Ik wil gewoon weten wat je doet als hij iets van je wil.'

'Dat doet hij niet!'

'Maar áls het gebeurt, Isa. Stel, puur hypothetisch, wat doe je dan? Daar moet je over nadenken voor je gaat, want als je dat niet doet en hij overrompelt je, dan kun je niet helder denken en misschien...'

'Is dat hoe het toen met Marleen ging?'

Hij knikt. 'Ik wil niet zo zijn, Isa. Ik hoor mezelf praten en ik weet dat het vreselijk klinkt, maar ik weet dat dingen soms misgaan, ook al wil je dat niet. Marleen heeft het bij mij gedaan. Ik bij jou...'

'Ik heb al een keer wraak genomen, weet je nog? Met Bram? Ik voelde me ellendig na afloop en ik ga dat niet nog eens overdoen. Je vertrouwt me toch zeker wel?'

'Jou wel.'

'Waarom hebben we dan steeds hetzelfde gesprek?'

'Denk je dat ik dat leuk vind?'

'Zullen we er dan mee ophouden? Als ik beloof vertrouwen in jou te hebben als je met Marleen op pad gaat, kun jij dat dan nu opbrengen?'

Hij kijkt me aan en ik zie dat hij er niet gerust op is, hoe hij het ook probeert. 'Goed,' zegt hij dan, terwijl zijn gezichtsuitdrukking en lichaamstaal precies het tegenovergestelde zeggen. 'Pak dan maar in wat je wilt.'

24

Hugo lijkt onvermoeibaar vandaag. Hij praat honderduit over alle dingen die je in Berlijn gezien en gedaan moet hebben. Ik luister voornamelijk en klets een beetje over dingen die me interessant lijken. Checkpoint Charlie, de Brandenburger Tor en de Rijksdag zijn eigenlijk de enige drie dingen die meteen bij me opkomen als ik aan Berlijn denk. Als ik hem vertel dat ik vooral een historische associatie met de stad heb, is hij helemaal niet meer te stuiten. Natuurlijk kun je om de geschiedenis van Berlijn niet heen. Denk maar aan de overblijfselen van de Berlijnse Muur, het Joods Museum, de Gedächtniskirche, het Holocaust-Mahnmal. Maar wat ik blijkbaar niet weet is dat Berlijn, als een echte wereldstad, 'hot and happening' is. Alles kan er. Je kunt er geweldig winkelen en je vindt er de hipste bars en restaurants. Tegelijkertijd is het misschien wel de groenste stad van Europa en zijn er heel veel mooie, rustige plekken. Het aanbod aan culturele evenementen is overdonderend, vooral in de zomer. Dan komt de stad tot bloei. De stadsstranden zijn fantastisch en een mooi voorbeeld hoe veelzijdig Berlijn is. Daar kun je met een cocktail in de hand van de zon genieten, met de overblijfselen van De Muur op de achtergrond.

Tegen de tijd dat we ons hotel naderen, vind ik het stiekem jammer dat we hier zijn voor het seminar en dat er amper tijd zal zijn om iets te bezichtigen. We moeten ons een beetje haasten. Door wat file aan het begin van de reis zijn we achter op ons schema geraakt en dat heeft Hugo, ondanks zijn krankzinnige snelheid op de Duitse autowegen, niet meer ingehaald. Als we dadelijk heel vlug kunnen inchecken en de bagage op onze kamers droppen, kunnen we de eerste lezing nog halen, maar de tijd begint te dringen en het is druk in de stad.

'Denk je dat we het redden?' vraag ik als we eindelijk het parkeerterrein van het hotel oprijden.

'Als het een beetje meezit wel,' antwoordt hij.

'Ik haat het om een volle zaal in te stappen als de spreker al begonnen is. Iedereen kijkt je aan. Vaak moet de helft van een rij gaan staan om je bij je zitplaats te laten, en als je pech hebt krijg je van de spreker "grappig" commentaar omdat je te laat bent.' We stappen uit en Hugo tilt mijn koffer met roze polkadot uit de kofferbak.

'We halen het wel,' zegt hij. Hij zet de trolley voor me neer en kijkt ernaar alsof het een voorwerp is dat hij nog nooit gezien heeft. 'Het is misschien niet erg ridderlijk van me om je je eigen koffer te laten dragen, maar hier ga ik niet mee lopen,' zegt hij en hij pakt zijn simpele zwarte reistas bij de hengsels.

Ik haal mijn schouders op en trek het handvat uit. 'Hij is ook bedoeld voor meisjes! Ik heb hem van mijn moeder gekregen en kijk, hij past bij mijn schoenen.'

Hij werpt een blik op mijn roze ballerina's en loopt dan hoofdschuddend voor me uit naar de ingang. Ik laat hem het woord doen bij het inchecken. Duits gaat hem even gemakkelijk af als Nederlands, dus waarom zou ik zelf moeite doen? Ondertussen bestudeer ik een foldertje over de Berlijnse dierentuin dat in een houdertje op de balie staat. Knut is zo te zien nog steeds de grote publiekstrekker, want hij staat voorop. Opeens hoor ik Hugo zeggen dat er een vergissing gemaakt moet zijn en dat hij echt twee kamers nodig heeft. Ik kijk op. Mijn Duits is niet geweldig, maar dat heb ik wel begrepen. De man achter de balie begint de reservering in het systeem te checken en loopt een beetje rood aan.

'Het is vast een vergissing,' herhaalt Hugo tegen mij. 'Zulke dingen gebeuren alleen in romantische komedies waarin de hoofdrolspelers een hekel aan elkaar hebben, tot de een de ander met alleen een handdoekje om in de douche tegenkomt.' Hij lacht. 'Maak je niet druk, ik los het wel op.'

Ik wil dat graag geloven, maar dan zegt de hotelmedewerker, die Dieter heet volgens zijn naamkaartje, dat er echt maar één reservering voor een tweepersoonskamer is en dat ze vanwege het seminar helemaal volgeboekt zijn. Maar gelukkig heeft de kamer ook een uitklapbare sofa, dus daarmee is het probleem vast opgelost.

Ik begin al tegen Hugo te stamelen dat dat niet zo is, maar gelukkig zegt hij dat zelf ook meteen tegen Dieter. Hij gooit er opnieuw allerlei Duitse volzinnen uit en zo-even begreep ik die nog prima, maar nu kan ik er niets meer van maken. Ik ben alleen bezig te bedenken hoe ik dit moet oplossen. Ruben vond het hele idee van deze trip al niet te verkroppen. Als hij dit hoort, flipt hij vast en zeker. Hij denkt ongetwijfeld dat Hugo dit expres heeft gedaan... Opeens begin ik ook te twijfelen. Hij praat nu op een toon die geen tegenspraak duldt en Dieter wordt steeds roder, maar het kan natuurlijk allemaal show zijn.

Dieter dirigeert ons naar een bankje in de lobby en vraagt ons te wachten terwijl hij de mogelijkheden met zijn baas doorspreekt. Ik ga, met een diepe zucht van ongeloof, zitten.

Hugo blijft tegenover me staan en zet zijn tas naast mijn voeten. 'Stel dat die kamer echt de enige is die ze nog over hebben, kun je daar dan mee leven?'

'Nee!' zeg ik fel. 'Dat kan echt niet.'

Hij knikt en staart naar zijn schoenen. 'Dat dacht ik al.'

Ik kijk op mijn horloge. 'Nu redden we die lezing natuurlijk nooit meer.'

'Misschien vinden ze snel een oplossing.'

'Jij blijft er wel erg rustig onder,' zeg ik.

'Het heeft weinig zin in paniek te raken, toch? Er zijn ergere dingen, Isa.'

'O ja?' We wisselen een blik en kijken dan weer zwijgend voor ons uit. Dan kan ik me toch niet inhouden. 'Weet je zeker dat je die reservering goed geregeld hebt?'

'Mijn Duits is heel behoorlijk, Isa. Ik weet echt wel het verschil tussen "eins" en "zwei".' Hij schopt met de neus van zijn schoen een paar keer tegen de zijkant van zijn tas en kijkt dan naar me op. 'Denk je soms dat ik opzettelijk één kamer voor ons beiden geboekt heb?' Ik aarzel een seconde te lang en hij weet genoeg. 'Wat denk jij eigenlijk van mij? Dat ik heb zitten broeden op een geniaal plan om jou te strikken en dat dit het beste is dat ik kon bedenken?'

'Dat denk ik niet, maar...' Opeens klinkt het ook volslagen belachelijk. Hoe ga ik dit nu weer rechtbreien?

'Denk je dat ik de illusie zou hebben dat je daarin trapt? Of nog erger: dat ik een of ander stom cliché uit een Hollywoodfilm zou gebruiken om een vrouw te versieren? Vind je mij zo'n sukkel?'

'Nee! Natuurlijk niet. Zo bedoelde ik het niet. Sorry, oké?' Ik durf hem niet meer aan te kijken en begin de stipjes op mijn koffertje te tellen.

Er hangt een pijnlijke stilte tot hij naast me op de bank gaat zitten. 'Luister, als ze echt geen andere kamer hebben, dan zijn er heus nog meer hotels in Berlijn. En als het echt niet anders kan, neem jij de kamer die hier beschikbaar is en bel ik een vriend om te vragen of ik bij hem op de bank mag.'

'Ja?' vraag ik.

Hij knikt. 'Maak je geen zorgen. Je hoeft echt je kamer niet met mij te delen, vannacht.' Hij glimlacht. 'Aangezien dat blijkbaar het allerergste is dat je kan overkomen.'

'Sorry dat ik dat zei...'

Hij strekt zijn benen uit en leunt achterover. 'Als we nu maar niet die hele lezing missen.'

Het duurt bijna een halfuur voor Dieter terugkomt met het bericht dat er in verband met een annulering toch een kamer beschikbaar is, maar deze moet nog schoongemaakt worden. Inmiddels is de eerste lezing allang begonnen en was ik bijna in slaap gevallen op het bankje.

'Kom,' zegt Hugo, terwijl hij me omhoog takelt. 'We zetten de bagage alvast in de kamer die we hebben en de sleutel voor de andere kamer halen we straks wel op.' Hij is inmiddels over zijn fobie voor mijn gestippelde trolley heen, want hij tilt hem de trap voor me op als de lift te lang op zich laat wachten. Daarna lopen we door een smalle, donkere gang naar de juiste kamer en ik open de deur. Ik ga Hugo voor en zet mijn handtas op het bureau. Het is een simpele kamer, maar netjes en nieuw.

'Het eerste deel van de lezing moeten we maar als verloren beschouwen,' zegt Hugo. 'Misschien kunnen we na de onderbreking naar binnen.'

Ik haal het programma uit mijn tas en laat mijn blik over de tijden gaan. 'Dat is over een kwartiertje. De pauze duurt ook een kwartier, dus dat betekent dat we nog een halfuur hebben om er te komen.'

'Geen probleem.' Hugo zet de spullen in de buurt van de slaapbank neer. 'Het is vijf minuten hiervandaan. We kunnen rustig aan doen.'

Dat is mooi, want ik moet nodig plassen. Ik glip de badkamer in en als ik terugkom heeft Hugo de waterkoker aangezet. 'Thee of oploskoffie?'

'Thee dan maar. Of zullen we de minibar plunderen?'

'Waarom niet? De baas betaalt immers.'

'Ben jij dat niet zelf?'

Hij trekt een klein flesje witte wijn open zonder eerst de prijslijst te bekijken. Hij schenkt wat in een glaasje dat hij eerst uit het plastic moet halen.

Ik neem het van hem aan. 'Het was eigenlijk maar een grapje.' Ik neem een slokje, dat ik na de lange autorit meteen naar mijn hoofd voel stijgen. 'Ik hoop maar dat die spreker een levendige stem heeft, anders val ik nog in slaap.'

'Ik tik je wel aan als je gaat knikkebollen,' zegt Hugo voor hij zijn glas neerzet en het programmaboekje dat ik op het bureau heb neergelegd oppakt.

Ik ga even op het voeteneind van het bed zitten. Het leek heel comfortabel, maar ik merk meteen dat het matras niet half zo dik is als thuis. En het kraakt een beetje als ik beweeg. Hugo loopt langs me heen naar de badkamer en ik zet mijn glas neer en laat me even achterovervallen. Tot negen uur vanavond lezingen: als ik dat maar volhoud.

Niet dus! Ik wilde mijn ogen een paar tellen dichtdoen. Tot Hugo uit de badkamer zou komen, maar dat heb ik niet eens meer gemerkt. Ik ben als een blok in slaap gevallen en pas wakker geworden toen mijn hand een seconde geleden tegen iets aankwam. Ik open verschrikt mijn ogen en zie dat het de hand van Hugo is. Hij ligt naast me. Zijn gezicht is naar me toe gedraaid, vlak bij het mijne. Ik trek vlug mijn hand terug en ben opgelucht te zien dat Hugo slaapt en het niet gemerkt heeft. Ik sta op en ik hoor aan zijn ademhaling dat Hugo ook weer wakker aan het worden is. Hij kijkt net zo verbaasd als ik een seconde geleden moet hebben gedaan.

'Waarom heb je me niet wakker gemaakt?' vraag ik.

'Dat wilde ik doen,' zegt hij terwijl hij overeind komt en hevig met zijn ogen knippert. 'Maar je lag zo lekker en ik dacht: ach wat maken vijf minuutjes nog uit.'

'Vijf minuutjes?' vraag ik. 'De lezing is alweer een kwartier aan de gang.'

'Ik was ook moe. Ik dacht dat ik wel even mijn ogen dicht kon doen zonder in slaap te vallen.'

Ik moet lachen. 'Ja, dat dacht ik ook. Maar nu moeten we wel opschieten, hoor. We hebben niet voor niks zevenhonderd kilometer gereden.'

'Heb jij nog zin in een seminar?'

'Dat niet, maar daarvoor zijn we hier, dus schiet op.'

Hij houdt zijn hand op tegen een streep fel zonlicht die precies door het raam in zijn gezicht schijnt. 'Het is veel te mooi weer om binnen te zitten met een stelletje saaie pieten.'

'Wij zíjn die saaie pieten,' maak ik hem duidelijk.

'Morgen misschien. Vandaag is een schitterende, zonnige dag in Berlijn en daar moeten we van genieten. Vergeet het seminar, vergeet alle historische bezienswaardigheden. Ik ga je kennis laten maken met het hippe Berlijn.'

'Hugo, het klinkt geweldig, maar dat kan ik niet maken. Ik heb me ingeschreven voor een seminar en Ruben daarvoor alleen thuis gelaten. Dat heb ik niet gedaan om hier een beetje lol te gaan maken. Als hij dat had geweten...'

'Wat? Je mag geen lol maken zonder hem?'

'Natuurlijk wel, daar gaat het niet om. Het punt is dat ik een heel weekend weg ben voor mijn werk. Niet om met een andere man een stedentrip te maken. Dat voelt gewoon... raar.'

'Waarom?'

'Gewoon. Omdat we met z'n tweeën zijn. Het is te stelletjesachtig.'

'Nou, dan bel ik gewoon wat vrienden en dan is het een groepsuitje! Tolereert Ruben dat wel?'

'Ik heb niet gezegd dat híj er problemen mee heeft, Hugo. Ikzelf heb daar een probleem mee.'

'Omdat je je schuldig voelt vanwege hem. En waarom zou dat nodig zijn? Omdat we hier per ongeluk in slaap zijn gevallen? Omdat we door onvoorziene omstandigheden de eerste lezing gemist hebben? Wat moeten we dan?'

'Naar de volgende lezing, zou ik zeggen.'

'Dus het is stralend weer, er is van alles te doen in de stad en dan moeten wij hier binnen gaan zitten wachten tot de volgende lezing omdat Ruben het anders niet leuk vindt?'

'Hou op over Ruben.'

'Isa, hij zal toch echt niet van je verlangen dat je in je eentje in een hal gaat zitten wachten terwijl ik op pad ben? Want als dat wel zo is, moet je je serieus afvragen waarom je bij hem bent.'

'Ik heb nooit gezegd dat hij dat van me verlangt.'

'Mooi, dus dan ga je gewoon mee? Of wil je hem misschien even bellen om het te overleggen?'

'Hugo, hou nou eens op!'

Hij steekt zijn handen verontschuldigend in de lucht. 'Sorry, sorry, dat zei ik maar om je te plagen.' Hij glimlacht. 'Kom op, Isa. Je krijgt er geen spijt van, dat beloof ik.'

Ik geef mijn verzet op. 'Waar gaan we naartoe dan?'

'Heb je een bikini bij je?'

'Nee. En ik ga ook echt niet zwemmen!'

'Daar krijg je zeker spijt van. Maar goed, kies dan maar een andere outfit voor het stadsstrand. Ik kleed me híer om en jij in de badkamer en dan laat ik je het echte Berlijn zien.'

We rijden naar Badeschiff, een stadsstrand aan de rivier de Spree. Het stikt er van de mensen die blijkbaar allemaal besloten hebben hun weekend al op vrijdagmiddag te laten beginnen. Ze zitten op strandstoelen in het zand en op de vlonder die naar een enorm langwerpig zwembad leidt, dat midden in de rivier is aangelegd. Het is een beetje een vreemd gezicht, al die mensen die in een bak water te midden van nog meer water rondzwemmen, maar wel leuk.

Het is zonnig en rond de vijfentwintig graden, en bijna iedereen draagt zwemkleding. Gelukkig zijn er ook meiden die gewoon een jurkje aanhebben – zoals ik – of een korte broek met een hemdje.

Bij de strandbar hangen mensen met zomers uitziende drankjes rond. Op de achtergrond klinkt salsamuziek. Alles hier ademt de sfeer van de zomer. Ik heb bijna het gevoel dat ik op vakantie ben.

'Als je nog steeds liever in de hal op de volgende lezing wacht, breng ik je wel even terug, hoor,' zegt Hugo met een grote, zelfvoldane grijns. Hij weet best dat dit helemaal geweldig is. Ik zou wel gek zijn om terug te willen.

'Zijn je vrienden er al?' vraag ik als we tussen de mensen door laveren.

'Ze zitten daar bij die oranje parasol. We zoeken meestal een plaatsje in het zand, of wil jij liever daar op de vlonder zitten?'

'Nee, zand is prima.'

Hugo wordt met luid gejoel ontvangen. Het is natuurlijk al even geleden dat ze hem gezien hebben. Zo te zien ligt hij goed in de groep. Er worden stoelen voor ons geregeld en drankjes gehaald. Hugo trekt meteen zijn kleren uit en ploft in zijn zwembroek op een strandstoel. Er wordt gegrapt dat hij dik geworden is en hij wordt stevig op zijn buik getimmerd. Mannen hebben een aparte manier om te tonen dat ze elkaar graag mogen. Ik zie al voor me dat Floor dat bij mij zou doen. We zouden knallende ruzie krijgen.

Hugo stelt me voor aan het groepje. Hij vertelt me waar hij iedereen van kent en wat ze allemaal doen. Er zit ook een Nederlands stelletje tussen, waarvan de man vertelt dat hij Hugo eigenlijk helemaal niet mag, maar hem gebruikte om af en toe zijn eigen taal te kunnen spreken. De vrouw troost Hugo meteen met een dikke knuffel en ze verzekert hem dat ze allemaal dol op hem zijn. Daarna komt Sacha even ter sprake, wat Hugo snel afkapt door over zijn nieuwe baan te beginnen. Het gesprek is een mengelmoesje van Duits en Nederlands en ik doe ongedwongen mee. Ik luister meer dan dat ik praat, maar dat vind ik ook prima. Ik wil alleen maar een beetje in de zon relaxen, van mijn drankje nippen en naar de muziek luisteren. Na een tijdje wil iedereen gaan zwemmen en ik bied aan op de spullen te passen.

'Ik wil je best gezelschap blijven houden,' zegt Hugo.

Ik schud mijn hoofd. 'Nee joh, ga maar lekker met je vrienden zwemmen.'

Ik kijk hoe ze lachend en pratend over de vlonder naar het zwembad lopen en er met salto's en andere fratsen induiken. Zo uitgelaten heb ik Hugo nog nooit gezien. Ik moet toegeven dat hij wel de leuke plekken weet te vinden. Ik vind dit tenminste geweldig. Het zou perfect zijn als ik hier met mijn eigen vriendinnetjes zou zijn en met Ruben. Ik weet zeker dat hij dit heel erg leuk zou vinden. Ik mis hem opeens ontzettend. Hij maakt thuis superlange werkdagen en ik zit hier prinsheerlijk in de zon. Ik diep mijn gsm op uit mijn tas en bel hem. Ik wil dit even met hem delen en zeggen dat we snel samen een vakantie moeten boeken zodat ik dit soort dingen met hém kan doen. Helaas krijg ik na vier keer overgaan zijn voicemail. Ik wil ophangen, maar dan klinkt de piep en besluit ik toch maar iets in te spreken. 'Hoi schatje, met mij. Ik wilde even zeggen dat alles goed is. We waren alleen wel te laat voor de eerste lezing. Nu zit ik met Hugo en een stel van zijn vrienden op een stadsstrand heerlijk in de zon… en ik mis je. Ik wou dat je erbij was. Dat wilde ik even zeggen. Oké. Doei.'

Tegen de avond koelt het snel af en sommigen pakken hun boeltje om naar huis te gaan, maar ik loop met Hugo, het Nederlandse koppel en een oud-collega van hem een stukje mee naar waar de rivier landinwaarts gaat. Langs dat inhammetje blijken gezellige bars te zitten. De stemming zat er al goed in, maar met wat drank erbij wordt het alleen maar beter. Ik moet steeds lachen als ik Hugo 'superaffengeil' hoor zeggen. Het betekent zoiets als 'helemaal te gek', maar het klinkt natuurlijk als iets heel anders. Ze roepen het wanneer ze maar kunnen. Ik vind het totaal niet Hugo en hoe vaker hij het zegt, hoe absurder ik het vind klinken.

Als er plannen voor een etentje gemaakt worden, ben ik eigenlijk al vergeten dat er nog een avondprogramma van het seminar is.

Hugo herinnert me eraan. 'We kunnen snel in het hotel iets eten en dan halen we het nog.'

Ik ben veel te moe om daar nog zin in te hebben. Na die lange reis en de rest van de middag loom in de zon met ook nog de alcohol die ik gedronken heb, zie ik mezelf niet meer een seminar bijwonen. Daarbij wil ik Hugo's uitje met zijn vrienden niet bederven. Ik heb hem nog nooit zo in zijn element gezien. 'Morgen is er weer een dag,' antwoord ik uiteindelijk. 'Maar dan wil ik echt geen woord missen.'

Die beslissing wordt met luid gejuich ontvangen en Hugo slaat zijn arm om me heen. 'Fantastisch besluit. Lust je sushi?'

Toevallig lust ik dat inderdaad. Ik heb me laten vertellen dat het gezond is en ik vind het gezellig eten, al die kleine hapjes. Ruben vindt er helemaal niets aan, dus we eten het bijna nooit, maar ik vind het ideaal. Ik ben er namelijk van overtuigd dat je niet dik kunt worden van rauwe vis en rijst. Voor de beste sushi in Berlijn moeten we volgens Hugo naar Prenzlauer Berg, de wijk waar hij gewoond heeft. Het is de hipste wijk van de stad en het barst er van de goede restaurants, bars en designerboetiekjes.

We gaan naar Sasaya, waar Hugo vroeger minstens één keer per week at. Het ziet er inderdaad hip uit. Het zou zo als decor hebben kunnen dienen voor een scène uit *Sex and the City*. We krijgen een tafeltje aan het raam en ik laat Hugo van alles bestellen, aangezien hij de expert is. Gelukkig maakt hij weer goede keuzes. Alles wat ik proef is heerlijk. En ik vind het gezellig vandaag. Als dit de echte Hugo is, zou het misschien geen ramp zijn als hij iets met Tamara kreeg. Al vind ik het nog steeds een vreemde match.

'En?' vraagt Hugo. 'Heb je al spijt dat we het seminar hebben laten schieten?'

Ik schud mijn hoofd. 'Ik vond het leuk vandaag.'

'Ik ook.' Hij glimlacht even naar me en richt zich daarna weer op de anderen, maar ik kan me niet meer op het voortkabbelende gesprek concentreren. Er was namelijk iets met die glimlach en ik kan niet uitleggen wat precies, maar mijn hart klopt er nu van in mijn keel. Het is alsof hij heel even iets liet zien wat hij nog niet eerder prijsgegeven heeft. Of misschien heeft hij dat wel gedaan, maar keek ik niet goed. Maar nu heb ik het gezien. En ik wil zo snel mogelijk weg.

De rekening komt en ik ben blij als Hugo het plan om nog ergens een barretje in te duiken, afslaat omdat we morgen vroeg op moeten. We nemen afscheid van zijn vrienden en lopen naar de auto. De rit naar het hotel verloopt in stilte, aangezien ik het niet voor elkaar krijg een luchtig praatje aan te knopen en Hugo dat ook niet doet.

Het wordt steeds ongemakkelijker, tot Hugo de stilte verbreekt. 'Nu weet je het, hè?'

'Wat?' Ik hou me van de domme. 'Hoe hip Berlijn werkelijk is?'

'Alle hints die ik bewust geef, gaan volkomen langs je heen, maar ik heb even één seconde geen controle en juist dat pik je op. Heel bijzonder.'

'Hugo, ik begrijp niet zo goed waar je het over hebt, denk ik.'

'Dat weet je wel. Ik zag het tot je doordringen. Ik zag dat je opeens wist wat ik voor je voel. Wat heeft me eigenlijk verraden? Hoe ik naar je keek?'

'Nee... ik... Weet je, ik denk dat je misschien iets te veel gedronken hebt en...'

Hij onderbreekt me abrupt. 'Ik rijd niet als dat zo is, Isa.'

Ik houd mijn mond.

'Ik ben verliefd op je,' zegt hij dan plompverloren. 'Al heel lang. Als je vrijgezel bent, dan heb je toch een soort plaatje in je hoofd van je toekomstige partner? Ken je dat?'

Ik knik.

'Ik kon dat beeld nooit concreet krijgen. Ik wist welke kwaliteiten ze zou bezitten. Dat ze slim zou zijn en mooi. Zachtaardig en welbespraakt. Maar verder was het een gevoel dat ik over haar had dat ik niet kon visualiseren tot een echt persoon. Toen ontmoette ik jou en je vloeide samen met dat gevoel. En sindsdien ben jij het. Ik kan er niets aan doen. Ik heb het geprobeerd, maar ik kan het niet meer veranderen en daarom heb ik mijn relatie met Sacha verbroken. '

'Maar... als dat zo is, waarom heb je dan Tamara versierd?'

'Ik dacht dat het andersom was... Ik flirtte terug om te zien wat jouw reactie was. Ik geef toe dat het even in me opgekomen is om met haar te blijven afspreken om meer tijd met jou te kunnen doorbrengen, maar daar ben ik mee opgehouden toen ik inzag dat zij het serieus begon te nemen.'

'Dat is echt...' Ik heb geen woorden voor wat dat is. 'Ze dacht dat je haar echt leuk vond, Hugo!'

'Het spijt me. Het is nooit mijn bedoeling geweest haar aan het lijntje te houden. Ik vind haar ontzettend lief, maar ik ben niet verliefd op haar. Ik dacht dat ze dat wist. Er is niets gebeurd tussen ons als je dat soms denkt. Dat zou ik nooit doen.'

Ik kijk uit het zijraampje naar buiten, niet wetend wat ik moet zeggen.

'Isa?' vraagt hij als ik stil blijf. 'Ik heb net opgebiecht dat ik verliefd op je ben...'

'Ik woon samen.'

'Dat weet ik.'

'En dat niet alleen. Dat plaatje waar je het over had, dat had ik met Ruben. Ik heb mijn plaatje al compleet, Hugo.'

'Is dat zo?'

'Natuurlijk is dat zo! Ik zeg het niet om je te pesten of zo.'

'Ik vraag me gewoon af of dat wel zo is, want ik zie dat namelijk anders.'

'Ik snap dat jij het anders ziet, maar toch is het zo. Het gaat om hoe ik het zie.'

'En hoe zie jij ons dan?' Hij parkeert de auto voor het hotel en zet de motor uit, maar houdt het contact aan zodat de radio aan blijft.

'Er is geen ons... Ik waardeer je als collega. Ik vind het fijn dat je me dingen wilt leren. Verder gaat het niet.'

'Dus jij voelt niks bij wat ik je net verteld heb?'

'Ik... ik voel me gevleid dat het zo is, maar ik ben niet de juiste vrouw voor jou, Hugo.'

'Jij bent in alle opzichten de juiste vrouw voor mij. Je kan me aan. Je zet me op mijn nummer als dat nodig is. Ik heb dat nog nooit van iemand geaccepteerd. Wij stimuleren elkaar. Ik haal dingen in jou naar boven die niemand anders eruit zou krijgen.'

'Op werkgebied,' vul ik aan. 'Dat geef ik toe. En ik mag je graag. Je bent een leuke vent, maar je bent niet míjn vent. Ik hou van Ruben. Ik ben verliefd op hem.'

Hij klikt zijn gordel los en draait zich naar me toe. 'Dus ik maak geen enkele kans? Nooit?'

Ik schud mijn hoofd. 'Sorry.'

'Je hoeft geen sorry te zeggen... Als het zo is...'

'Het is echt zo.'

'Dan is het zo.' Hij kijkt me lang aan en buigt zich dan naar me toe.

'Niet doen.' Ik leg mijn hand tegen zijn borst om hem op afstand te houden. 'Alsjeblieft Hugo, dat wil ik niet.'

'Wil je niet weten hoe het is? Gewoon vrijblijvend?'

'Echt niet.'

Hij zucht diep en legt dan zijn hand over de mijne. Hij drukt er vlug een kusje op en laat me dan los. 'Goed dan. Dan weet je het nu en je hebt je keuze gemaakt.' Hij opent het portier en stapt uit. We lopen zwijgend het hotel binnen en ik wacht tot Hugo de sleutel van de tweede kamer heeft gekregen bij de receptie.

Onze voetstappen galmen door het lege trappenhuis als we naar boven lopen.

'Wil je deze kamer of die andere?' vraagt Hugo als we binnen zijn.

'Maakt niet uit.'

'Blijf jij maar hier,' zegt hij en hij pakt zijn tas. Hij loopt naar de deur en draait zich om. 'Mag ik nog één ding zeggen zonder dat je boos wordt?'

'Ik kan niet beloven dat ik niet boos word,' antwoord ik nerveus, 'maar je mag het proberen.'

'Ik geloof niet dat het stand houdt tussen jullie. Ik ben ervan overtuigd dat jullie dat wel willen, maar ik denk niet dat het lukt, want jullie lopen op eieren als jullie bij elkaar zijn. Ik denk dat je niet jezelf bent in die relatie. Ik ben geen man van trucjes, Isa. Je hoefde geen extra tijd in de PDAB te steken. Je had het zo aan mij kunnen overlaten. Je had ook niet mee naar Berlijn hoeven gaan. Ik heb er niet voor gezorgd dat er files waren onderweg, het is niet mijn schuld dat er maar één kamer geboekt was, ik heb geen LSD in je drankje gedaan zodat je knock-out ging en de lezing miste en ik heb je niet gedwongen de rest van de dag met mij op mijn lievelingsplekjes door te brengen. Dat waren deels omstandigheden en voor het overige keuzes die jij zelf gemaakt hebt. Vraag jezelf eens af waarom.'

25

Ik weet niet waarom ik zo zenuwachtig ben. Er is niets gebeurd. Daarom snap ik niet waarom ik er zo tegenop zie om Ruben weer onder ogen te komen. Ik ben een paar uur vroeger thuis dan gepland, maar hij weet dat ik eraan kom. Ik heb hem in de auto gebeld toen we bijna thuis waren.

Hugo en ik hebben zaterdag de hele dag aan het seminar deelgenomen. Daarna heb ik op mijn hotelkamer roomservice besteld en is Hugo nog met wat vrienden de stad in geweest. Het leek me niet verstandig mee te gaan. Ik ben vroeg naar bed gegaan, maar kon niet slapen en heb toen het boek dat ik voor een verloren moment meegenomen had helemaal uitgelezen. De volgende ochtend zijn we na het ontbijt weggereden in plaats van na de laatste lezing. Ik denk dat we het allebei niet op konden brengen. Het was heel vreemd om die hele terugreis naast Hugo in de auto te zitten. We hebben amper met elkaar gesproken. Hij zette gewoon de radio wat harder en dat was dat. Pas toen we mijn wijk inreden vroeg hij of ik niet op het werk wilde rondbazuinen wat hij tegen me gezegd heeft. Alsof ik dat ooit zou doen.

Ik ben uitgeput en zoek in mijn tas naar de sleutels. Hugo rijdt meteen door en Ruben opent de deur al voor ik ze gevonden heb. 'Hoi,' zeg ik en er gaat iets van opluchting door me heen omdat hij gewoon nog steeds Ruben is en ik Isa. Er is niets veranderd. Nog voor ik hem kan omhelzen of kussen wringt Bo zich tussen ons in, bedelend om aandacht. Ik kniel neer om hem te knuffelen en doe mijn best zijn slobberende tong te ontwijken. Ruben trekt hem met zachte hand bij me weg. 'Bo, we hadden afgesproken dat ík dat zou doen,' zegt hij terwijl hij me omhoog helpt. Hij geeft me een kus. 'Hoe was het?'

'Goed.' Ik rijd mijn koffer de hal in en laat hem even onder de kapstok staan. Ik schop mijn schoenen uit en loop achter Ruben aan naar binnen.

'Ik had je later thuis verwacht, dus ik loop achter op schema.

Maar ik ben in ieder geval aan het eten begonnen. Wil je eerst eten of in bad?'

'Ik denk eten, want waarschijnlijk val ik na een bad als een blok in slaap.'

'Heb je het zo druk gehad?'

'Ik heb amper geslapen.'

'Ik heb ook niet goed geslapen zonder jou. Wil je alvast een wijntje?'

Ik schud mijn hoofd. In de keuken staat de pasta op het vuur, met gamba's in een pan ernaast. Op het aanrecht liggen gehalveerde kerstomaatjes, reepjes paprika en rucola. 'Lekker.'

Ruben doet de tomaatjes en paprika bij de gamba's in de pan en ik kijk naar hem terwijl hij kookt. Ik laat mijn hand even langs zijn brede rug naar beneden glijden. Hij kijkt me van opzij aan en glimlacht. 'Je ziet er echt moe uit. Je mag alvast wel gaan zitten, hoor. Ik ben binnen tien minuutjes klaar.'

'Ik wil gewoon even naar je blijven kijken.'

'Dat mag, maar het gaat natuurlijk wel ten koste van mijn concentratie. Straks heb je kleffe pasta en aangebrande groente.'

'Geeft niet.'

'Vertel eens hoe Berlijn was. Je zei dat je op een strandje zat...'

'Een stadsstrand langs de rivier. Dat is zo leuk, Ruben, je had erbij moeten zijn. Je had het geweldig gevonden.' Ik help hem de tafel te dekken terwijl ik vertel over Berlijn en over het seminar en eenmaal aan tafel spreken we af dat we een vakantie gaan plannen na de bruiloft van Floor en Mas. Dan is zijn meubellijn ook af, als het goed is. We kletsen gezellig tot we klaar zijn met eten en ik weet dat ik dat andere ook ter sprake moet brengen, maar ik weet niet hoe. Ik schuif de overgebleven tomaatjes heen en weer over mijn bord en eet er toch nog eentje op. Ik heb niet zo veel gegeten, ook al was het heel lekker. Ik ben te moe en te gespannen. Ik heb het gevoel dat ik ga huilen als iemand 'boe' tegen me roept. Misschien kan ik beter morgen met Ruben praten, als ik uitgerust ben.

'Is er iets?' vraagt Ruben. Zijn stem lijkt van ver te komen en ik besef dat ik nogal diep in gedachten verzonken was.

'Nee, niks. Niets bijzonders... niets belangrijks.'

'Dat klinkt toch alsof er wel iets is.' Hij schuift een beetje weg van tafel en ziet er erg op zijn hoede uit. 'Is er iets gebeurd daar?'

'Nee! Nee echt, er is niets gebeurd. Niets belangrijks.'

'Oké, nu ga je me vertellen wat er is en ik bepaal of het belangrijk is.'

'Ruben, je hoeft niet te schrikken, oké? Je ziet eruit alsof ik verschrikkelijk nieuws ga brengen...'

'Dat komt omdat jij om iets heen draait en ik nu zelf van alles aan het invullen ben. Het gaat om Hugo, zeker?'

'Ja. Maar er is niets aan de hand... Het is niet wat jij denkt.'

'Verdomme Isa, wat is er?'

'Niks, helemaal niks. Hij zei dat hij verliefd is op mij...'

'Zie je wel! Ik heb je nog gewaarschuwd, Isa! Verdomme...' Hij staat met een ruk op en ijsbeert heen en weer.

'Maar hij heeft verder niets gedaan! Hij heeft niet aangedrongen of zo, het is niet zoals je denkt. Ik heb hem gezegd dat ik alleen van jou hou en dat accepteert hij.'

'Dat accepteert hij, goh, heb ik even geluk.'

'Zo bedoel ik het niet, ik bedoel gewoon dat hij niet achter me aan zit zoals jij denkt. Hij was gewoon... eerlijk over wat hij voelt en ik denk dat het beter is nu, want hij weet hoe het zit en ik ook. Hij zei zelf dat hij geen trucs gaat uithalen om mij te krijgen of zo...'

'Isa,' hij staat plots voor me stil en hurkt neer zodat hij me aan kan kijken, 'dat is nu juist de truc. Zie je dat niet?'

'Wat bedoel je? Hij heeft niets geprobeerd. Hij heeft niets gedaan.'

'Dat hoeft ook niet. Hij geeft zijn gevoelens bloot en jij vertrouwt hem en nu heeft hij alle tijd van de wereld om je in te palmen.'

'Ruben, je ziet het echt verkeerd. Zo is hij niet. Hij meende wat hij zei, dat weet ik zeker.'

'Jij wist ook zeker dat hij niet op je viel. Hij zat achter Tamara aan, volgens jou.'

'Dat kon ik toch niet weten? Ik dacht echt dat hij niks in me zag. Waarom zou hij?'

Het blijft even stil tussen ons. Dan veert Ruben langzaam op en zet hij een paar stappen achteruit. Hij ziet er uit het lood geslagen uit en lijkt mijlenver bij me vandaan. Ik begrijp niet waarom.

'Waarom zou hij?' herhaalt hij ongelovig. 'Wat zeg je nou, Isa?'

Ik ga mijn woorden opnieuw na. Wat heb ik gezegd dat zo erg is? Ik snap het niet. Ik sta op, maar durf niet dichterbij te komen. Ruben kijkt alsof ik hem iets vreselijks toegewenst heb. Ik word er echt bang van.

'Is hij soms te goed voor jou, Isa? Wat ben ik dan? Wat zeg je nou eigenlijk?'

'Niks! Ik zei niets! Ruben, alsjeblieft, je laat me schrikken.'

'Meneer de chirurg is te goed voor jou. Wat maakt dat van mij dan, Ies? Wat ben ik voor jou? Iemand waar je genoegen mee moet nemen omdat je het echte werk niet kunt krijgen? Wie denk je nu het meest te beledigen? Jezelf? Of mij?'

Nu pas, nadat hij die laatste woorden gesproken heeft, besef ik wat hij gehoord heeft. Ik heb het niet zo bedoeld, geen seconde. Ik heb het nooit begrepen. Elke keer als ik mezelf naar beneden haal, doe ik dat ook bij hem, vertel ik hem in feite dat hij een sukkel is omdat hij bij me wil zijn. Ik zie het nu pas in. Voor het eerst in twee jaar tijd. 'Ruben, het spijt me. Echt. Ik wist zelf niet wat ik zei, maar nu begrijp ik het en het spijt me dat ik het niet eerder snapte.' Ik hoor mezelf praten, maar het is alsof elk woord langs hem heen gaat.

'Weet je wat hij tegen me zei, Isa? Die keer bij de kliniek? Wil je dat weten?' Ik weet niet of ik dat wil, maar Ruben praat door. 'Ik zei dat ik doorhad waar hij op uit was en hij zei dat ik te min voor je was. Dat ik je nooit kon blijven boeien. Dat er niets meer was dan fysieke aantrekkingskracht.'

'Dat is niet waar. Hij weet niet wat ik voel. Je moet niet naar hem luisteren.'

'Dat doe ik ook niet. Ik luister nu naar wat jij me zegt. En naar een stemmetje diep vanbinnen dat ik al die tijd heb genegeerd. Ik denk niet dat ik het nu kan negeren. Je hebt hetzelfde gezegd.' Hij draait zich om en loopt de trap op. Ik merk dat ik sta te trillen op mijn benen en ren achter hem aan.

'Wat ga je doen?' Ik zie hem kleren uit de kast trekken en op bed gooien. 'Wat ga je nu doen?' roep ik in paniek.

'Ik denk dat wij allebei eens goed na moeten denken. Ik denk dat jij Hugo helemaal geweldig vindt, maar te bang bent om daar iets mee te doen. Ik denk dat wij elkaar even los moeten laten.' Hij pakt een weekendtas onder uit de kast en ik probeer hem tegen te houden als hij zijn spullen erin propt.

'Nee! Ruben, dat is niet zo! Alsjeblieft, luister naar me, ik hou van jou! Ik hou van jou!'

Hij pakt mijn gezicht vast tussen zijn handen. 'Ik hou ook van jou, daarom doe ik dit! Laat me gaan.' Hij duwt me aan de kant en loopt naar de badkamer. Ik volg hem en blijf verbijsterd staan. Er staan waxinelichtjes brandend op de badrand, die hij met één veeg van zijn arm allemaal in het volgelopen bad gooit. Hij trekt er met een woest gebaar de stop uit en plenst daarbij een halve liter water over de rand. Dan pakt hij wat spullen uit het badkamerkastje. Ik zie niet eens wat, want ik kan alleen maar kijken naar het weglopende water en de waxinelichtjes die op hun kop in het schuim aan het dalende oppervlak drijven.

Als ik me weer omdraai komt hij met de tas in zijn hand de slaapkamer uit. 'Je... je... gaat toch niet echt weg?' stamel ik en ik grijp zijn arm als hij langs me heen de trap af stormt. Het houdt hem niet tegen. Niet eens een beetje.

'Bo, kom mee!' zegt hij als hij langs de hondenmand komt.

'Nee! Je moet Bo hier laten!'

'Waarom?' Hij staat nu bij de voordeur en draait zich om met de deurklink in zijn hand.

'Omdat ik dan weet dat je terugkomt.'

We kijken elkaar een paar tellen in stilte aan en ik smeek hem in mijn hoofd zich te bedenken. Ik bid tot alles wat ik ken dat hij tot bedaren komt en die tas neerzet en met me praat. Dit kan niet waar zijn. Dan opent hij de deur en fluit hij naar Bo, die daarop zijn mand uitkomt en naar hem toe hobbelt.

Ruben zegt niets als hij het tuinpad afloopt. Hij laat Bo op de achterbank van zijn auto en hij rijdt weg.

26

De eerste keer dat het over was tussen Ruben en mij dacht ik dat ik me nooit ellendiger kon voelen. Ik sloot me dagenlang in huis op met alle soorten snoep en snacks die ik kon bedenken. Ditmaal denk ik dat ik nooit meer iets zal kunnen eten. Ik kan niet eten. Ik kan niet slapen, al ben ik nog zo moe. Ik kan me er niet toe zetten de troep van het avondeten op te ruimen. Ik zit op de bank en staar naar de secondewijzer van de klok. Ik hoor het getik van elke tel die hij langer bij me weg is. In het begin dacht ik nog dat hij zo terug zou komen, maar de uren gaan voorbij en er gebeurt helemaal niets. Ik zit in een soort van catatonische toestand voor me uit te kijken. Ik zie het buiten donker worden en langzaam weer licht. En dan opeens gaat de telefoon en ik duik erop af als een leeuw op zijn prooi.

'Isa, waar blijf je? Het is al halftien. We werden allemaal al ongerust, hier.' Het is Vivian.

'Ik kan niet komen.'

'Ben je ziek?'

'Ja. Sorry dat ik niet gebeld heb. Ik ben de tijd vergeten.'

'O. Oké. Ik zal het doorgeven. Gaat het wel? Is het een griepje of zo?'

'Ja. Gewoon een griepje.'

'Oké. Beterschap dan.'

Ik hang op en neem mijn positie weer in. Starend naar de klok. Tot ik het tikken niet meer hoor. Niets meer zie. Niets meer voel.

Het voelt niet alsof ik geslapen heb, vind ik als ik wakker word. Het lijkt eerder alsof de stroom plotseling uitviel. Alsof mijn batterij leeg was. Buiten is het opnieuw donker geworden. Ik leg mijn hoofd weer op de armleuning van de bank.

Als ik voor de tweede keer wakker word, is het halverwege de middag. Ik sta op. Ik voel me leeg en wankel. Mijn hoofd bonst.

Mijn spieren doen pijn. Mijn nek voelt stijf. Ik loop langs de troep op tafel naar de keuken. De pannen staan nog op het fornuis. Ik voel geen enkele behoefte er iets mee te doen. Ik neem een pak melk uit de koelkast en schenk wat in een mok. Zodra ik dat doe, staat de gedachte ervan te drinken me tegen en na één slokje gooi ik het weg. Ik ga naar boven. De aanblik van het bad, met wat schuimresten en de gebluste waxinelichtjes op de bodem, maakt me onpasselijk. Ik geef over in de wc en besef dat ik moet plassen. Als ik dat gedaan heb, stap ik onder de douche. Ik vlucht er ook zo snel als ik kan weer onder vandaan als ik de gedachte van Ruben en mij, vrijend onder de warme stralen, niet van me af kan zetten. 'Ik hou van jou.' Ik hoor het mezelf nog zeggen. Hij twijfelde niet aan die woorden toen ik ze uitsprak. Wat is er nu zo anders?

Ik droog me af en kleed me aan. De slaapkamer ziet er donker en hopeloos verlaten uit. Als ik beneden kom, zie ik meteen Bo's lege mand. Dan weet ik dat ik niet in dit huis kan blijven.

Daph ziet meteen dat er iets aan de hand is als ik voor haar deur sta. 'Isa, wat is er met je?' vraagt ze.

'Ik weet niet naar wie ik anders toe moet,' zeg ik. 'Ik wil Floor en Mas niet in de weg zitten en het advies van mijn ouders kan ik nu even niet aanhoren… maar jij hebt vast ook van alles te doen, dus als het lastig is, dan ga ik wel weer…'

'Het is niet lastig, kom binnen en vertel wat er met je is. Je ziet er vreselijk uit.'

'Ruben…' weet ik uit te brengen terwijl ik naar binnen loop.

Ze sluit de deur achter ons en dirigeert me naar haar tweezitter. 'Is er iets met Ruben?'

'Hij is… het is… We kregen ruzie.'

'Isa!' Ze slaat haar arm om me heen en wrijft bemoedigend over mijn rug. 'Iedereen heeft wel eens ruzie. Dat is geen ramp. Rustig nu maar. Het komt heus wel weer goed.'

'Dit is anders. Het was niet gewoon ruzie. Het was eigenlijk helemaal geen ruzie. Ik denk… Daphne…' Ik barst onder de bezorgde blik van mijn vriendin in tranen uit. 'Ik denk dat hij het uitgemaakt heeft.'

Ze kijkt me vol ongeloof aan en ze wil iets zeggen. Ik probeer haar uit te leggen wat er gebeurd is, maar na mijn afgestompte gevoel van de afgelopen dagen, lijkt nu alles in één keer naar buiten te stromen. Ik begin te snikken als een kleuter die zijn moeder kwijt is. Ik kan niet meer ademhalen, ik voel weer de paniek in me opkomen van het moment dat Ruben zijn spullen in die tas deed en bij me wegliep. Daphne houdt me stevig vast en zegt dat het goedkomt. Dat Ruben van me houdt. Dat hij terugkomt. Dat ik bij haar mag blijven tot het zover is. En ze houdt het vol tot ik helemaal uitgehuild ben en alleen af en toe nog nahik.

Donderdag ga ik weer aan het werk. Ik wil het niet. Ik wil helemaal niets meer, maar ik weet dat het alleen maar moeilijker wordt als ik het langer uitstel. Gelukkig heb ik een drukke agenda met allemaal standaardbehandelingen. Enten, chippen, gescheurde nagels, gebits-controles, hier en daar een bloed- of urinetestje. Ik kan in ieder geval even met iets anders bezig zijn. Überhaupt met iets bezig zijn, moet ik zeggen, want er is niets uit mijn handen gekomen sinds Ruben bij me weg is. Ik heb alleen bij Daphne op de bank gezeten, het eten ge-weigerd dat ze voor me klaarmaakte of er alleen wat muizenhapjes van genomen en bij haar in bed honderd keer mijn verhaal gedaan tot ik als een blok in slaap viel of zwijgend naar het plafond had lig-gen staren.

Ik ben achter in het gebouw met een van mijn bloedtestjes bezig als Hugo met wat reageerbuisjes de ruimte in loopt om hetzelfde te doen. 'Zal ik terugkomen als jij klaar bent?' vraagt hij.

'Ik ben al klaar.' Ik neem het strookje met de uitslag van het ap-paraat.

'Was je echt ziek?' vraagt hij als ik langs hem heen loop.

'Nee,' geef ik toe. Ik weet niet waarom. 'Maar zo voelde ik me wel.'

'Komt dat door mij?'

'Ik wil er niet over praten.' Ik loop naar mijn kantoor, maar Hugo volgt me en sluit de deur achter zich.

'Wil je er niet over praten of wil je er niet met míj over praten? Ik maak me zorgen om je. Je ziet er niet uit. Ik wil weten of dat komt door wat ik tegen je gezegd heb, want dan bied ik mijn excuses aan en neem ik alles terug. Ik wil je niet zo zien.'

'Het ligt niet aan jou,' zeg ik met een schamper lachje. Alsof ik me zo zou kunnen voelen door hem. 'Misschien moet ik het maar gewoon zeggen. Je zou er zomaar rijk mee kunnen worden, met die voorspellende gave van jou.'

'Waar heb je het nu over?'

'Je had gelijk over Ruben en mij. Het is uit. Over. Voorbij.' Ik blijf naar het strookje papier kijken, maar de waarden die erop aangegeven staan dringen niet tot me door.

'Dat is… Dat vind ik rot voor je,' zegt Hugo uiteindelijk.

'Ja hoor, tuurlijk.' Ik laat het papiertje op mijn bureau vallen en draai me naar hem om. 'Je had het recht niet die dingen tegen hem te zeggen.'

'Isa, als hij jou laat zitten om wat ik tegen hem gezegd heb, bewijst het alleen maar dat ik gelijk heb.'

'Wat weet jij daar nu van? Jij kent mij niet. Je hebt geen enkel recht van spreken.'

'Hij vroeg mij wat ik van je wilde en toen heb ik antwoord gegeven. Dat is alles. Hij had het ook kunnen gebruiken om aan jullie relatie te werken. Als hij deze weg kiest, zegt dat genoeg, toch?'

'Hugo, ik wil dat je gaat. Ik ben hier om mijn werk te doen. Niet om over mijn privéleven te praten.'

'Het was niet mijn bedoeling je verdrietig te maken, Isa.'

'Geloof me: daartoe ben jij niet in staat.'

'Het spijt me heel erg dat je je zo voelt. Ik had er liever naast gezeten,' zegt hij voor hij me alleen laat.

Aan het eind van de dag ga ik terug naar huis. Ik kan niet voor de rest van mijn leven bij Daphne bivakkeren. Ik verwacht een stapel post op de deurmat aan te treffen, maar die is leeg. Even hoop ik dat Ruben er is, maar dat is tegen beter weten in. Zijn auto stond er niet. Toch is hij hier wel geweest. De mand van Bo is weg. De eettafel is opgeruimd en de keuken ook. Mijn hart doet letterlijk pijn door hier alleen te zijn. Ik vraag me af of Ruben dat ook gevoeld heeft. Hij heeft niets meer van zich laten horen en ik durf zelf geen contact met hem op te nemen. Ik weet niet eens waar hij is. Ik wou dat ik een excuus had om naar hem toe te gaan. Als ik hem maar even kon zien… Misschien mist hij mij net zo erg als ik hem. Het idee dat het echt over is tussen ons lijkt me absurd. Ik kan me niet voorstellen dat dit het is. Dat hij me nooit meer vast zal houden, dat ik hem niet meer zal kussen. Dat vluchtige kusje bij de voordeur toen ik terugkwam uit Berlijn kan toch niet het laatste geweest zijn?

Mijn oog valt op een speeltje van Bo dat tegen de boekenkast ligt. Een gevlochten touw waar hij op kauwt en mee stoeit. Hij is er dol op. Hij mist het vast ontzettend. Ik raap het op en er valt me nog iets op. Er is geschoven in de boekenkast. De indeling is anders. Ik probeer te achterhalen wat er veranderd is en dan zie ik het opeens. Mijn studieboeken staan allemaal naast elkaar, gesorteerd op grootte. De kunstboeken van Ruben zijn er tussenuit gehaald en op een plank erboven gezet, op de plek waar eerst een foto van ons samen stond. Hij heeft ons uit elkaar gehaald. Letterlijk.

Ik stap in mijn auto en rijd naar de meubelmakerij. De afgelopen tijd was hij altijd tot laat op de avond aan het werk, dus ik neem aan dat het niet anders is, nu hij niemand meer heeft om rekening mee te houden.

Zijn auto staat niet op het parkeerterrein en ik word ook niet door Bo besprongen zodra ik uit mijn auto stap. Ik zie wel het busje staan en besluit toch maar even binnen te gaan kijken.

'Ruben!' Ik loop door de showroom naar de werkplaats. 'Robin? Ben jij er?'

Er klinkt gestommel en dan komt Robin met een verhit hoofd uit de werkplaats. Hij draagt alleen een verschoten werkbroek. Het is ook bloedheet hier binnen. 'Hé Isa, ik hoorde je niet binnenkomen. Ik zag het lampje opeens aan gaan.'

'Ik zoek Ruben,' antwoord ik. 'Hij eh... hij had iets van Bo laten liggen.'

'O.' Robin kijkt naar me alsof hij zielsmedelijden met me heeft. Alsof ik zo'n bedelvrouw ben die met haar baby op straat zit te schooien. 'Hij is hier niet.'

'Dat dacht ik al.'

'Hij is vanochtend vertrokken naar Milaan. Wist je dat niet?'

'Milaan... jawel, het is me ontschoten, denk ik.' Ik zie voor me hoe Ruben lachend met Marleen ons huis betreedt om wat spullen voor hun reisje in te pakken en daarna al grappend die boeken verdeelt en onze foto weggooit.

'Hoe is het met je?' vraagt Robin.

'O, je weet wel. Het gaat.'

'Ja?'

'Nou ja... Ik had graag even met Ruben willen praten.'

'Dat had hij ook wel gewild, denk ik.'

'Denk je echt?' vraag ik gretig.

'Hij mist je heel erg.'

'Heeft hij dat gezegd?'

'Dat hoeft niet, dat zie ik zo wel.'

Ik knik en weet niet hoeveel waarde ik daaraan moet hechten. Robin wil me natuurlijk opvrolijken. 'Waar is Bo dan eigenlijk, als Ruben naar Milaan is?'

'Bij ons thuis. Dan kan mijn vader lekker hele dagen met hem aan de wandel. Wil je dat ik dat speeltje aan hem geef vanavond?'

Ik staar naar het stuk touw. Mijn enige reden om Ruben te spreken.

'Of wil je het liever zelf doen?' vraagt Robin.

'Nee, ik denk dat het wel goed is als jij het doet.' Ik overhandig hem het speeltje. 'Dan ga ik maar.'

'Naar huis? Ruben zei dat je er een tijdje niet geweest bent.'

'Ik was bij Daph. Misschien mag ik nog wel een nachtje bij haar blijven. Al ben ik niet echt goed gezelschap.'

'Dat vindt ze vast niet erg.'

Ik haal mijn schouders op. 'Als je Ruben spreekt...'

'Ik zal zeggen dat je langs geweest bent. En dat hij een eikel is als hij het niet snel in orde maakt met jou.'

Ondanks alles moet ik een beetje lachen. 'Dat is lief van je.'

Hij knikt naar de werkplaats. 'Ik moet weer eens verder. Anders zegt Ruben straks dat ik maar een beetje heb gelummeld.'

'Ja, ik ga er ook weer vandoor. Bedankt voor het speeltje en ik eh... Ik zie je wel weer?'

'Tuurlijk.' Hij drukt een kusje op mijn haar en loopt daarna terug naar de werkplaats. Ik ga terug naar de auto.

Daphne blijkt niet thuis te zijn als ik bij haar voor de deur sta. Een buurvrouw heeft me het gebouw ingelaten waar ze haar flatje heeft en nu zit ik voor de deur te wachten tot ze er is. Ik zou haar kunnen bellen, maar ik wil niet dat ze zich naar huis haast voor mij. Bovendien is het een mooie avond en ik heb mijn zomerjasje aan, dus ik houd het wel even vol. Het is niet alsof ik iets beters te doen heb. Ik maak me op voor een lange zit, maar al binnen tien minuten loopt ze de galerij op. Ze lijkt niet eens verbaasd om mij hier te zien. 'Ies! Zit je hier al lang?' vraagt ze.

Ik schud mijn hoofd. 'Net pas. Sorry dat ik er weer ben. Ik had gezegd dat ik naar huis ging, maar ik kwam daar en Ruben had al onze boeken uit elkaar gezet.'

'O,' zegt Daphne terwijl ze de sleutel in het slot steekt. Ze doet alsof ik iets heel begrijpelijks gezegd heb, terwijl ze toch eigenlijk onmogelijk kan snappen wat dat betekent van die boeken. 'Ik zal je een sleutel geven. Dan kun je er voortaan in als ik er niet ben.'

Ik hang mijn jasje aan de kapstok bij de deur. 'Weet je dat zeker? Ik wil je niet in de weg zitten.'

'Het is niet erg.'

Ik loop naar binnen en zie haar wat vaat opruimen in de keuken. Twee borden, twee wijnglazen... 'Had je bezoek? Stoor ik? Had je soms een date?'

'Nee joh, gewoon een oud studiegenootje. Soms spreken we nog af. Ik heb haar net naar het station gebracht.'

'O. Maar je auto stond toch voor de deur toen ik hier aankwam?'

'Ik ben met haar meegelopen, bedoel ik.' Ze klapt de vaatwasser dicht. 'Filmpje kijken en Ben & Jerry's eten dan maar?'

Ik knik. Al heb ik voor het eerst in mijn leven geen zin in Ben & Jerry's. Ik ga alvast op de bank zitten.

'Wat wil je? Romantisch drama, flauwe humor of afgehakte lichaamsdelen?'

Dat is gemakkelijk. 'Absoluut dat laatste.'

27

De dagen rijgen zich aaneen en ze zijn allemaal hetzelfde. Daphne is nog steeds de liefste vriendin die ik me wensen kan. Ze is het nog steeds niet beu om me te troosten en op te peppen, wat zo'n beetje de hele tijd nodig is. Ik probeer mezelf nuttig te maken bij haar thuis, door boodschappen te doen en op te ruimen, maar ik weet dat ik niet de ideale huisgenote ben. Ondertussen begint het nieuws van de breuk tussen Ruben en mij tot iedereen door te dringen. Ik heb het mijn ouders moeten vertellen, waarop mijn moeder begon te snotteren en me maar bleef vragen hoe dit nu heeft kunnen gebeuren.

Op mijn werk word ik gelukkig een beetje met rust gelaten, al denk ik dat toch het gerucht gaat dat het uit is met Ruben omdat er iets met Hugo voorgevallen is. Hugo doet zijn uiterste best om het goed te maken met me. Hij rijdt iedere ochtend voor het werk langs de sapbar om een vers fruit- of groentesapje voor me te halen. Hij vermoedt dat ik een ernstig vitaminetekort ontwikkel. Er staat elke dag een andere combinatie op me te wachten. In het begin gooide ik ze meteen weg, puur uit wrok. Maar toen ontdekte ik dat ze heel erg lekker zijn en ik heb de prijslijst op internet bekeken. Ze zijn vreselijk duur. Nu drink ik het dus maar op. Verder komt hij elke dag vragen hoe het met me is en of hij iets voor me kan doen. Ik vind het moeilijk om boos op hem te blijven als hij zo aardig doet.

Ik begin afstand te nemen van het idee dat hij de reden is dat het misgelopen is tussen Ruben en mij. Daarmee zou ik bevestigen dat hij die macht heeft gehad en dat weiger ik. Ik denk dat hij een probleem aangeduid heeft dat er al was, met of zonder hem. Als Ruben en ik er eens over konden praten, zou het misschien zelfs een geluk zijn dat dit gebeurd is. Maar ik heb Ruben niet meer gesproken. Ik neem aan dat hij nog in Milaan is, maar dat weet ik niet zeker.

Ik mis Stijn nu ook ontzettend. Ik wil het hem niet over de mail vertellen, dus hij weet nog nergens van. Ik weet zeker dat hij me er wel doorheen zou slepen. Ik heb wel van hem vernomen dat hij over een tijdje een paar weekjes naar huis komt om zijn verjaardag hier te vieren. Gelukkig maar.

'Isa, heb je even?' vraagt Vivian als ik in de hal halverwege de opvang en de spreekkamers loop. 'Er is een meneer aan de balie die naar je vraagt.'

'Een meneer?'

Ze knikt. 'Hij vraagt speciaal naar jou. Ik heb gezegd dat je afspraken had, maar hij wil niet op een ander tijdstip terugkomen. Ik weet niet of je tussendoor even tijd kunt maken?'

'Kan Hugo het spreekuur dan even overnemen?'

'Hij is nog bij het asiel. Ik verwacht hem elk moment terug.'

'Ik kijk wel even,' antwoord ik. 'Is die man in de wachtruimte?'

'Dat denk ik wel. Tenzij hij weggegaan is. Hij was wel aardig, maar ook nogal ongeduldig.'

'Nou, ik ben benieuwd. Hou jij die kittens van de keizersnede van vanochtend in de gaten? Ik kom er net vandaan en ze zien er goed uit, maar ze moeten warm blijven en let op of ze bij de moeder drinken, ja?'

'Doe ik.'

Ik loop naar de voorkant van het gebouw, door de spreekkamers naar de receptie. De 'meneer' staat nog steeds te wachten. Het is de vader van Ruben. Hij brandt meteen los. 'Isa, meiske, hoe is het met je? Sorry dat ik je op je werk lastig val, maar ik heb even een kleine kwestie waar ik je voor nodig heb. Kun jij een paar minuutjes voor mij vrijmaken?'

'Ja, natuurlijk. Wil u even naar mijn kantoortje komen? Het stelt niet veel voor, hoor, maar...'

'Nou, dat lijkt me niet zo handig. Het zit namelijk zo, ik heb Bo in de auto zitten. Nou ja, wat zeg ik, je kunt het eigenlijk moeilijk zitten noemen. Hij ligt daar maar een beetje te hangen, heel de dag gaat dat zo.'

'Is Bo ziek?'

'Ik dacht eerst dat hij gewoon een beetje lamlendig was. Dat hebben we allemaal wel eens, toch? En Ruben was een paar dagen weg, dus ik zei nog: die is gewoon een beetje uit zijn doen. Maar vanochtend kwam Ruben thuis, hè? Maar wat denk je? Hij keek niet naar hem om. Hij tilde zijn kop even op en draaide zich simpelweg

273

op zijn andere zij. Alsof het hem niks kon schelen. Maar dat is toch niks voor Bo? Normaal is hij toch levendig zat?'

'Ik kijk meteen even naar hem. Hij is nog in de auto, zei u?'

'Hij wou er niet uitkomen. Ik probeer het nog wel een keer. Maar ik durf ook niet te veel aan dat beest te sleuren. Straks heeft hij nog iets onder de leden en doe ik meer kwaad dan goed.' Hij loopt door de schuifdeuren naar buiten.

Ik zie dat Vivian terug bij de balie is. 'Het gaat om Bo,' zeg ik, 'ik help hem even tussendoor. Waarschuw jij de volgende cliënt als het veel uitloopt?' Ik ga ook naar buiten en zie dat Rubens vader al door het achterste portier van zijn auto naar binnen leunt.

'Zie je nou? Daar komt geen beweging in,' zegt hij.

'Als hij niet wil, laat hem dan maar even liggen. Ik kom wel naar hem toe.' Ik wil oversteken, maar zie de auto van Hugo net de draai naar ons parkeerterrein maken. Ik blijf even staan om hem te laten passeren en hoor een blafje van Bo dat helemaal niet ziek en zwakjes klinkt. Ik kijk op en vanaf dat moment lijkt alles vertraagd te gebeuren. Alsof ik beeldje voor beeldje naar een diashow kijk. Bo steekt zijn kop uit het openstaande portier. Hij ziet mij en blaft opnieuw. Maakt dan een grote sprong die meneer Zuidhof niet aan ziet komen. Hij komt neer op de parkeerplaats. Hij steekt over. Zijn staart kwispelend en zijn oren wapperend in de lucht. Hij rent op me af. Ik roep 'Stop!' Ik hoor piepende remmen van Hugo's auto. Bo's vrolijke geblaf. Rubens vader die hem terugroept, maar Bo ziet alleen maar mij. Een vreselijk gekerm doet alle haartjes op mijn lijf overeind staan. Hugo's auto komt tot stilstand en dan is het helemaal stil. IJzingwekkend stil.

'Bo!' gil ik. Hugo is al eerder bij hem dan ik.

'Shit!' roept hij. 'Ik zag hem niet, Isa… Godverdomme.'

Ik kniel bij Bo neer. Hij slaat even zijn ogen naar me op voor ze wegdraaien in hun kassen. Even weet ik niet wat ik moet doen. Ik weet niets meer van eerste hulp verlenen. Ik zit daar maar en aai over zijn kop.

'Ik heb een draagbaar nodig!' schreeuwt Hugo naar Vivian, die naar buiten is gekomen.

Opeens ben ik terug. 'Bel Ruben,' commandeer ik meneer Zuidhof. 'Vlug, bel Ruben en zeg dat hij onmiddellijk moet komen.' Ik controleer Bo's ademhaling, hang zijn tong een stukje uit zijn bek. Probeer een hartslag te voelen. Zijn linker achterpoot ligt er akelig bij en bloedt.

'Het is het scheenbeen,' zegt Hugo. 'Dat is compleet doormidden volgens mij. Ademt hij?'

'Onregelmatig. Zijn hartslag ook. Hij moet naar binnen voor alles ermee ophoudt.'

'Dat gebeurt niet,' zegt Hugo. 'Niet als ik erbij ben.'

Vivian rijdt de draagbaar naar ons toe. We transporteren Bo zo snel en voorzichtig mogelijk naar binnen. Er stijgt geroezemoes op in de wachtruimte als we hem zo naar de operatiekamer rijden. Ik help Hugo Bo te stabiliseren en ik wil een echo van de buikholte maken, maar mijn handen trillen en ik kan niet vinden wat ik nodig heb.

'Rustig aan, Isa,' zegt Hugo. 'Je bent geen dierenarts nu, maar het baasje. Laat het maar aan mij over.'

'Ik moet iets doen. Hij kwam naar mij toe gerend. Hij wilde naar mij toe.'

'Rustig maar, we gaan hem helpen.' Hij sluit een hartmonitor aan. Iets wat ik ook probeerde te doen, maar niet voor elkaar kreeg. 'Vivian! Roep Petra erbij en stuur iedereen die niets spoedeisends heeft naar huis. We hebben onze handen vol.' Hij kijkt me aan. 'We gaan hem beademen. Hij raakt uitgeput en ik vermoed een klaplong… misschien inwendige bloedingen.'

'Zijn milt,' zeg ik. 'Zijn buik is opgezet en hij kromp ineen toen ik hem bevoelde.' De vader van Ruben verschijnt achter me. 'Heeft u hem gebeld? Komt hij eraan?'

Hij knikt. Hij ziet lijkbleek. 'Ik kon hem niet tegenhouden. Ik had hem tegen moeten houden.'

'Het is niet uw schuld. Hij hoorde mijn stem. Hij kwam naar míj toe.' Het is mijn schuld. Het is mijn schuld dat Bo hier ligt. Iemand moet Ruben opvangen, denk ik dan.

'Ga maar,' zegt Hugo. 'Ik heb het onder controle. Ik zorg voor hem. Zorg jij maar voor Ruben.'

'Ik ga met je mee,' zegt meneer Zuidhof terwijl hij me aan de arm mee naar buiten neemt. De auto van Hugo staat, met het portier nog open, midden in de doorgang en verspert de weg. De sleutels zitten nog in het contact en Rubens vader heeft de tegenwoordigheid van geest om hem in een van de parkeervakken te rijden. Ik kijk naar de remsporen en de grote plas bloed op de plaats waar Bo gelegen heeft en krijg het koud. Meneer Zuidhof komt weer naast me staan en geeft me een bemoedigend kneepje in mijn arm. Uit het niets lijkt de auto van Ruben in het straatbeeld te verschijnen. Hij scheurt het terrein op. Een tel later staat zijn auto stil en springt hij eruit. 'Wat is er gebeurd?' vraagt hij met een verschrikte blik op het bloed. 'Is dat van hem?'

'Je moet niet boos zijn op die man,' zegt zijn vader. 'Hij probeerde te remmen, maar Bo glipte gewoon voor zijn wielen. Hij kon er niks aan doen. Helemaal niks.'

'Welke man?' vraagt Ruben.

'Die andere dokter,' antwoordt zijn vader nietsvermoedend. 'Hij lijkt te weten wat hij doet. Hij is hem nu aan het helpen.'

'Heeft Hugo mijn hond doodgereden?' Ruben stormt de kliniek binnen en het lukt mij en zijn vader samen niet om hem tegen te houden.

'Bo gaat niet dood,' zeg ik. 'Ruben, wacht.'

'Waar is hij?'

'We zijn met hem bezig. Zijn scheenbeen is gebroken en we moeten afwachten wat de verdere verwondingen zijn.'

Hij kijkt me even aan en loopt dan verder de hal in. Hij weet precies de weg en blijft geschrokken in de deuropening staan als hij Bo gevonden heeft. 'O god...'

'Het ziet er erger uit dan het is,' zegt Hugo, maar ik denk dat hij liegt. 'Petra, hou dit vast...' Hij loopt achter de behandeltafel uit. 'Ik kon hem niet meer ontwijken, Ruben. Het was Bo of Isa, ik ben vol in mijn remmen gegaan, maar...'

Voor hij zijn zin af kan maken, zet Ruben een stap naar voren. Hij haalt uit en raakt Hugo vol op zijn kaak, waardoor hij meteen gestrekt gaat. Terwijl hij versuft op de grond ligt, schudt Ruben de pijn uit zijn vingers en bereidt hij zich voor op een tweede aanval. Hij heeft de kraag van Hugo's witte jas al met twee handen vastgegrepen. We springen er met drie man tussen, maar Ruben richt zich tegen mij als hij praat. 'Bescherm je hem nu?'

'Hij moet Bo helpen.'

'Hij blijft van hem af!' schreeuwt Ruben terwijl Hugo langzaam opkrabbelt en test of zijn kaakgewrichten nog functioneren. 'Je raakt hem niet aan, als je aan hem komt, ben jij er erger aan toe dan hij.'

'Hé!' roept Petra woedend. 'Dit is een operatiekamer, niet het Wilde Westen, verdorie! Eruit nu. Naar buiten. Iedereen!'

Ik pak Ruben bij zijn hand en hij laat zich de hal in trekken. Hij zakt in een van de kleine stoeltjes tegen de muur en laat zijn gezicht in zijn handen rusten. 'Sorry.'

'Het is al goed. Je bent overstuur,' antwoord ik.

Hugo leunt tegen de deurpost. 'Je had gelijk over de milt, Isa. Ik heb een echo gemaakt en die ziet er niet goed uit. Misschien moet hij er helemaal uit.'

'Jij moet het doen,' zegt Ruben en het duurt even voor ik besef dat hij het tegen mij heeft. Hij staart nog steeds naar beneden. 'Ik wil dat jij het doet.'

'Dat kan ik niet, Ruben. Niet bij Bo.'

'Jij moet het doen, Isa. Hij vertrouwt jou.' Hij kijkt me aan. 'Ik vertrouw alleen jou.'

Ik beantwoord zijn blik en zou niets liever willen dan zijn vertrouwen waarmaken. Als ik Bo kan redden, kan ik misschien ook ons redden. Maar als het niet lukt… Ik wil zijn leven niet op het spel zetten voor een kans bij Ruben. Aan de andere kant weet ik niet of ik het lot van Bo in de handen van een ander durf te leggen. 'Ik doe het.'

'Weet je het zeker?' vraagt Hugo. 'Durf je het aan?'

Ik kijk naar Ruben. Al zijn hoop is op mij gevestigd.

'Je kunt het,' zegt Hugo. 'Als je je er overheen kunt zetten dat het Bo is, dan kun je het.'

'Ik wil gewoon dat hij de beste krijgt,' antwoord ik.

'Dat maakt het simpel,' zegt Hugo terwijl hij weer naar binnen loopt. 'Dan moet je het zelf doen.'

Ruben zit in de hal te wachten, terwijl ik in de ruimte ernaast de milt van Bo probeer te redden. Al snel blijkt dat dat er niet in zit en besluit ik de milt in zijn geheel te verwijderen. Ondertussen zet Petra een stalen plaat in het been. Het is een technisch werkje, maar zij is er een kei in en draait er haar hand niet voor om. In tegenstelling tot mij. Ik voel de verantwoordelijkheid zwaar op mijn schouders drukken. Hugo is erbij om de hart- en longfunctie van Bo in de gaten te houden. Alles verloopt goed. Het lukt Petra de fractuur te zetten en ik ben helemaal kapot als ik de milt er met succes uitgehaald heb. Dan begint het hechten. Eerst de spieren, dan de onderhuid en als laatste de huid. Nu het moeilijkste achter de rug is, begint pas tot me door te dringen hoe erg het allemaal eigenlijk is. Dat Bo die vanochtend nog kerngezond was, nu zwaargewond op mijn operatietafel ligt. Dat hij wel dood had kunnen zijn. Dat hij dood had kunnen gaan, terwijl ik met mijn handen in zijn buikholte zat. Als ik iets fout had gedaan. Eén foutje met het afbinden en doorsnijden van de bloedvaten had al fataal kunnen zijn in zijn toestand.

'Kom,' zegt Hugo. Zijn handen nemen het hechtdraad van me over. 'Het is goed geweest voor vandaag. Ik maak hem wel verder dicht. Je hebt het goed gedaan. Je hebt het perfect gedaan.'

'Ik weet niet of die laatste hechting... of die goed zit. Kun je eens kijken?'

'Het is goed, Isa, het is prima. Je kunt Ruben zeggen dat je zijn hond hebt gered. Ga dat nu maar doen. Ga zitten, drink wat en vertel wat je gedaan hebt. Oké?'

'Ik kom zo terug,' antwoord ik, meer tegen Bo dan tegen Hugo.

Ruben springt op zodra ik de operatiekamer uitkom. 'Isa... is het klaar? Is het goed gegaan?'

'De milt is eruit. De fractuur is verholpen. Hij moet natuurlijk herstellen. Misschien is er straks sprake van mankheid. We kunnen niet voorspelen in welke mate. We moeten zien hoe het gaat.'

'Maar hij is niet meer in levensgevaar? Hij komt er nu wel bovenop, toch? Waarom kijk je zo? Is er iets ergs met hem? Je zei toch dat het goed gegaan is?'

'Hij sprong plotseling uit de auto...'

'Dat weet ik,' zegt hij. 'Waarom huil je nou?'

Ik ga met de rug van mijn hand langs mijn wang en voel tranen. Ik weet niet wanneer ik met huilen begonnen ben. '... omdat hij mijn stem hoorde. Als ik daar niet gestaan had... Ruben, het is mijn schuld.'

'Het is niet jouw schuld,' zegt hij zacht. 'Je hebt hem toch geholpen? Je hebt zijn leven gered... alweer. Je hoeft niet te huilen.'

'Ik had eerder over moeten steken. Ik kon het best halen, waarom bleef ik nou wachten?'

'Niet doen, Iesje, je hebt niets verkeerd gedaan.'

Iesje... Hij zei het per ongeluk. Hij heeft niet eens in de gaten dat hij het gezegd heeft, maar het betekent alles voor me. Hij is niet boos op me. Hij neemt het mij niet kwalijk. Er volgen nog meer tranen, maar nu zijn ze van opluchting.

Ruben zet een stapje in mijn richting. Hij weet zich geen raad met mij. Het is niet hetzelfde meer tussen ons. Ik durf hem niet aan te kijken als hij naar me toe komt. Hij blijft vlak voor me staan. Ik voel de stof van zijn shirt langs mijn groene operatiehemdje schuiven. Ik adem zijn vertrouwde geur in van hout en aftershave en leun iets naar hem toe. Tot mijn wang zijn schouder raakt en hij met een langzame beweging zijn hand naar boven brengt en mijn achterhoofd omvat. Ik sluit mijn ogen en voel zijn lichaam tegen het mijne. In zijn armen voel ik me sterk. Geborgen. Geliefd. Voor het eerst in dagen voel ik weer als ik. Ik richt mijn gezicht wat naar hem op en hij buigt gelijktijdig zijn hoofd om iets tegen me te zeggen. Ik voel lichte stoppeltjes op zijn kin langs mijn jukbeen strijken en zijn lippen schampen mijn huid als hij praat. 'Je moet niet boos op jezelf zijn. Hij was gewoon blij je te zien... Hij miste je.'

Mijn vingers grijpen zich vast in de stevige massa van zijn bovenarm. Ik wil hem zeggen hoe erg ik hem mis, maar dan gaat de deur van de operatiekamer open.

Het is Vivian die haar hoofd naar buiten steekt. 'Isa. Het gaat niet goed.'

Het gaat niet goed. Ik heb geen idee wat ik me daarbij voor moet stellen. De ingreep is gelukt. Hij is er goed doorheen gekomen. Ik heb alles gedaan zoals het hoort. Wat kan er misgaan met hechten? Ik haast me terug naar de tafel waar Bo op ligt. Ik voel Ruben achter me. Bo ligt op zijn zij en Hugo staat met kracht onder zijn linkervoorpoot te pompen. Hartmassage. 'Wat is er gebeurd?' vraag ik.

'Ik was klaar met hechten. Ik maakte hem juist los en hij hield er gewoon mee op. Ik stond op het punt hem van de beademing te halen... Kom op, verdomme... Je piept er niet tussenuit nu. Waag het niet.'

Rubens vingers omklemmen de mijne. Zijn stem klinkt zacht en berustend. 'Hij gaat dood.'

'Nee!' zeg ik opstandig. 'Alles was goed. Ik heb mijn werk gedaan!
Ik heb alles goed gedaan... Ik heb geen fout gemaakt...'

Hugo staart buiten adem naar de monitor waar geen hartslag op
te zien is. Zodra hij zijn hartmassage stopt, gebeurt er niets meer in
het lichaam van Bo. Hij ligt daar op tafel en het is voor iedereen
hartstikke duidelijk dat Bo, die Ruben en mij ooit samenbracht,
dood is.

28

'Nee!' schreeuw ik. Gil ik. Uit alle macht. 'Hij gaat niet dood! Hij is niet dood!'

'Ik kan niks meer doen, Isa, kijk dan… Het heeft geen enkel effect.' Hugo staat nog steeds te reanimeren, maar hij doet het alleen nog voor mij. Omdat ik niet wil accepteren dat er geen weg terug is. Hij wacht tot ik zeg dat het goed is. Dat hij kan stoppen.

'Adrenaline,' zeg ik. Ik loop naar de kast en zoek naar de ampullen.

'Dat heeft geen zin meer, Isa,' zegt Petra. Ze staat achter me. 'Dat heb ik al geprobeerd. Het is klaar. Hij kan het niet meer. Het trauma is te groot. Zijn hart kan het niet aan.'

'Nee!' Het lijkt wel alsof ik niets anders meer kan zeggen. 'Hij is al eerder bijna dood geweest en toen kwam hij er ook bovenop.'

'Het houdt een keer op, Isa.'

'Doe het maar,' zegt Hugo. 'Doe nog maar een keer. Op hoop van zegen, schiet op.'

'Je weet niet hoe hij eruit komt als je door blijft gaan,' antwoordt Petra geschokt.

'Dat zien we dan wel weer. Schiet op, Isa.'

Met trillende handen maak ik de ampul klaar en dien ik de adrenaline toe, recht in het hart. 'Kom op, Bo! Doe iets. Ga weg bij dat licht! Kom hier! Kom! Hier!'

'Niks,' zegt Hugo met zijn blik op de monitor.

'Het moet…' Ik verdring hem en neem zijn plaats aan Bo's zijde in. Ik laat mijn handen onder die van Hugo glijden en hij doet een stap opzij.

'Je moet stoppen, Isa!' hoor ik Petra zeggen.

'Laat haar!' antwoordt Ruben. 'Ze weet wat ze doet. Het is onze hond…'

'Laat haar haar gang gaan,' beaamt Hugo. 'Het is haar beslissing…'

Petra loopt weg. 'Ik kan dit niet aanzien.'

'Kom op, kom op, kom op,' herhaal ik, als een mantra, terwijl ik met al mijn kracht het hart van Bo op gang houd. Mijn haren raken los uit het elastiek waarmee ik ze vastgebonden heb en vallen voor mijn ogen. De tafel waarop Bo ligt, rammelt vervaarlijk. Ik weet niet meer wat ik nog meer kan doen. 'Ruben…' zeg ik. Ik kijk naar hem. 'Ik weet het niet meer. Ik denk… Ik weet niet wat ik moet doen. Ik kan niets doen…'

Hij komt bij me staan en legt zijn hand over de mijne. 'Het is goed. Je hebt alles gedaan.'

'Ik kan niet ophouden. Dat kan ik niet.'

Hij sluit zijn vingers om de mijne en ik verlies alle kracht. Mijn handen glijden machteloos van het hart van Bo. Ruben heeft me vast. Ik zou in elkaar zakken als dat niet zo was.

'Isa,' zegt Hugo zacht. En iets in zijn stem doet me opkijken. 'Kijk.'

Ik volg zijn blik die op de monitor gericht is en zie iets. Een hartslag. 'Hij leeft! Ruben, hij leeft nog!'

Ik leg mijn hand terug op de plaats waar ik Bo helemaal beurs heb staan duwen. Een flauwe hartslag klopt onder zijn huid. Hugo zet een stethoscoop op Bo's borstkas.

'Hij is terug,' zegt hij. 'Niet te geloven. Hij is er weer.'

'Bel me als hij bijkomt,' zegt Hugo, terwijl hij zijn autosleutels opgooit en weer opvangt. Steeds opnieuw. 'Het maakt niet uit hoe laat. En als er iets is, geldt hetzelfde. Ik kom meteen.'

Ik knik. Hij voelt zich hartstikke schuldig over die aanrijding. Een dierenarts wil dieren beter maken. Niet verwonden. De gedachte dat hij dat veroorzaakt heeft, druist in tegen alles wat hij is.

'Doe rustig aan,' zegt hij. 'Neem morgen vrij als je wilt. Ik zal zorgen dat ik er vroeg ben. Dan blijf ik bij Bo. Als het moet, ga ik de hele dag naast hem zitten, dat maakt me niets uit.'

Ik glimlach. 'Bedankt dat je me niet dwong op te geven.'

Hij schenkt me een tedere blik die meteen in gereserveerdheid gesmoord wordt zodra Ruben achter me verschijnt. Ze kijken elkaar een paar seconden zwijgend aan. Dan steekt Ruben zijn hand uit. 'Sorry voor die klap.'

'Ik kan wel tegen een stootje,' antwoordt Hugo terwijl ze elkaar kort de hand schudden. 'En labradors ook, zo blijkt. Ik heb mijn mening herzien vandaag. Stoere beesten. Je hebt een hond met karakter.' Hij draait zich om en de hakken van zijn schoenen echoën door de lege hal terwijl hij wegloopt. Dan staat hij stil en kijkt hij om. 'Je hebt ook een fantastische vrouw. Die zou ik niet laten lopen als ik jou was.'

'Hugo...' zeg ik beschaamd. Hij steekt verontschuldigend zijn handen in de lucht en loopt dan door. Iedereen is weg. Ik ben alleen met Ruben en met Bo, die nog steeds suf van de narcose, zijn verwondingen en zijn korte bezoekje aan gene zijde in een hok ligt. Ik wacht tot de woorden van Hugo weggestorven zijn. Eerder durf ik geen oogcontact met Ruben te maken.

'Je hebt een wonder verricht, vandaag,' zegt hij lang voor het zover is. Ik loop zonder hem aan te kijken langs hem heen en pak een stapel schone dekens uit de kast. De hokken als die waarin Bo ligt, reiken tot aan het plafond en er is genoeg ruimte naast hem. Ik spreid de dekens uit naast die waarop hij ligt, tot de hele vloer bedekt is. Dan ga ik bij hem zitten.

'Ga je in een hondenhok zitten?' vraagt Ruben.

'Ik wil gewoon even kijken naar hoe hij... leeft.'

Hij lacht en schuift een krukje dichterbij. Hij gaat zitten en leunt met zijn schouder tegen het stukje traliewerk dat tussen ons in staat. 'Ik denk dat hij boos op me was. Hij deed net alsof ik niet bestond.'

'Je vader zei al zoiets, ja. Maar hij dacht dat Bo ziek was.'

Ruben schudt zijn hoofd. 'Hij mankeerde niks. Behalve dat hij jou miste. Hij werd met de dag stiller. En toen ging ik zelf ook nog weg. Hij vindt me vast een klootzak.'

'Hoe was het in Milaan?' Ik steek mijn hand door de tralies en sluit mijn vingers om een van de spijlen. De rug van mijn hand raakt zijn bovenarm.

'Wel goed. We hebben veel contacten gelegd. We hebben nu een fabriek gevonden in een klein dorpje in de buurt van Pisa waar ze staan te popelen om onze ontwerpen uit te voeren. Ze zijn nog heel ambachtelijk. Dat andere was toch niks, dus dat is afgeketst. Maar goed, dat is nu niet belangrijk.'

'Ik vind het wel belangrijk,' zeg ik en ik voel een pijnlijke steek door me heen gaan bij de gedachte dat Ruben samen met Marleen heeft rondgetoerd in de streek waar ik met hem op vakantie wilde. Dan zegt hij precies de enige zin die het weer een beetje goed kan maken.

'Ik heb veel aan jou gedacht daar.'

Ik kijk naar hem, maar hij heeft zijn blik strak op Bo gericht. 'Ruben, ik vind het vreselijk zonder jou.'

Hij is even stil. 'Je moet niet denken dat ik dit makkelijk vind.'

'Kunnen we het dan niet makkelijk maken?' Ik beweeg mijn vingers langs zijn arm en hij pakt ze vast met zijn andere hand. Zijn wijsvinger glijdt langs de palm van mijn hand en zendt een signaal door heel mijn lichaam.

'Ik mis jou ook,' antwoordt hij bedachtzaam. 'Ik voel me het grootste gedeelte van de dag simpelweg klote. Voor de rest slaap ik…'

'Kan ik iets doen om je weer gelukkig te maken?' Ik lach naar hem, maar hij blijft bloedserieus. Ik wil het zo graag goedmaken met hem. Alle dingen die ons in de weg staan wegkussen. Als hij weer voelt hoe het was tussen ons, dan maakt de rest toch niets meer uit? Waarom laat hij dat nu niet gewoon toe?

'Weet je wat het is, Ies?' zegt hij alsof hij mijn gedachten leest. 'Ik wil jou. Ik wil niets liever. Maar als we nu de draad weer oppakken, komen we weer net zo hard terug op dit punt.'

'Ik wist niet dat er iets mis was met onze draad,' antwoord ik gekwetst.

'Het zat vanaf het begin niet goed.'

Ik schrik er echt van dat hij dat zegt. Ik deins terug en probeer mijn hand terug te trekken, maar hij laat niet los.

'Ik wist het eerst ook niet, Isa. Ik zie het nu pas. Je was nooit echt op je gemak bij me. In het begin dacht ik dat het een kwestie van wennen was, maar het bleef zo. Toen gingen we samenwonen en verwachtte ik dat het vanzelf zou komen. Het gebeurde nog steeds niet. Ik vond het ook schattig, al die dingen die je uithaalde, en ik ging plannen bedenken om langzaam al die barrières van je af te breken.'

Het is grappig dat hij dat zegt met een hekwerk tussen ons in. 'Ik wilde gewoon perfect voor je zijn.'

'Je hoeft niet perfect te zijn. Je bent zo al geweldig.'

'Maar je wilt me niet terug.'

'Als jij een manier weet om niet weer in precies hetzelfde patroon terug te vallen… Isa, kijk me aan.'

'Nee,' zeg ik als een koppig kind.

Zijn hand reikt tussen de tralies door en raakt mijn gezicht aan. 'Hoe kan ik nou van je houden als ik niet eens mag weten wie je werkelijk bent?'

Ik heb daar geen antwoord op. Ik weet niet of ik dat kan veranderen. Misschien is dát hoe ik ben. En daar kan hij nu juist niet mee leven.

'Het is ook mijn schuld,' gaat hij verder. 'Ik heb me gek laten maken door iemand als Hugo. Als ik zie wat jij hier allemaal doet, Isa, dan vraag ik me echt af wat je met mij moet.' Hij laat zijn hand zakken, wat voelt alsof ik in een diep gat val. 'Als ik er niet was geweest, zou je dan op Hugo vallen?'

'Wat is dat voor vraag?' zeg ik geïrriteerd.

'Jullie zitten op dezelfde golflengte. Als je jullie samen ziet, klopt het plaatje. Zoals jullie samenwerken… Hoe kan ik daar nu niet jaloers om zijn? Toen met Bram, dat was verschrikkelijk, maar ik wist dat ik hem kon hebben. Maar Hugo is het type kerel waar ik het tegen af moet leggen.'

'Jij legt het tegen niemand af.'

'Vond je het leuk dat hij voor je viel? Vind je zijn aandacht leuk?'

'Ik weet het niet. Hoe vind jij het als Marleen naar je lonkt? Jij gaat toch ook nog steeds met haar om?' Hij kijkt me doordringend aan, vastbesloten een antwoord te krijgen. Ik zucht diep. 'Ik was misschien gevleid, maar het was altijd werkgerelateerd, Ruben. Ik voelde me gewaardeerd en ik kreeg een bepaalde bevestiging van hem… in mijn vak. En toen begon ik hem ook aardig te vinden. Soms. Ik ben niet het type waar mannen met bosjes voor vallen. Ik ben geen Tamara, dus misschien vond een deel van mij het wel leuk. En misschien had ik ervoor opengestaan als ik jou niet gekend had. Maar jij bent er wel. En met jou als referentiekader, is het een ander verhaal.'

'Wat moeten we nu, Ies?' Hij leunt naar me toe.

'Gewoon. Zorgen dat het weer over jou en mij gaat.'

'Ik weet niet of dat kan.'

'Dus? Dan geven we het gewoon op?'

Hij is stil. Veel en veel te lang. Dan staat hij op en loopt hij het hok in. Hij laat zich naast me op de grond zakken. Zijn lange benen uitgestrekt. 'Ik kan het gewoon niet meer opbrengen.'

'Prima,' zeg ik, 'dan wacht ik wel tot je zover bent.'

Dan zijn we stil en turen we allebei naar Bo die aan onze voeten ligt te slapen. Wachtend op een nieuwe dag.

29

Twee maanden later

Ik heb altijd gedacht dat de dag dat ik mijn streefgewicht zou bereiken, de mooiste uit mijn leven zou zijn. Dat is niet zo, want het is
net als alle andere dagen zonder Ruben. Ik mag blij zijn als het mid-
delmatig is.

Ik heb er niet eens voor gelijnd, het is het gevolg van mijn totale
gebrek aan eetlust. Eten staat voor mij gelijk aan gezelligheid, en die
is ver te zoeken. Ruben en ik zitten in een soort impasse en we durven geen van beiden de volgende stap te zetten. De stap die verdelen
heet.

Mijn spullen staan grotendeels nog in ons huis. Soms haal ik wat
dingen op die ik nodig heb bij Daph. Soms breng ik weer spullen
terug die ik niet meer nodig heb. Als ik Ruben tegenkom, zijn we
aardig tegen elkaar. Of eerder beleefd.

Soms ga ik naar de meubelmakerij, waar ik de laatste nieuwtjes
te horen krijg over de meubellijn die binnenkort in alle filialen van
DecoTrend verschijnt. Dan haal ik Bo op voor een wandeling in de
bossen en breng ik hem na een uurtje terug. Hij is wonderbaarlijk
opgeknapt en kan bijna normaal lopen. Alleen als hij rent, zie je hem
een beetje trekken met zijn achterpoot. Zijn conditie heeft wel een
flinke opdonder gehad, maar ook dat herstelt zich goed.

Ruben is weer in ons huis getrokken nadat hij begreep dat ik er
toch niet meer was. Daar hebben we nooit over gesproken en ik
stort elke maand mijn deel van de hypotheek op onze gezamenlijke
rekening, waarna hij dat bedrag weer terugstort. Ik was ziek van
verdriet toen hij dat voor het eerst deed. Heb de hele dag met dikke
ogen rondgelopen. Tot Daphne me erop wees dat hij nu in zijn eentje de hypotheek aflost voor een huis dat op ons beider naam staat
en het dus nooit bedoeld kon zijn om mij pijn te doen. Het is misschien stom, maar ik kan me er niet toe zetten die automatische

overboeking stop te zetten. Het is alsof ik dan opgegeven heb. Soms denk ik dat ik een beetje aan het doordraaien ben. Dan kom ik na mijn werk thuis, bij Daphne dus, en ruik ik Rubens houtgeur.

Ik weet niet zo goed hoe ik verder moet. Ik moet woonruimte regelen. Daphne laat het niet merken, maar ik weet dat ik inbreuk maak op haar leven. En ik kan niet eeuwig blijven doorgaan met op maandag mijn kleren voor een hele week uit mijn prachtige inloopkast te kiezen en te verruilen voor de gewassen en gestreken spullen van de week ervoor.

Zo kwam ik er ook achter dat ik mijn ideale gewicht bereikt heb. Ik vond de strakke spijkerbroek die ik van Tamara gekregen heb toen Ruben en ik nog druk aan het klussen waren, wat een heel leven geleden lijkt. Ik wist dat ik wat afgevallen moest zijn, want ik merkte wel dat mijn kleren allemaal wat losser werden en besloot die broek dus mee te nemen. Toen ik hem een paar dagen later aantrok, dacht ik even dat ik de verkeerde spijkerbroek meegenomen had. Een baggy model. Ik weet nog dat ik me er een beetje in moest wurmen toen ik hem voor het eerst aandeed. Dat hij naadloos aansloot op mijn lijf. Hij zat net niet té strak, zeg maar. Ik kon een kniebuiging maken zonder eruit te knappen, maar daarmee was het ook gezegd. Nu trok ik hem in één keer aan. Van mijn enkels naar mijn kont in één beweging. Toen ik de knoop dichtdeed, had ik een ruimte over waar mijn arm tussen paste. Hij plooide bij mijn kont en zat los om mijn bovenbenen. Ik heb de broek uitgetrokken en het label bekeken om zeker te weten dat ik de goede te pakken had. Daarna ben ik op de weegschaal gaan staan. Ik wist niet wat ik zag. Zevenenzestig kilo. Twee kilo lichter dan wat mijn eigenlijke streefgewicht was. En dan heb ik het over mijn droomgewicht. Het gewicht dat ik wilde hebben op mijn bruiloft, zodat ik in de prachtigste jurk ter wereld kon trouwen zonder ergens onzeker over te zijn. Zodat ik op mijn huwelijksreis in de piepkleinste bikini aan een parelwit strand kon zitten. Het gewicht waarmee ik officieel slank zou zijn. Niet slank met stevige billen en een flinke kont; gewoon slank. Dun. Net als Floor. Net als Daph. Net als Tamara. Ik dacht dat ik euforisch zou zijn, maar het kon me geen bal schelen. Ik stapte van de weegschaal, deed dezelfde broek aan als de dag ervoor en vroeg me af waarom ik zo nodig dit gewicht wilde. Waarom was tweeënzeventig niet goed? Of vijfenzeventig? Toen was ik tenminste gelukkig. Ik zou zó tien kilo terugnemen als ik daarmee Ruben terug had.

'Waar is mijn favoriete collegaatje?' hoor ik jolig vanuit de gang, terwijl ik laat op de middag mijn administratie bijwerk en uitslagen doorbel. Het is een stem die ik niet vergeten ben, al is het maanden geleden dat hij door deze gangen geklonken heeft.

'Stijn!' Ik spring op en hij steekt zijn hoofd, zo bruin als een noot, door de deuropening. 'Wat fijn om je weer te zien!' Ik sla mijn armen om zijn nek en hij zwiert me rond.

'Welke dieetgoeroe heb jij ontdekt? Je weegt niks meer!' Hij draait nog een extra rondje om het te bewijzen en zet me dan neer. Ik ben er duizelig van. 'Hoe is het met je?'

'Een stuk beter nu jij er weer bent,' zeg ik opgewekt. 'Ik wist niet dat je al terug was, anders had ik je op het vliegveld opgewacht.'

'Ach, daar was het toch al volle bak. De halve familie stond er… en Bram…' Hij glundert helemaal. Het beeld van Bram en de brunette trekt op mijn netvlies voorbij. Ik voel me huichelachtig dat ik Stijn nooit iets verteld heb. Al mijn eigen problemen heb ik voor laten gaan.

'Misschien is er iets dat je nog moet weten over Bram,' begin ik voorzichtig.

'Hij heeft me allang verteld dat je je als een pitbull in hem vastgebeten hebt. Maar ik ben blij dat jullie het uitgepraat hebben, want hij zit in de auto en we wilden je meenemen voor een vroeg etentje. Nou ja, eerst het terras op, natuurlijk. We moeten nodig bijpraten.'

Ik heb geen idee wat ik moet doen. Ik kan toch moeilijk aanschuiven en doen alsof er niets aan de hand is. 'Ik weet niet of ik nu al weg kan. Misschien moeten we morgen afspreken, voor de lunch of zo. Dan neem ik de middag vrij. Is dat geen idee?'

Hij trekt een pruillip. 'En ik maar denken dat je niet zou kunnen wachten om met me op stap te gaan.'

'Dat is ook zo! Maar het werk…'

'Kom op, wat telefoontjes? Die kun je toch wel op iemand afschuiven? Of is Hugo nog steeds zo tiranniek?'

'Het is dat je hier niet meer werkt, anders had ik je ontslagen,' antwoordt Hugo die net door de hal voorbij loopt.

'Ik wilde net voor je opkomen,' zeg ik.

'Dat zou ik graag geloven.' Hugo komt de kamer in en geeft Stijn een hand. 'Alles goed?'

'Beter dan goed. En ik ben nog niet van plan hier aan het werk te gaan. Ik ben hier op vakantie. Dat is weer eens wat anders. Ik wilde Isa ontvoeren voor een heerlijke namiddag in de zon, maar ze heeft het te druk, zegt ze.'

Hugo kijkt verbaasd. 'Is er iets dat ik van je moet overnemen? Het is toch aan de rustige kant geweest?'

'Ik... Nee, eigenlijk kan het ook best. Heb je een kwartiertje tijd, Stijn? Dan neem ik even contact op met een cliënt en ik moet Daph even bellen, want we zouden samen eten.'

'Prima, ik klets ondertussen wel even bij met Vivian.'

Hij loopt weg en terwijl ik mijn zaken afhandel, probeer ik te bedenken hoe ik met de situatie om moet gaan. Aan tafel met Bram, terwijl ik weet dat hij dingen achterhoudt voor Stijn, en dan mooi weer spelen?

Ik loop mijn kantoor uit en Stijn rondt vrijwel meteen zijn gesprek af. Daarna lopen we samen naar buiten. Ik vraag me af wat Bram zal doen. Ik weet bijna zeker dat hij me gezien heeft die avond. Hoe kan hij straks zijn gezicht in de plooi houden? Of heeft hij daar genoeg ervaring mee? We lopen de parkeerplaats op en Bram staat tegen de zijkant van de auto geleund.

'Ik heb haar, hoor! We kunnen!' roept Stijn. Bram draait zich om en steekt zijn hand naar me op ter begroeting. Op zijn gezicht is geen spoor van gêne te bekennen.

'Dus jij bent Isa?' Achter Bram klinkt een vrouwenstem die ik niet thuis kan brengen. Dan zet ze een stapje opzij en mijn mond valt bijna open van verbazing. Het is de brunette met wie ik Bram gesignaleerd heb. 'Ik heb al zoveel over je gehoord. Leuk je eens te ontmoeten.'

Ik ben helemaal in de war en kijk van het meisje naar Bram, naar Stijn.

'Dit is Laura, mijn befaamde zusje,' zegt Stijn. 'Ik denk dat jullie het wel met elkaar kunnen vinden.'

'Je zusje?' herhaal ik. 'Jij bent Stijns zus?'

Ze knikt. 'En geloof niet wat hij over me verteld heeft, want hij is een groot liegbeest. Ik ontken het allemaal.'

Ik kan een zucht van opluchting niet onderdrukken. 'Sorry,' zeg ik dan, 'ik deed een beetje raar, geloof ik.'

'Dat zijn we van je gewend, Isa,' antwoordt Bram.

'Dat komt omdat ik jullie een hele tijd geleden samen bij SKAI Lite heb gezien. Ik dacht dat het een date was. Ik dacht dat je mij maar wat op de mouw gespeld had.'

Stijn geeft me een verontwaardigd klapje tegen mijn arm. 'En dat vertel je mij niet?' Hij kijkt daarna naar Bram. 'En jij doet het met mijn zus?'

'Ik wilde wel, maar zij niet,' grinnikt hij. 'Heel flauw.'

Laura lacht. 'Dat was onze eerste ontmoeting, denk ik. Ik was zo benieuwd naar hem. De vlindertjes zijn bij Stijn altijd zo uitgefladderd, maar de naam Bram bleef maar voorbijkomen. Ik ben niet zo vaak thuis bij mijn ouders, maar het eerste weekend dat ik hier was, heb ik hem opgebeld. Je moet toch even de boel checken, hè?'

'Zo zie je maar, Isa,' zegt Bram, 'het is niet altijd wat het lijkt. Mensen kunnen je nog verbazen.'

We gaan niet naar onze vaste hang-outs, maar rijden naar een tentje waar Laura vaak komt, iets verder uit het centrum. Het is Italiaans georiënteerd, wat de associatie met mijn gemiste vakantie met Ruben weer oproept. Er is een grote binnenplaats, waar je heerlijk buiten kunt zitten en we borrelen en kletsen een uur, voor we er überhaupt aan toe komen de menukaart te bekijken. Voor het eerst sinds lange tijd kan ik me voorstellen dat ik van een maaltijd zal genieten. Ik luister naar de indrukwekkende verhalen van Stijn en praat eroverheen als hij mij vragen stelt. Ik heb geen zin mijn hele, trieste verhaal te doen, dus ik vertel over Floor en Mas en hun aankomende vrijgezellenfeest. Bram maakt duidelijk dat het echt een gemiste kans is als we geen stripper voor Floor huren. Al snel volgt de ene vrijgezellenanekdote de andere op en ik filter er nog wat ideetjes uit om Floors feestje onvergetelijk te maken. Ook al zit die workshop paaldansen er voor haar even niet in.

Ik ben halverwege mijn lasagne en Stijn midden in een verhaal over zijn laatste vrijgezellenfeest als hij plots stilvalt en met zijn vork vol opgedraaide spaghettislierten halverwege de lucht blijft zitten. 'Wat?' vraag ik. 'Vertel nou door. Waarom moest hij huilen dan?

Stijn!' Ik stoot hem aan en kijk dan achter me, waar zijn blik op iets blijkbaar heel interessants gefixeerd blijft. Even denk ik dat ik begin te hallucineren. Dat ik niet alleen last van fantoomgeuren heb, maar nu ook Ruben op plaatsen op zie duiken waar hij niet is. Waarom zou hij hier zijn? We komen hier nooit. En hij zou hier zeker niet zijn met een meisje, een vrouw, die ik nooit eerder gezien heb.

Met een ruk draai ik mijn hoofd weer om. Mijn vork valt kletterend op de grond. 'O, nee...'

'Ies?' brengt Stijn langzaam en volledig in de war uit.

'Heeft hij me gezien?' sis ik in paniek.

Stijn schudt zijn hoofd. 'Ik geloof van niet, maar wat...'

'Ik moet hier weg. Ik moet echt, sorry, maar ik kan niet blijven.' Ik sta langzaam op. 'Ik leg het je later wel uit.' Ik besef dat ik nu vol in het zicht van Ruben ben gaan staan. Als ik me omdraai en naar de uitgang loop, is de kans gigantisch groot dat hij me ziet, maar ik moet het riskeren. Ik kan niet blijven zitten terwijl hij hier aan het daten is. Het is gewoon een volkomen nieuw iemand! Niet eens Marleen. Als het Marleen was, zou ik het begrijpen, maar blijkbaar is hij alweer klaar voor een nieuwe relatie. Hoe zou hij haar hebben leren kennen? Bij SKAI?

Opeens maakt Stijn een aarzelend zwaaigebaar in de richting waar Ruben zit. 'Wat doe je nou? Niet naar hem zwaaien! Hij mag me niet zien!'

'Dat is al te laat, hij zit me recht aan te kijken,' antwoordt Stijn bijna zonder zijn lippen te bewegen, wat een komisch gezicht zou zijn als ik niet ter plekke zou willen sterven. Goed, hij heeft me gezien. Er zit maar één ding op. Ik moet nu weglopen. Gewoon lopen en blijven lopen. Dat doe ik dus.

Het duurt meer dan een uur voor ik Daphnes flat bereikt heb. Mijn voicemail staat vol berichten van Stijn en ik heb zelfs een gemiste oproep van Ruben. Hoe zou hij dat gedaan hebben? Stiekem in de wc? Of gewoon aan tafel? 'Sorry, maar ik moet even mijn ex bellen.' Ex. Het is de eerste keer dat ik mezelf als zijn ex beschouw.

Mijn voeten staan in brand als ik eindelijk op de galerij loop. Als ik de deur open, komt weer die lichte houtgeur me tegemoet. Als ik de herinnering daaraan toch eens uit mijn geheugen zou kunnen bannen.

Alle lichten zijn uit in de flat. Daph is zeker op stap. Ik loop meteen door naar de badkamer en zet de douche aan.

Ze zag er heel anders uit dan ik. Kort haar. Net zo blond als Marleen, maar volwassener. Sportief. Vrolijk. Zelfverzekerd. Mooi. Weinig make-up en sneakers onder een lichte spijkerbroek. Totaal niet het type meisje dat 's ochtends eerst uit bed sluipt om haar haar te doen. Gek dat ik dat in dat korte moment allemaal gezien heb. Ik stap onder de warme stralen van de douche en laat het water op me neer kletteren in de hoop dat ik de beelden uit mijn hoofd kan laten wegstromen. Ik concentreer me op het lawaai van het water. Ik wil niets anders horen dan het gonzende, klaterende geluid. Nergens meer aan denken. Maar ik kan het malen in mijn hoofd niet stopzetten. Het is een niet tegen te houden stortvloed.

Ik schrik als ik geluid uit de kamer hoor komen. Heb ik de deur eigenlijk wel op slot gedraaid? Volgens mij niet. Ik blijf stokstijf staan, maar durf de kraan niet dicht te draaien. Misschien is het gewoon Daph, bedenk ik, wat me een beetje oplucht. Ik luister beter en vang flarden op van woorden die op gedempte toon gesproken worden. Het klinkt toch als een mannenstem. Ik reik naar mijn handdoek en sla die om mijn lijf. '... niet gewoon vertellen,' kan ik eruit opmaken, nu ik niet meer onder het stromende water sta.

'Niet nu ze zo verdrietig is...' Dat is toch echt Daphnes stem, besef ik vol opluchting. Ik draai de kraan dicht. '...wachten op een geschikt moment. Ga nu gauw, ze komt eraan, straks ziet ze je.' De voordeur slaat dicht en ik hoor voetstappen naar de slaapkamer. Ik stap op de badmat en blijf staan zonder me af te drogen. Het water druipt van me af en kleurt de mat donkerder. Er is een man in het leven van Daphne en ze durft het niet aan mij te vertellen. Maar ze kan het nu moeilijk ontkennen. Ik open de deur van de badkamer en wil door naar de slaapkamer, maar ik blijf perplex staan, één hand op de deurklink en de andere om mijn handdoek vast te houden. Hout. Ik ruik weer hout. Ik probeer de stem die ik gehoord heb thuis te brengen en opeens begint me van alles te dagen. Dat ze soms weg is zonder te vertellen waarheen, terwijl ze dat normaal gesproken altijd zegt. Telefoongesprekjes die plotseling afgekapt worden als ik binnenkom. Die twee wijnglazen die op het aanrecht stonden toen het net uit was tussen Ruben en mij en dat ze zo gehaast binnenkwam om ze op te ruimen en helemaal niet verbaasd was mij daar te zien. Alsof ze al wist dat ik zou komen. Opeens herinner ik me weer het voorval met de foto bij die vrouw van de buikschilderingen en meteen schiet er iets anders door mijn hoofd: de foto die ik bij Rubens ouders thuis omstootte. Hetzelfde rode shirt... Maar ze heeft me toen haar buik laten zien en daar zat niets... maar misschien ergens anders wel. Ik zie voor me hoe ze zich op de bank tijdens de filmmiddag aan het krabben was. Ik had een allergische reactie op de verf en zij bleef maar aan haar schouder krabben. En die blik die ze wisselden bij SKAI Lite... Die houtlucht die ik hier de hele tijd ruik. Ik ben niet gek! Ik had gelijk! Ik duw de deur open. 'Je doet het al een eeuwigheid met Robin!'

30

Daphne staart naar me alsof ik helemaal gek geworden ben. 'Waar heb je het over?' Ze brengt het goed, maar het feit dat ze net de lakens van haar bed getrokken heeft en deze in een prop tegen zich aanhoudt, spreekt niet in haar voordeel. Ze staat in haar beha en een lange dunne broek waar ze vaak in slaapt. Het is duidelijk dat ze die net haastig aangeschoten heeft, voor ze Robin de deur uitwerkte.

'Hout!' zeg ik. 'Hij ruikt naar hout, net als Ruben. En het was zijn foto die de buikschilderes vasthield en jij had uitslag op je rug. En steeds als ik je over ontwikkelingen van de meubellijn vertelde, leek het alsof je het al wist. En je was niet eens verbaasd toen ik hier weer opdook, omdat je dat natuurlijk ook al wist. Je was bij Robin in de werkplaats toen ik dat speeltje voor Bo af kwam geven. Daarom had hij zo'n haast om terug te gaan en hij zei dat hij van Ruben had gehoord dat ik niet thuis sliep, maar dat wist hij van jou, hè?'

Daphne ploft op het matras neer. 'Jeetje Isa, klinkt dat niet een beetje vergezocht?'

'Ja!' geef ik toe. 'En ik snap er ook geen zak van, maar ik snap al niks van jullie vanaf die eerste date, dus dat maakt het ook weer helemaal logisch.'

Daphne raapt een kussensloop op die ze heeft laten vallen en staat dan op om alles in de wasmand te gooien.

'Waarom heb je het niet gewoon verteld? Je kon toch zeggen dat jullie het goedgemaakt hebben? Waarom bleef je nou doen alsof je een hekel aan hem had? En waarom hadden jullie eigenlijk überhaupt ruzie?'

'Wil je je niet even aankleden?' vraagt Daphne. 'Of gaan we dit gesprek halfnaakt voeren?' Ze gooit een lang T-shirt naar me toe en ik trek het haastig aan. Terwijl ik me verder aankleed, gaat Daphne op haar bankje zitten, haar voeten onder zich opgetrokken. 'Die date, onze eerste date...' legt ze uit als ik naast haar kom zitten, '...dat was niet echt onze eérste date.'

'Niet?'

'In een bepaald opzicht ook wel. Weet je, nu klinkt het allemaal heel stom, maar er was al iets gaande tussen Robin en mij. Soms bleven we met z'n tweeën achter bij SKAI Lite als iedereen al weg was en dan vonkte er iets, maar we deden er allebei niks mee... tot het moment dat we dat wel deden. Hij kuste me en het was echt... Het knálde gewoon, ken je dat? Ja, sorry, natuurlijk ken je dat... Nou ja, er was dus geen houden meer aan en echt, tien minuten later, als het al zo lang duurde, lagen we hier in bed. Het was zó heftig. Daarna gebeurde het steeds opnieuw. Als we elkaar zagen, hadden we seks, maar we durfden er niet te veel over na te denken. We wilden niet dat iedereen zich ermee zou bemoeien en dat we uitleg zouden moeten geven als het misliep. Maar ja, toen begon jij je er dus wel mee te bemoeien.'

Ik zit echt te smullen van haar verhaal. Ik wist gewoon dat ik geen spoken zag. Ik wist niet dat ik het zó bij het rechte eind had, maar...

'En toen kwam die date? Wat ging er dan mis?'

'Niks. Het was fantastisch, net als altijd, maar we zagen al jullie nieuwsgierige blikken en toen bedachten we dat het leuk zou zijn om jullie voor de gek te houden. Dus deden we alsof we ruzie hadden om jullie allemaal nog nieuwsgieriger te maken, voor de gein. Robin en ik zaten gewoon hier toen ik door jou gebeld werd en hij een minuutje later door Ruben. We hebben in een deuk gelegen.'

'Daph!' Ik sla haar met een kussentje van de bank. 'Weet je wel dat Ruben en ik daar enorme ruzie om gekregen hebben? Jullie zijn echt slecht! Dus er was geen ruzie? Er was níéts aan de hand? Weet je wel hoe vaak ik mijn hoofd daarover gebroken heb? Ik snapte er niks van!'

'Dat was nu juist de grap. Ik wilde je een lesje leren voor je bemoeizucht.'

'Bemoeizucht? Ik wilde je helpen! Ik gunde je net zo'n leuke man als ik zelf had.' Had. Ik vraag me af hoe lang het nog pijn zal doen om in de verleden tijd over Ruben te praten.

'Dat weet ik wel. Ik voelde me ook echt schuldig na een tijdje. Het was nooit onze bedoeling om ruzie tussen jou en Ruben te veroorzaken. In de auto naar die zwangerschapsbeurs wilde ik het ook zeggen, maar ik durfde het niet zonder met Robin te overleggen. We

vilden dat het nog even iets van ons samen bleef, maar daarmee
werd het ook steeds moeilijker om te vertellen, omdat we al zo lang
alsof hadden gedaan. Toen ging het uit tussen jou en Ruben en vonden we allebei dat het niet gepast was om zwaar verliefd te zijn, terwijl jullie je zo ellendig voelen.'

'Dus al die tijd dat ik bij jou woon, heb jij je in allerlei bochten
gewrongen om Robin te kunnen zien?'

Ze laat zich een beetje achterover zakken. 'Het was een hel! Echt!
Hij moet op zichzelf gaan wonen! Isa, je moet nooit een jongere man
nemen als hij nog bij zijn ouders woont! Eerst was het geen probleem. We spraken altijd hier af, maar nu moesten we elke keer zorgen dat jij er niet was. Reed ik in mijn lunchpauze snel naar huis...'

'Voor een vluggertje? Daph! Dat had ik niet achter je gezocht.'

'We werden er heel creatief van. Als zijn ouders een avondje uit
waren, spraken we daar af. We kwamen er altijd mee weg, tot vandaag dus. Jij zou het toch laat maken met Stijn?'

Ik wapper met mijn hand. 'Dat liep anders.' Ik baal ervan dat Rubens date weer terug in mijn gedachten is. Ik zat helemaal in het verhaal van Daphne.

'We schrokken ons kapot toen we de deur open hoorden gaan. We
waren net bezig...' Ze giechelt. 'Nou ja, voor de tweede keer, dan. Ik
heb hem nog nooit zo horen vloeken. En toen heb ik hem naar buiten gewerkt. Ik dacht dat je het wel zou geloven als ik zei dat ik mijn
kamer aan het opruimen was.'

'Tuurlijk. Ik ben gek.'

'Waarom was je nu zo vroeg thuis?'

Ik trek aan een loshangend draadje van mijn shirt, waardoor de
halve zoom loslaat. 'Ruben. Ik had niet verwacht hem tegen te komen. We waren in een restaurantje waar ik nooit met hem kwam
en toen zat hij opeens achter me met een vrouw die ik nooit eerder
gezien heb.'

'Misschien was het iets zakelijks.'

'Het was een date. Duidelijk. En ik snap niet waarom ik zo verbaasd ben. Het moest er eens van komen.'

Daphne staat op en loopt naar de telefoon.

'Wat ga je doen?' vraag ik.

'Ik bel Robin om te vertellen dat onze undercover-actie voorbij is.

Daarna hoor ik hem uit over die vrouw die bij Ruben was en bel ik Floor voor morele ondersteuning.'

Niet veel later zit Floor bij ons op de bank. Als een boeddha beeldje, met die dikke buik van haar. Ik zit naast haar en Daph heeft dikke kussens op de grond gelegd voor haar en Stijn om op te zitten. Stijn stond namelijk een halfuur geleden ook onverwacht voor de deur. Hij had Daphnes adres van Ruben gekregen. Volgens Stijn heeft Ruben hem wel tien keer gevraagd of hij wilde gaan kijken hoe het met me was. Hij zei dat Ruben helemaal uit zijn doen was nadat hij mij had zien weggaan en hij kan zich niet voorstellen dat het nog iets geworden is met die date.

'Volgens Robin is het een meisje dat hij twee weken geleden heeft ontmoet toen ze wat zaten te drinken bij Kai aan de bar. Het verbaasde hem dat hij met haar heeft afgesproken, want hij leek Robin amper geïnteresseerd toen ze haar nummer gaf,' vertelt Daphne.

'Blijkbaar was hij dat toch wel,' zeg ik. 'En ik kan er maar beter aan wennen. Of ik moet willen verhuizen en alle banden met iedereen hier verbreken. Ruben is bevriend met Mas, Daph doet het met Robin, ik heb Kai en Tamara proberen te koppelen. Alles zit aan elkaar vast.'

'Wat een ellende,' antwoordt Floor. 'Wil je dat ik Mas vraag om tegen Ruben te zeggen dat hij beter niet op zijn vrijgezellenfeest kan komen? We gaan dan wel apart weg, maar uiteindelijk zullen we toch op dezelfde plaatsen terechtkomen.'

Ik haal mijn schouders op. 'Ik moet ermee kunnen omgaan dat hij er is en dat hij doorgaat met zijn leven. Misschien moeten we onderhand eens knopen doorhakken.'

'We zorgen dat de ene groep in SKAI blijft en de andere in SKAI Lite,' zegt Daphne, als oplossing voor het dilemma van de vrijgezellenavond.

'Ik wil Lite!' roept Floor meteen. 'Geef dat clubgedoe maar aan de jongens. Is dat jouw telefoon, Ies?'

Ik heb niets gehoord, maar reik toch naar mijn handtas. Ik zie er zo tegenop om werkelijk korte metten te maken met alles. Ik wil niet naar de notaris. Ik wil niet verdelen. Maar wat ik wil, is niet meer aan de orde. Ik druk op de knopjes van mijn gsm tot ik bij mijn inkomende berichten ben. Ik schrik als ik Rubens naam zie staan.

'Wat is er?' vraagt Stijn. 'Nog meer slecht nieuws?'

Ik lees het berichtje van Ruben. Op een of andere manier snap ik het niet goed. 'Het is een sms van Ruben.'

'Wat zegt hij?' vraagt Daphne.

Ik lees het bericht voor. 'Het spijt me van vanavond. Er is niets gebeurd met haar. Niet eens een kus.'

'Ga naar hem toe!' draagt Floor me op. 'Dit is toch belachelijk? Jullie zijn duidelijk niet los van elkaar. Dat hij jou dit berichtje stuurt, betekent toch genoeg?'

Daphne valt haar bij. 'Robin zegt ook dat Ruben zichzelf niet is sinds jullie uit elkaar zijn. "Naar de klote" noemt hij het. Ik begrijp niet waarom jullie ervoor kiezen je allebei zo rot te voelen!'

'Hij wil het zo!' zeg ik. 'Ik heb hem gezegd dat ik hem terug wil. Hij weet dat ik wacht tot hij het teken geeft. Hij is degene die het afhoudt. Hij wil het niet meer.'

'Daar leek het anders niet op,' zegt Stijn.

'Nou, hij weet me te vinden, toch? Waarom moet ik alle moeite doen? De vorige keer was ik ook al degene die het goed moest maken...'

'Eigenlijk was ik dat,' brengt Floor me fijntjes in herinnering.

'Ik wil weten dat híj het wil. Ik weet hoe ik me voel. Ik weet dat ík niet zonder hem kan. Ik moet weten dat het voor hem ook zo is. Hij moet de stap zetten, niet ik.'

'Mannen zijn slap,' zegt Daphne. 'Sorry, Stijn.'

Hij leunt achterover. 'Nee, je hebt gelijk. Zeker heteromannen.'

'Hij moet het doen,' zeg ik, 'en niet met zo'n stom sms'je. Als hij mij terug wil, dan moet hij daar moeite voor doen. Ik ben deze toestand helemaal zat. En als hij het niet doet, dan is het klaar.'

31

Vandaag draait alles om Floor. We zijn de dag begonnen met een uit
gebreide high tea. We zijn met een leuk clubje meiden. Floor, Daph
en ik, natuurlijk. En daarnaast nog twee nichtjes van haar, drie meiden van haar werk, de zus van Mas, een oud-studiegenootje en een
buurmeisje van vroeger met wie ze altijd contact gehouden heeft. En
Tamara. Vroeger vonden we het weleens lastig dat mijn kleine zusje
altijd met ons mee wilde doen, maar nu is het gewoon zo dat een
feest geen feestje is, als zij er niet bij is.

Daarna hebben we een fotoshoot voor haar geregeld. Er worden
foto's van haar alleen gemaakt en van ons als groep. We moeten zelf
voor onze kleding zorgen – iedereen heeft daarom ook bergen in de
auto liggen, zodat we ter plekke combinaties kunnen maken – maar
we worden daar allemaal professioneel opgemaakt en gekapt. Het
lijkt me een leuke herinnering aan deze dag om een mooie foto van
onze groep te hebben. En dan niet een halfdronken, verlopen-hoof-
denfoto genomen door de barman (al zal ook die foto vanavond heus
wel genomen worden), maar een echt mooie. Met een zwangere, stralende, prachtige Floor als middelpunt.

En zo zien we er meteen allemaal fantastisch uit voor onze night in
town. Floor mag nog één keertje helemaal los, al is het dan zonder
drank. Dat is het enige nadeel aan zwanger trouwen. We hebben ons
al voorgenomen haar met zoveel mogelijk knappe kerels op de foto te
zetten, in de meest compromitterende poses natuurlijk. Ze moet wel
bewijs hebben dat ze geléééfd heeft voor ze een brave getrouwde
vrouw werd.

In de kleedruimte voor de fotoshoot is het een gezellige, kwebbelen-
de, giechelende bende. Kledingstukken worden geruild en gecustomized
met accessoires van anderen om tot geweldig modieuze combinaties te
komen. Ik weet niet waar het aan ligt dat ik zonder gêne in mijn onderbroek tussen de andere meiden sta. Is het mijn gewicht dat onder die
magische grens gekomen is? Of kan het me gewoon niet meer schelen?

'Ies, rits jij me even dicht?' vraagt Tamara terwijl ze haar rug naar me toe draait. Ze heeft een nauwsluitend korsetje aan en een glanzende strakke leggingachtige zwarte broek. Haar krullen vallen los over haar schouders. Haar smokey eyes geven haar blik nog meer sexappeal. 'Wat doe jij aan?'

'Dit,' zeg ik. Ik laat mijn zwarte jurkje zien. Ik voel me altijd goed in dat jurkje. 'Maar welke schoenen zou jij doen? Deze?' Ik laat zwarte met strass zien. 'Of deze?' Mijn poederroze pumps.

'Maar dat heb je altijd aan,' zegt ze.

'Niet altijd. Alleen als ik een feestje heb en er goed uit wil zien.'

'Ies, niet dat je er niet goed uitziet in dat jurkje, want dat is wel zo, maar...' Ze pakt het op en bekijkt het nog eens '... voor vandaag voldoet het gewoon niet. Meiden! We moeten Isa helpen!'

Floor en Daph komen aangerend. Daphne met aan de ene voet een hoge sleehak en de andere voet bloot. Floor op slippertjes (die vlak voor de shoot omgeruild zullen worden voor killer heels) onder haar speciaal door ons aangeschafte cocktailjurkje met ruimte voor haar prachtige buik, waar we stad en land voor afgelopen hebben.

'Wat is er?' vraagt Floor.

Tamara houdt mijn jurkje op. 'Hoewel dit klassieke item een must have is voor elke vrouw, vind ik dat we Isa eens samen onder handen moeten nemen. Op veilig spelen kennen we nu wel, nietwaar? We moeten alles wat we bij ons hebben doorspitten en iets geweldigs uitzoeken.'

'Ik heb iets!' zegt Daph. 'Ik heb een hele mooie jeans bij me. Die past geweldig bij die top met vleermuismouwen van jou.'

Tamara schudt haar hoofd. 'Geen broek. Heb je die benen van haar gezien? Die mag ze wel eens showen.'

'Ik heb liever niet iets wat heel kort is,' sputter ik tegen. Ik heb dan wel met Floor en Daph een bezoekje gebracht aan een zonnestudio waar ze ons met een soort airbrush-methode een schitterende sun-kissed gloed hebben gegeven voor de bruiloft, maar dat betekent niet dat ik meteen van plan ben om een kort rokje aan te doen.

'Ik weet het al,' zegt Floor. Ze rent naar haar tas en pakt er een donkerblauw stukje stof uit. Ik kan er niets van maken. 'Het lijkt niks als je het zo ziet, maar als je het aantrekt... Ik heb het maar één keer gedragen en toen hebben Mas en ik het begin van het feestje ruimschoots gemist. Nu ik erover nadenk... Ze legt haar hand op haar buik. Volgens mij is dit het resultaat.'

Ik pak het van haar aan en houd het voor me uit. 'Je hebt het wel gewassen na afloop?'

Niet veel later sta ik op mijn zwarte stiletto's met strass in het ge-waadje van Floor. Ik kijk in de spiegel en herken mezelf totaal niet meer. Mijn make-up is nu ook gedaan en mijn haren zijn helemaal glad en glanzend gemaakt en hoog op mijn achterhoofd vastgezet in een paardenstaart. Zo een uit de modeblaadjes, niet het soort waar-mee ik normaal ga werken. Er is iets heel erg kunstigs gedaan met de bovenste laag van mijn haar, waardoor de bovenkant een heel klein beetje bol staat. De kapster heeft me er iets over uitgelegd, maar ik weet nu al dat ik het nooit na kan doen thuis.

Het donkerblauwe gevalletje blijkt voor een jurk te moeten door-gaan, maar het is het soort jurk waarvan het nooit in me opgeko-men is die te dragen. Ik heb namelijk een rugdecolleté, wat eigenlijk helemaal voorbij gaat aan het principe van 'tieten en benen' waar Ruben me op wees. Maar volgens Floor werkt dit dus ook. Die be-nen zijn overigens wel prominent aanwezig. De stof drapeert zich als het ware om mijn lichaam en houdt hoger boven mijn knie op dan ik ooit gedragen heb. Verder is de hals wijd genoeg om afwisselend de ene of de andere schouder bloot te laten vallen, afhankelijk van welke kant je hem ophijst. Het is totaal geen Isa-jurk, waardoor ik me, voor deze ene keer misschien, stiekem heel erg goed voel.

'Weten jullie het zeker?' vraag ik voor de zekerheid nog even. 'Want tegen deze foto wil ik nog heel lang aan kunnen kijken. Ik draag net zo lief mijn zwarte jurkje.'

Tamara gaat naast me staan. 'Kijk eens rond. We lopen er allemaal bij alsof we zo van de Wallen komen. Je zou alleen maar uit de toon vallen.'

Na de fotoshoot, die echt geweldig leuk was, verschijnen we dus ge-kleed als dames van lichte zeden in het restaurant. Na het eten kun-nen we de foto's op een cd-rommetje ophalen. Ik ben benieuwd. Er is van ieder van ons een portretfoto gemaakt, een hele serie van Floor en een heleboel groepsfoto's, ook in verschillende combinaties.

k denk dat mijn moeder dol zal zijn op die van mij en Tamara en ik denk dat ik die van Floor, Daph en mij een mooi plekje zal geven als k weer eigen woonruimte heb.

Tijdens het eten gaan er al een paar flessen rosé doorheen. Voor Floor hebben we alcoholvrije bubbels, wat nog een beetje een feestelijk idee geeft. Ik doe met haar mee omdat ik me vandaag als bob heb opgeworpen. Tot we bij Kai zijn, tenminste. Daarna is het ieder voor zich. Dan kan ik straks nog een wijntje drinken. Gelukkig heeft Floor geen moeite om los te komen, met of zonder alcohol. Er heerst een heerlijk meiden-onder-elkaar-sfeertje dat behoorlijk aanstekelijk werkt, ook als je niet drinkt. We trekken flink bekijks met ons melige gedoe en onze opvallende uitdossingen. Ik heb weinig honger na de high tea van vanochtend, dus ik bestel kleine gerechten die ik niet eens helemaal op kan. Behalve het toetje dan. Chocoladefondue gaat er altijd in.

We nemen uitgebreid de tijd om na te tafelen en daarna rijden we naar het centrum, waar iedereen uitstapt, behalve Daphne en ik. Wij gaan alvast de foto's ophalen. Het gebouw is al gesloten, maar we hebben een telefoonnummer gekregen van de fotografe. Ze heeft haar woning boven de studio waar ze werkt en komt naar beneden zodra we haar bellen. Ze geeft ons een mapje met afdrukken van de mooiste foto's. De rest staat op de cd-rom en vergrotingen kunnen we bij haar bestellen, maar die zijn natuurlijk niet bij de prijs inbegrepen. In de auto kunnen we onze nieuwsgierigheid niet bedwingen en kijken we vlug de foto's in het mapje door. Floor staat overal even goed op. Ik kan nog steeds moeilijk geloven dat ik dat ben in die blauwe jurk en stop gauw het mapje in mijn tas, zodat we verder kunnen met het feestje.

We vinden een parkeerplekje in het centrum en lopen naar SKAI Lite. Floor heeft gelijk over de jurk. We worden nagekeken en -gefloten door alle mannen die we onderweg tegenkomen. Het strapless jurkje van Daph zal daar zeker aan meewerken, denk ik zo. En ze is een kei in wulpse blikken terugwerpen, waarop ik haar vol gêne por en opdraag normaal te doen.

Bij SKAI Lite is het al lekker druk en de meiden zijn begonnen met het ronselen van zoveel mogelijk mannen voor Floor. Het lijkt zelfs alsof ze er een paar in de rij heeft staan. Het principe van een vrouw

die niet meer beschikbaar is, lijkt voor de meeste mannen de groot
ste turn on die er is. We hebben nog nooit zoveel sjans gehad. Z
zwermen letterlijk in drommen rond ons heen, bieden ons drankje
aan en dansen met ons, waarbij we hen soms keihard en recht in he
gezicht uitlachen. Mannen zijn eikels, maar vrouwen soms ook.

Kai zet de muziek wat harder en verzorgt ons met gratis drank er
hapjes, terwijl hij een gedeelte bij de bar vrijmaakt voor ons. W
nemen vandaag meer ruimte in dan we gewoonlijk doen, maar da
komt ook doordat we hordes mannen aantrekken die niet meer ui
onze buurt te slaan zijn. Ik weet zelf niet zo goed wat ik ermee moet
Mijn tactiek is om hun aandacht op Floor te richten. Te vertelle
wat er aan de hand is en waarom we er zo uitzien en dan te vrage
of ze een beetje leuk met haar op de foto willen. En als ze dat da
doen, ga ik er snel vandoor.

'Wat zijn die mannen allemaal bleu!' roept Tamara. Ik denk daa
inmiddels anders over, want ik heb al een paar keer handen op be
paalde plaatsen gevoeld waar ik ze niet toe uitgenodigd heb tijden
mijn korte gesprekjes. Zij heeft misschien een andere standaard. 'Z
durven haar amper aan te raken. Gaan ze een beetje stom naast haa
staan grijnzen met een arm over haar schouder. Daar kijk je no
eens met plezier op terug!'

'Nou, ik denk niet dat ze het ziet zitten om door allerlei vreemd
kerels bepoteld te worden, Tamaar,' antwoord ik. 'Ik denk dat he
wel best is zo.'

'Het ligt aan de baby, denk ik.' Ze bijt op haar lip en leunt da
naar voren over de bar, waar Kai staat. Ze roept hem en hij neem
de tijd voor haar. Het helpt dat ze hem ondertussen een eersteklas
uitzicht op haar voorgevel geeft. Ik zie dat ze haar trucjes op hem
loslaat en hij laat speels een krulletje van haar haren door zijn vin
gers glijden voor hij verder gaat. 'Misschien is het maar goed dat het
niks geworden is met Hugo,' zegt ze daarna tegen mij. 'Kai gaat me
helpen met Floor. Hij heeft wel een idee, zei hij. Zag je hoe hij lachte
toen hij wegliep? Ik werd er helemaal zenuwachtig van. Zie ik er wel
goed uit? Niet te goedkoop? Misschien mag dit wat minder...' Ze
probeert haar korset wat hoger over haar borsten te trekken, maar
er komt geen beweging in; het zit klemvast.

Ik moet lachen. 'Sinds wanneer maak jij je daar druk om?'

'Ik weet niet wat het is,' zegt ze. 'Als hij naar me kijkt, word ik helemaal trillerig.'

'Weet je, Tamaar, volgens mij is dat helemaal niet erg.'

'Nee?'

Ik schud mijn hoofd. 'Wees gewoon wie je bent. Hij vindt je al geweldig.'

Ik hoor het mezelf zeggen en denk aan Ruben, aan wie ik dit advies te danken heb. Kan ik er in ieder geval mijn zusje mee helpen.

'Ga jij nog werk van Hugo maken?' vraagt ze. 'Als je dat wilt, vind ik dat niet erg, hoor. Jullie zouden misschien wel bij elkaar passen.'

'Dat is misschien wel zo,' zeg ik, 'maar er is meer nodig dan een passend plaatje. Het moet spranklen. En zoals het spranklde met Ruben... dat zal ik niet snel vinden bij een andere man.'

Floor komt bij ons staan. 'Ies, mag ik de foto's van vanmiddag even zien? Daph zei dat jij ze hebt.'

Ik haal ze uit mijn tasje. 'Kijk je wel uit? Straks worden ze helemaal smerig.'

'Ach, dan drukken we ze opnieuw af. Wat maakt het uit?' Ze loopt een eindje bij me uit de buurt en bekijkt ze samen met de andere meiden die ze nog niet gezien hebben.

Er komen weer twee mannen op ons af. 'Wie van jullie gaat er eigenlijk trouwen?'

'Zij.' Tamara wijst naar mij en ik word meteen aan een heel vragenvuur onderworpen.

'Nee, hoor,' zeg ik. 'Eigenlijk is zij het.' Ik knik naar Floor, maar nu denken ze dat ík een geintje maak.

'Zo te zien is zij al aan de man.'

Ik probeer ze met mijn fototechniek af te wimpelen, maar daar trappen ze niet in. Ze blijven een beetje slap ouwehoeren en stellen allerlei vragen waar ik geen antwoord op wil geven. Waar we wonen, of we hier de rest van de nacht blijven, of we niet met hen mee willen want zij kennen een kroeg waar het pas echt leuk is om je vrijgezellenfeest te vieren. Ik luister maar half. Ik ben meer geïnteresseerd in het tafereel achter hen. Kai komt uit de klapdeuren die SKAI van SKAI Lite scheiden en ik zie dat hij ondersteuning heeft meegebracht in de vorm van Robin en Ruben. Ze storten zich met z'n drieën op Floor en Tamara rent ernaartoe voor de foto's, waardoor ik plots alleen met twee mannen achterblijf van wie ik af wil.

Ruben, Kai en Robin gedragen zich allerminst bleu. Als Floor zou willen, zou ze nu aangifte kunnen doen, maar ik zie dat ze niet meer bijkomt van het lachen. Volgens mij hebben die mannen ook al aardig wat drank achter de kiezen. Een voor een grijpen ze haar vast in een onzedige pose. Robin legt zijn handen op haar borsten, Kai kust haar vol op de mond, maar Ruben is degene die het verst gaat door haar achterover te drukken op het tafeltje waaraan ze even geleden nog rustig met haar nichtjes de foto's zat te bekijken. Hij duwt zijn gezicht in haar hals en legt zijn hand op haar been alsof ze in een heftige seksscène zijn verwikkeld. Daarna kijkt hij breed lachend in de camera, alsof hij Mas uit wil dagen. Kijk maar eens wat ik met je aanstaande bruid gedaan heb! Als er genoeg foto's genomen zijn, laten ze haar pas weer met rust. Ruben moet Floor omhoog helpen, omdat ze door haar buik zelf niet meer over een bepaald punt heen kan komen. Hij legt zijn hand even op haar buik. Zo van: ik heb je toch geen pijn gedaan? Ik kan mijn ogen niet van hem afhouden.

Floor lacht en geeft hem een plagerig duwtje. Nu ontdekken de mannen de foto's van vanmiddag. Er zijn er een paar op de grond gevallen en Ruben raapt ze op. Hij bekijkt ze een voor een en zoekt met zijn ogen de ruimte af tot hij mij ziet. Ik doe alsof ik opeens heel veel interesse heb in het gewauwel van de kerel tegenover me, maar ik kan de verleiding niet weerstaan om weer in Rubens richting te kijken. Hij geeft me een knikje ter begroeting. Zijn blik glijdt langs mijn lichaam naar beneden. Ik denk aan wat Tamara zei: dat ze trillerig wordt als Kai naar haar kijkt. Ik heb nu precies hetzelfde. 'Ik ga weer naar mijn vrienden,' zeg ik tegen de man, die heel verbaasd kijkt als ik wegloop.

Ik loop niet naar Ruben toe. Dat zou wel heel gemakkelijk zijn. Ik ga aan de bar staan en bestel een drankje. Appelcider in zo'n hip flesje. Lekker zomers. 'Hé,' zegt Ruben nog voor ik mijn drankje gekregen heb.

'Hoi.'

'Mooie foto's.'

Ik knik.

'Niet zo mooi als in het echt, natuurlijk.'

Ik neem mijn flesje cider aan van de barman en draai me om naar Ruben. Meent hij dit nou? Staat hij me nu echt te versieren? Ik neem een slokje zonder iets te zeggen. Het komt heel ongenaakbaar over, maar vanbinnen sta ik op instorten.

'Had je...' gaat hij verder, 'heb je dat sms'je nog gekregen vorige week?'

'Natuurlijk,' antwoord ik, 'ik heb nog steeds hetzelfde nummer, dus als je daar iets heen stuurt, ontvang ik het.'

'Fijn,' zegt hij, 'dat het systeem werkt.'

Ik moet opeens lachen en ik zie opluchting op Rubens gezicht. Hij is blijkbaar ook een beetje zenuwachtig. Of misschien zelfs heel erg, al doet hij zijn best er stoer uit te zien.

'Dus...' gaat hij verder, 'hoe erg heb ik het nu verknald?'

Ik voel mijn jurkje van mijn schouder zakken en hoewel ik al de hele dag aan het hijsen ben, laat ik het nu zo hangen. 'Zit je daarover in?'

Zijn hand reikt even naar mijn schouder, maar hij schijnt zich te realiseren dat hij niet meer zomaar aan me kan zitten en veegt vluchtig een denkbeeldig pluisje van mijn mouw. 'Wat ik het ergste vind, is dat jij nu zou kunnen denken dat ik niet meer om je geef.'

'Zou dat raar zijn? We zitten al maanden muurvast. En dan merk ik dat je druk aan het daten bent. Ik kan het je niet kwalijk nemen dat je verder gaat, daar ben je al na een paar dagen mee begonnen...'

'Ik?' Hij kijkt me vragend aan. 'Ik ben niet verder gegaan, Ies.'

'Ik bedoel die boeken,' zeg ik. Geen idee waarom dat detail me na zoveel weken nog steeds zo dwarszit. Misschien omdat we zo gelukkig waren toen we die boekenkast indeelden. Ruben lijkt er niets van te begrijpen. 'Onze studieboeken die door elkaar stonden,' leg ik uit, 'die heb jij op een aparte plank gezet.'

'Dat heb ik niet gedaan. Waarom zou ik?'

'Dat weet ik niet. Om ons te scheiden.'

'Maar dat wil ik helemaal niet. Ik weet niets van die boeken... Dus die staan niet meer door elkaar?'

'Ruben, het is niet belangrijk meer. Laat maar zitten. Ik snap wel dat je een soort van statement wilde maken of zo.'

'Isa, ik weet me geen raad zonder jou. Denk je echt dat ik me zou bezighouden met iets lulligs als de sortering van onze boeken? Ik heb er niet aan gezeten.'

'Dan zal Bo het gedaan hebben...' Ik snap niet waarom hij het ontkent.

'Mijn moeder,' zegt hij dan. 'Mijn moeder heeft het weekend dat jij in Berlijn zat toch schoongemaakt bij ons? Ze heeft ook de kruidenpotjes op alfabet gezet. Daar kwam ik gisteren pas achter.'

'Dus jij...' Er lijkt een enorme last van me af te vallen. Zijn moeder, zijn perfectionistische moeder met haar schoonmaaktic... Het moet pijn aan haar ogen hebben gedaan om die boekenkast zo te zien. 'Je wilde die boeken niet uit elkaar hebben?'

'Die boeken kunnen me gestolen worden. Ik wil jou niet kwijt. Ik wil zo niet verder gaan. Als ik dat al zou doen, Ies, dan is dat met jou. Ik kan jou niet achter me laten.' Hij leunt wat dichter naar me toe en praat zacht in mijn oor. 'Ik mis je. Elke dag.' Ik voel zijn hand op mijn dij, heel voorzichtig. 'Ik ben al de hele avond moed aan het verzamelen om naar je toe te komen.'

'Hoezo? Waar ben je dan zo bang voor?'

Zijn vingers kruipen over mijn heup naar boven. 'Dat ik te laat ben.'

'Ruben!' roept Robin. 'Kom, we moeten terug. Dit is een meidenfeestje, hoor! We zijn in overtreding.'

'Ik kom zo!' Zijn ogen branden in de mijne, maar ik kijk niet weg. Hij streelt met zijn vingertoppen over mijn blote schouder, laat zijn hand over de huid van mijn rug glijden en brengt hem onderaan tot stilstand, op de welving van mijn billen. Ik kan hard to get blijven spelen, maar ik kan mezelf niet voor de gek houden. Ik wil dit voelen. Ik wil voelen dat hij me echt wil. Mijn lichaam reageert als vanzelf op dat van hem. Ik leun een heel klein beetje met mijn onderlijf tegen hem aan en zijn vingertoppen dringen zich dieper in mijn vlees.

'Ruben!' roept Robin weer.

Hij kijkt even achterom en daarna weer naar mij. 'Ik moet gaan.'

'Jammer.'

Er licht iets op in zijn ogen. 'Ik kan ook blijven als je dat wilt.'

'Dat mag niet,' zeg ik terwijl ik mijn wijsvinger langs het boordje van zijn shirt laat glijden. 'Dit is een meidenfeestje. We kunnen hier geen mannen gebruiken.'

'Jammer,' zegt hij nu. Zijn hand glijdt van mijn bil. 'Wist je al dat we een naam voor de meubellijn hebben? pIsa.'

'Pizza?' vraag ik verbaasd.

Hij trekt me lachend naar zich toe. 'Nee, pIsa,' herhaalt hij langzaam vlak bij mijn oor.

'Naar de stad waar je de fabriek gevonden hebt?'

'En naar jou.' Hij glimlacht en laat me los. 'Ik moet terug naar het
jongensfeestje.' Dan verdwijnt hij door de klapdeuren naar SKAI.

32

Goed. Dat was leuk. Nu ga ik weer feesten met mijn vriendinnen. Het was gewoon wat onschuldig geflirt: onmogelijk serieus te nemen in een situatie als deze. We zijn allebei een beetje uitgelaten. Misschien zelfs dronken. Het is vragen om moeilijkheden. Als Ruben meent wat hij zei, meent hij het morgen nog steeds.

Maar hij is nú hier. Aan de andere kant van die deuren. En ik kan aan niets anders meer denken dan dat. Hij heeft mijn hele lijf in brand gezet met dat gefriemel van hem. Ik wist dat ík hem miste, maar mijn lichaam heeft hem klaarblijkelijk ook heel, heel erg gemist.

Kai hangt met Tamara aan een hoekje van de bar. Ik loop naar hen toe. 'Kai, mag ik een stempel voor SKAI?' Je kunt altijd vanuit SKAI naar SKAI Lite, maar andersom moet je entree betalen. Tenzij je dus een stempel hebt. Hij doet alsof hij de stempel op mijn voorhoofd wil zetten, waar Tamara heel hard om moet lachen.

'Wat ben je van plan?' vraagt ze terwijl Kai de rug van mijn hand bestempelt. 'Je mag niet met de jongens spelen op een vrijgezellenfeest. Ik zag je wel met Ruben net.'

'Ik ben zo terug,' antwoord ik nonchalant en ik glip de klapdeuren door, langs de portier aan de andere kant. Het is meteen een andere wereld waar ik in terechtkom. De mannenwereld. De vrolijke feestmuziek van Lite gaat over in snoeiharde trance. Ik voel me minder op mijn gemak in mijn outfitje zonder mijn opgedirkte vriendinnen erbij. En ik weet niet eens waar Ruben precies is. Ik loop een rondje en ontwijk de blikken van de aangeschoten mannen. In het midden van de grote zaal zie ik ze dan. Ruben is makkelijk te spotten in een zaal vanwege zijn lengte. Mas en Robin staan op en neer te springen op de muziek. Ik zie de broer van Mas en er zijn nog wat andere vrienden bij. Midden in de groep staan vier meiden. Niet zo gek natuurlijk. Een stel knappe kerels in een club, logisch dat daar vrouwen op af komen. We hebben Floor ook met een kleine honderd mannen gekiekt, gok ik zo.

Eén meisje wil aandacht van Ruben hebben. Of liever gezegd, dat willen ze waarschijnlijk allemaal wel, maar zij onderneemt actie. Ik blijf even staan om te kijken wat hij doet. Hij tuurt een beetje over haar heen en ze trekt aan zijn arm om iets te zeggen. Hij buigt zich naar haar toe om antwoord te geven. Heel kort. Vier of vijf woorden maar. Daarna kijkt hij weer voor zich uit. Lekker toegankelijk. Perfect. Met een grote glimlach stap ik op hem af. Ik nader hem van de zijkant en ik moet me tussen de meiden doorwurmen om bij hem te komen. Ze kijken me vol irritatie aan, maar ik kan er ook niets aan doen: hij is nu eenmaal van mij. Ik leg mijn hand op zijn onderarm en hij kijkt om.

'Zin in een één op één feestje?' schreeuw ik boven de muziek uit. Hij draait zich naar me toe en zijn ogen flitsen over mijn gezicht. Misschien heeft hij me niet verstaan. Of misschien toch wel. Hij legt zijn handen rond mijn middel en trekt me tegen zich aan. Zijn lippen kussen de mijne. Ik grijp me aan hem vast, mijn vingers verstrengeld in zijn haar. Ik druk korte, zachte kussen op zijn mond tot zijn tong met een trage beweging langs mijn lippen de mijne bereikt.

Ik weet niet hoe we zijn – onze – slaapkamer bereiken, ik weet alleen dat het te lang duurt voor ik hem eindelijk op bed duw en zijn broek openmaak. Ik voel zijn handen die onder de stof van mijn jurk glijden en die omhoogduwen. Zijn vingers haken zich achter mijn hipster en ik trek zijn shirt van hem af. Hij neemt mijn gezicht tussen zijn handen als ik boven op hem ga zitten. Zijn blik is troebel van verlangen. Hij trekt het elastiek uit mijn haar en ik schud het los. Het voelt zwaar en pijnlijk en er moeten nog ergens wat speldjes zitten, maar het kan me niets schelen. Zijn vingers grijpen erin vast als ik me over hem heen buig om hem te kussen. Ze glijden langs mijn rug naar mijn heupen, waar hij me vast blijft houden. 'Ik laat je nooit meer gaan,' zegt hij.

Dat laatste zou hij wel eens letterlijk kunnen menen, want hij houdt zijn armen stevig om me heen tot het weer ochtend is. Ik vind het moeilijk mijn hoofd leeg genoeg te maken om in slaap te kunnen vallen. Ruben en ik hebben nu teruggegrepen op dat ene wat in onze relatie nooit een probleem is geweest. Maar ik wil dat alles weer goed is. Ik wil dat dit plekje, hier dicht tegen hem aan, voor altijd van mij blijft.

Ik glip uit bed.

Het is een uur later, als ik een sms van Ruben krijg. 'Wat is dit voor jou? Een one night stand?' Ik begin iets terug te typen, maar bedenk me weer. Wat ik hem wil zeggen, kan ik beter persoonlijk doen en ik ben bijna thuis.

Al in de hal word ik begroet door Bo. Hij kan niet geloven dat hij me twee keer in zo'n korte tijd ziet. Door het dolle heen springt hij tegen me aan. Hij ruikt natuurlijk wat ik bij me heb. Ruben staat in de kamer op me te wachten. Hij ziet er boos uit. Ik zet mijn plastic tas neer en leg een papieren zak op tafel. 'Het is geen one night stand,' zeg ik. 'Hoe kun je dat nou denken?'

'Je was weg!' zegt hij. 'Ik ben het zo ontzettend beu om wakker te worden naast een lege plek, Isa. Ik dacht dat we daar nu klaar mee waren. Waarom ben je eigenlijk met me meegegaan?'

'Ik was mezelf niet,' antwoord ik.

'Je was jezelf niet? Had je daar niet eerder aan kunnen denken? Voor je mij het idee gaf dat ik je terug had?'

'Kun je nu eens even je mond houden en naar me luisteren?' vraag ik op een toon waardoor hij meteen doet wat ik zeg. 'Gisteren was ik mezelf niet. In die jurk, met die make-up en dat haar, dat was niet ik. Nu ben ik mezelf.' Ik steek mijn hand naar hem uit. 'Aangenaam.'

Hij blijft staan en kijkt naar me alsof hij me voor het eerst ziet. Ik heb totaal geen aandacht aan mijn uiterlijk besteed. Ik zie eruit zoals ik vanochtend uit bed gestapt ben. Ik draag geen make-up, geen lekker luchtje, geen mooie kleding. Ik ben alleen ik. Ik laat mijn hand weer zakken, pak de onderkant van mijn T-shirt vast en trek het over mijn hoofd. Daarna maak ik het koordje van mijn sportbroek los en stap ik eruit. Ik sta in mijn ondergoed voor hem en schop mijn kleren opzij.

'Dit ben ik,' herhaal ik nog maar eens. 'Maar ik denk niet dat ik er altijd zo uit blijf zien, want eigenlijk...' Ik pak de papieren zak en haal er een puddingbroodje met stukjes chocolade uit. 'Eigenlijk ben ik dol op dit soort dingen.'

'Isa, je haat dat soort dingen.'

'Ik haat dat ik er dik van word. Als dat niet zo was, zou ik ze de hele dag eten. Jij hebt geen idee hoe ik kan eten, maar ik ga het je laten zien. Kijk.' Ik neem een hap van het puddingbroodje. Niet zoals ik normaal eet als ik met Ruben ben, met kleine, bescheiden

hapjes. Deze keer zet ik mijn tanden erin en neem ik een echte hap.
De pudding druipt uit het deeg en ik lik mijn vingers af. Ik voel dat
het op mijn wangen zit en dat mijn lippen vol poedersuiker zitten.
k neem nog een hap en eet echt goed door, ook al ben ik zo nerveus
dat ik er misselijk van word. Pas als ik over de helft ben, leg ik het
puddingbroodje neer. Ik wil mijn vingers afvegen, maar ik heb geen
broek aan. Ik weet even niet wat te doen, en besluit dan maar mijn
onderbroek te gebruiken. Gelukkig heb ik een shortje aan en geen
string. Net voldoende stof.

'Dat doe ik dus ook,' zeg ik, 'mijn handen aan mijn kleren afvegen.
Heel stom. En ik moet je nog meer laten zien.' Ik haal mijn spullen
uit de tas. Een enorme doos bonbons. 'Die kan binnen twee dagen
leeg zijn.' Een megagrote zak chips. 'Dit kan ik op voor ik aan tafel
ga. En als ik het eten lekker genoeg vind, eet ik gewoon de hoeveelheid die ik zonder de chips ook gegeten zou hebben.' Een beker Ben
& Jerry's. 'Geef me een vrouwenserie van een uur, zet me voor de tv
en die beker is leeg.' Nu begin ik alle verpakkingen open te maken.
'En als ik een filmmiddag met Daph en Floor heb, dan eten we dit allemaal tegelijk.' Ik bewijs het door afwisselend een bonbon en een
chipje in mijn mond te stoppen. 'En nu ben ik misselijk,' zeg ik daarna, 'maar ik weet niet hoe dat komt, want dat gebeurt normaal gesproken dus nooit.'

Ik wacht Rubens reactie af. Hij moet wel denken dat ik krank-
zinnig geworden ben, maar hij is te verbaasd om het te laten merken. 'En er is nog meer. Wacht.' Ik ren naar boven en kom terug met
de doos uit de seksshop en de uitgescheurde fotobladen die ik onder
in mijn kast verstopt had. 'Ik ben neurotisch. Ik wil dat jij denkt dat
ik altijd frisse adem heb, nooit naar de wc hoef, verleidelijk ruik
zonder parfum en er goed uitzie zonder make-up. Soms denk ik dat
ik niet goed genoeg ben voor jou. Dat denk ik regelmatig, eigenlijk,
en dan bel ik Tamara of mijn vriendinnen en bedenken we samen
dat ik bijvoorbeeld zo'n sekspakket moet kopen. Vervolgens schaam
ik me dood bij de gedachte alleen al en verstop ik het.'

Hij wil iets zeggen, maar ik steek mijn hand op. 'En ik verscheur
fotoalbums waar lelijke foto's van mij in zitten. Dat zijn er nogal
wat. Ik wil niet dat ze jou ooit onder ogen komen, want het liefst
zou ik ze zelf ook nooit meer zien. Maar nu ga ik ze aan je laten zien

en dan weet je alles. Dan weet je wie ik ben op mijn aller-, aller slechtst. Dan hebben we het maar achter de rug.'

'Ies, als jij dat niet wilt, kijk ik er niet naar.'

Ik houd de bladen uitdrukkelijk voor me uit. 'Nee. Ik wil hier vanaf zijn. Ik wil het uit de weg geruimd hebben. Ik wil dat jij nooit meer denkt dat er iets van mezelf is dat ik niet met jou wil delen.'

Hij pakt de foto's aan en kijkt ernaar.

'Kijk maar goed...' zeg ik en even aarzel ik om mijn zin af te maken. Ik had nooit gedacht dat ik hem dit ooit zou vertellen. Mijn gewicht toen ik op mijn zwaarst was. 'Ik weeg daar zevenentachtig kilo en het is heel goed mogelijk dat ik er na twee zwangerschappen weer zo uitzie.'

'Dus we krijgen twee kinderen? Wil je dat? Met mij?'

Ik haal mijn schouders op, verbaasd dat hij niet reageert op mijn gewicht en wel op het laatste wat ik gezegd heb. 'Als jij ermee kunt leven dat ik er daarna zo uitzie.'

'Isa,' zegt hij terwijl hij de foto's op tafel legt. 'Ik hou van jou. Ik vond je gisteren een stoot. Ik vind je nu schitterend mooi, met die pudding op je wang. Ik vind je prachtig als je ligt te slapen of net wakker wordt. En weet je, het enige wat ik niet mooi vind aan die foto's is dat je overal zo ongelukkig kijkt.'

'Dus je beweert nu dat het je niets zou kunnen schelen? Of ik ben zoals nu of zoals toen?'

'Als je maar goed in je vel zit. Het gaat mij om jou. Dat je gelukkig bent met jezelf.' Ik voel zijn vingers tegen de mijne. Hij streelt zacht de rug van mijn hand. 'En met mij, hopelijk.'

'Met jou is niet zo moeilijk, maar wat mij betreft weet ik het niet. Ik ben niet meer dat meisje op die foto's. Maar ik weet ook niet of dit nu is wie ik echt ben.'

'Ik zie alleen de vrouw waar ik verliefd op werd. En dat ben ik nog steeds. Als ik iets heb opgestoken van de afgelopen maanden is het dat wel. Het maakt niet uit of je perfect bent. Het gaat erom dat je perfect bent voor míj. Dat was je toen en dat ben je nu. En dat blijf je.'

Hij trekt me naar zich toe en ik sla mijn armen om zijn nek. Hij tilt me op en ik voel zijn lippen in mijn hals. Ik sluit mijn ogen en houd me stevig aan hem vast. Hij draait zich om. Ik beland onder hem op de bank. Zijn lichaam voegt zich naar het mijne. Hij streelt met beide handen mijn haren uit mijn gezicht en lacht naar me. Ik voel me beverig. Niet alleen omdat ik onder hem lig, maar vooral omdat ik al die dingen aan hem heb laten zien. En hij is er nog steeds.

'Je wint het nooit van me, als het om eten gaat,' zegt hij.

'Daag me niet uit, Ruben. Je hebt geen idee wie je tegenover je hebt.'

'Laat me dat maar eens zien dan.' Zijn lange arm weet de doos bonbons te pakken te krijgen zonder dat hij daarvoor van de bank af moet. Dat zijn natuurlijk bonuspunten, maar dat vertel ik hem niet. 'Welke vind je het lekkerst?'

'Die lange witte, met donkere, zachte chocoladevulling.'

'Jammer, die wil ik,' zegt hij terwijl hij de bonbon voor de helft in zijn mond steekt. Ik hap er de andere kant vanaf en we delen een heerlijke chocoladezoen.

'Of die,' zeg ik daarna terwijl ik een andere aanwijs. 'Melkchocolade met mokkavulling. Volgens mij zitten daar nootjes in.'

'Je hebt er echt verstand van,' antwoordt hij vol bewondering terwijl hij me de bonbon voorhoudt.

'Dat zei ik toch.' Ik neem een hapje. Er breken wat flintertjes chocola af, die ergens tussen mijn borsten vallen. Hij buigt zijn hoofd tot hij erbij kan en likt ze van me af. Daarna kust hij me teder. Mijn lippen, mijn voorhoofd, mijn neus. Ik kan niet geloven dat ik me hier daadwerkelijk lig vol te proppen met chocola en tegelijkertijd met Ruben vrij.

Hij kijkt me aan. 'Chocola en een sekspakket... Waarom wilde je dat in godsnaam voor me verborgen houden?'

33

Floor is getrouwd. Ik kende haar al lang voor ze haar eerste ku
kreeg en nu staat ze samen met de man die haar de rest van haar
leven zal kussen op het trapje voor het stadhuis.

Daph, Floor en ik hebben vannacht geen oog dichtgedaan. We
sliepen met z'n drieën bij Daphne, maar hebben de hele nacht over
van alles en nog wat gekletst. Het voelde toch een beetje alsof er iets
ging veranderen. Alsof Floor een beetje minder van ons zou worden
en meer van Mas. We hebben gelachen, soms een beetje gehuild, gepraat, de ex-vriendjes van Floor nog eens de revue laten passeren en
over een grandioze toekomst voor haar en Mas gefantaseerd. Het
spannendste moment kwam vroeg in de ochtend toen haar moeder
langskwam met de jurken: zelfgemaakte bruidsmeisjesjurken voor
ons, die we pas mochten zien als Floor aangekleed was. We wisten
nog niet of ze roze of blauw zouden worden. Floor heeft tot nu toe
in alle talen gezwegen over het geslacht van haar baby, maar vandaag zal het iedereen wel duidelijk geworden zijn.

Ze daalt, aan de hand van Mas, elegant het trapje af in haar
nauwsluitende, roomwitte trouwjurk. Haar buik komt er fantastisch in uit. Ze is het levende bewijs dat een zwangere vrouw hartstikke sexy kan zijn. Aan de achterkant heeft de jurk een bescheiden
sleepje waarin een heel mooi lavendelblauw lint verwerkt is. In dezelfde tint heeft de moeder van Floor de jurkjes van Daphne en mij
gemaakt. Ik kreeg een brok in mijn keel toen ik mijn jurk vanochtend aantrok en die is daar nog steeds niet weg. Floor krijgt een
zoontje!

Beneden aan het trapje blijft het bruidspaar even staan. De foto-
graaf legt ontelbare prachtige momenten vast tussen haar en Mas.
Hoe hij naar haar kijkt en zijn hand op haar buik legt, en haar glimlach die duidelijk maakt dat ze de man van haar dromen naast zich
heeft staan.

Al hun familie en vrienden staan om hen heen. Mijn ouders zijn

r ook bij, evenals die van Daph. We klappen, gooien rijst en zingen
Lang zullen ze leven'. Zo meteen gaan we een enorme bruidstaart
ansnijden en een feestje bouwen in SKAI Lite, maar nu kijk ik al-
een maar naar al mijn lieve vrienden. Naar Floor en Mas. Naar
Robin, die de hand van Daph zoekt en er een kusje op drukt. Naar
amara en Kai, die vooral oog voor elkaar hebben en later de film
an de bruiloft wel een keer zullen bekijken om te zien of ze iets ge-
nist hebben. En naar Stijn en Bram, die een lange blik wisselen op
et moment dat Floor en Mas een innige kus delen.

Ik ben een sentimenteel wrak en ik merk dat er een traan over
mijn wang loopt. Dan voel ik Rubens armen, die hij van achteren
m me heen slaat. Ik veeg zo onopvallend mogelijk mijn tranen weg
n kijk even naar hem op. Hij knipoogt subtiel zoals alleen hij dat
an.

'Alle vrijgezelle dames verzamelen!' roept Floor dan, terwijl ze
veer een paar treden van het trapje oploopt. 'Ik ga het boeket gooi-
n. Kom op! Daph! Isa! Tamara! Tante Loes, jij ook!' Ze wacht
ven tot iedereen in beweging komt. Een paar meiden van het vrij-
ezellenfeest voegen zich erbij. 'Isa!' roept ze als ik nog steeds sta te
dralen.

Ik geef Ruben een kneepje in zijn arm. 'Geen zorgen. Ik zal mis-
en.' Dan loop ik naar voren. Een beetje aan de rand van de bende
rijpgrage vrouwen. Daphne grijpt mijn elleboog en trekt me er mid-
len in. Floor kijkt me aan met een blik die wil zeggen: let op, hij is
oor jou. Dan draait ze zich om en gooit met een keurige boog haar
oeket achterover. Alle meiden beginnen te graaien, maar het lijkt
lsof hij maar voor één persoon bestemd is. De bloemen belanden
echt in de handen van Daph. Ze kijkt er verbaasd naar. Robin
vordt meteen door de mannen belaagd.

'Sorry,' mimet Floor naar mij. Daarna loopt ze het trapje af, waar
Mas haar opwacht. Het gezelschap komt in beweging. Het bruidspaar gaat eerst foto's maken en de gasten gaan vooruit naar SKAI
Lite. Daphne geeft mensen aanwijzingen over hoe ze moeten rijden
n een gedeelte gaat alvast lopend die kant op. Ik haal de bezem en
handveger en blik uit de auto om het bordes schoon te vegen. Rijst
strooien mag alleen als je het zelf opruimt en ik wil geen boete voor
Floor en Mas.

Ruben komt naar me toe. 'Laat mij maar even.' Hij neemt d
bezem over en veegt alles op een hoop. 'Dat vind ik zoiets onzinnigs
zo'n boeket gooien. Alsof het nu echt iets betekent als je dat vangt
 'Het is gewoon een stomme traditie,' zeg ik. 'Puur voor de lol.'
'Inderdaad.' Hij hurkt neer om met de handveger en blik de rijs
op te vegen. 'Want niemand gelooft toch echt dat zij nu als eerst
gaan trouwen, omdat ze toevallig dat boeket hebben?'
 Ik veeg nog wat verdwaalde korrels naar hem toe. 'Dat bijgeloo
is er ook niet zomaar, Ruben. Misschien werkt het echt zo.'
 'Niet als wij hen voor zijn.' Hij legt de spullen neer en laat éé
knie op de grond neerkomen. Zijn hand reikt naar zijn binnenzak
Ik weet wat hij doet. Ik zie wat hij doet. Maar toch geloof ik het nie
Ook niet als hij zijn hand opent en me een witgouden ring toont me
een bescheiden diamantje waarin het zonlicht weerkaatst. 'Wil j
met me trouwen, Isa?'
 Ik kijk naar de gespannen uitdrukking op zijn gezicht. Alsof e
meer dan één antwoord is dat ik zou kunnen geven. Alsof er nie
maar één woord galmt in mijn hoofd. 'Ja!'
 Bijna in één beweging schuift hij de ring aan mijn vinger, staat hi
op en neemt hij me in zijn armen. Ik kus hem minutenlang in d
plotselinge stilte die is blijven hangen terwijl wij hier samen op di
plein zijn overgebleven. Een heerlijke stilte, die vol is van dit mo
ment tussen mij en hem en van dit geheimpje dat we nu delen.
 Ik vergeet dat we haast moeten maken om naar SKAI Lite te gaan
Ik vergeet alles om me heen, want ik, Isa Verstraten, word Ruben
vrouw.

Dankwoord

Mijn lieve zusje én beste vriendin Priscilla, die door mij soms ook waar beproefd wordt: bedankt voor je geweldige invallen die ik zomaar mag gebruiken om mijn ideeën net dat beetje extra te geven.

Ik bedank mijn vader, die alles wat ik bedenk geweldig vindt en mijn moeder, die die mening deelt en dit vertelt aan wie het maar wil horen.

Dank aan oma Remie en tante Corrie, dankzij wie ik al heel vaak in de boeken top tien gestaan heb (omdat zij mijn boek steeds op die plek in de plaatselijke boekhandel neerleggen – tevens mijn excuses voor de overlast aan de betreffende boekwinkel).

Liefdevolle dank gaat uit naar mijn overige grootouders: opa Remie en opa en oma van Gastel, die er helaas niet meer zijn om dit mee te maken, maar die ik altijd bij me voel.

Verder bedank ik Hanneke, Caroline en Elke (mijn eigen acht-minuten-meisjes), Claudia (voor het steuntje in de rug op precies het juiste moment), Caroline B (voor de extra recensie), Ivo van Oosterhout van Dierenartsengoep West-Brabant, die mij de dagelijkse praktijk van een dierenarts heeft bijgebracht, en Bart Sjollema, die al mijn vragen over de PDAB heeft beantwoord. Zij hebben mij uitvoerig uitleg gegeven en mochten details in mijn boek afwijken van de werkelijkheid, dan is dit in naam van fictie en niet te wijten aan hun deskundigheid.

Verder wil ik iedereen in mijn directe omgeving, die mij op welke manier dan ook heeft gesteund rond het uitkomen van mijn eerste boek, heel hartelijk bedanken. Jullie hebben die ervaring nog onvergetelijker gemaakt!

Alle lezers die Isa meteen in hun hart gesloten hebben: heel erg bedankt voor jullie leuke reacties die mij via internet bereikt hebben.

Ook veel dank aan iedereen bij The House of Books, met name Melissa Hendriks, Margot Eggenhuizen, Jacqueline Dullaart, Edwin Krijgsman en Tessa de Boer.

En natuurlijk weer dank aan Isa en Ruben, die me het afgelope jaar intensief hebben beziggehouden. Het zal stil worden zonder ju lie, maar jullie weten me te vinden als jullie meer kwijt willen!